DU

Die neue amtli

Regeln und

DUDEN-TASCHENBÜCHER
Praxisnahe Helfer zu vielen Themen

DUDEN

Die neue amtliche Rechtschreibung

Regeln und Wörterverzeichnis
nach der zwischenstaatlichen
Absichtserklärung vom 1. Juli 1996

DUDENVERLAG
Mannheim · Leipzig · Wien · Zürich

Die Deutsche Bibliothek – CIP-Einheitsaufnahme
Duden, Die neue amtliche Rechtschreibung:
Regeln und Wörterverzeichnis nach der
zwischenstaatlichen Absichtserklärung vom 1. Juli 1996
Mannheim; Leipzig; Wien; Zürich: Dudenverl., 1997
(Duden-Taschenbücher; Bd. 28)
ISBN 3-411-06281-9
NE: Die neue amtliche Rechtschreibung; GT

© Bibliographisches Institut & F. A. Brockhaus AG,
Mannheim 1997
Satz: Kittelberger GmbH, Reutlingen
Druck: Klambt-Druck GmbH, Speyer
Bindearbeit: Augsburger Industriebuchbinderei
Printed in Germany
ISBN 3-411-06281-9

Vorwort

Auf ihrer Plenarsitzung vom 30. 11./01. 12. 1995 haben sich die Kultus-
minister und -senatoren der deutschen Bundesländer auf eine Neuregelung unserer Rechtschreibung verständigt, nachdem die Vorlage
des neuen amtlichen Regelwerkes und der dazugehörenden Wortliste
inhaltlich angenommen worden war.

Am 01. 07. 1996 wurde in Wien eine zwischenstaatliche Erklärung
zur Neuregelung der deutschen Rechtschreibung von Deutschland,
Österreich, der Schweiz und einigen anderen Ländern mit deutsch-
sprachiger Bevölkerung unterzeichnet. Die neue Rechtschreibung soll
am 01. 08. 1998 in den Unterzeichnerstaaten offiziell in Kraft treten. Mit
ihr soll das Schreiben und insbesondere das Schreibenlernen erleichtert
werden, ohne dass es dadurch zu einem Bruch mit der historisch
gewachsenen Schreibtradition kommt. Bis zum 31. 07. 2005 bleiben
Schreibungen nach der herkömmlichen Regelung zulässig. Erst nach
diesem Datum werden sie an den Schulen als Fehler gewertet werden.

Faktisch hat die Einführung der neuen Orthographie aber bereits
begonnen. Seit Beginn des Schuljahres 1996/97 werden an vielen Schulen die Schüler der unteren und zum Teil auch schon der höheren
Klassen nach den neuen Regeln unterrichtet. Auch außerhalb der
Schulen haben zahlreiche privatwirtschaftliche Unternehmen bereits
damit angefangen, ihr Schrifttum und ihre Korrespondenz auf die neue
Rechtschreibung umzustellen.

Dieses Buch enthält den Originalwortlaut des neuen amtlichen Regelwerkes und das amtliche Wörterverzeichnis. Ein Register wurde vom
Verlag ergänzt. Es soll denjenigen, die sich gezielt über bestimmte
Einzelfragen informieren wollen, einen schnelleren Zugriff auf die
entsprechenden Paragraphen ermöglichen.

Mannheim, im Februar 1997   Die Dudenredaktion

Inhalt

Vorwort

1 Geltungsbereich und Grundsätze der neuen Rechtschreibregelung

Das folgende amtliche Regelwerk, mit einem Regelteil und einem Wörterverzeichnis, regelt die Rechtschreibung innerhalb derjenigen Institutionen (Schule, Verwaltung), für die der Staat Regelungskompetenz hinsichtlich der Rechtschreibung hat. Darüber hinaus hat es zur Sicherung einer einheitlichen Rechtschreibung Vorbildcharakter für alle, die sich an einer allgemein gültigen Rechtschreibung orientieren möchten (das heißt Firmen, speziell Druckereien, Verlage, Redaktionen – aber auch Privatpersonen). Diese Regelung ersetzt jene von 1902 und alle anschließenden Ergänzungsverordnungen.

Die neue Regelung ist folgenden Grundsätzen verpflichtet:

- Sie bemüht sich um eine behutsame inhaltliche Vereinfachung der Rechtschreibung mit dem Ziel, eine Reihe von Ausnahmen und Besonderheiten abzuschaffen, so dass der Geltungsbereich der Grundregeln ausgedehnt wird.

- Sie verfolgt eine Neuformulierung der Regeln nach einem einheitlichen Konzept.

2 Grundlagen der deutschen Rechtschreibung

Die deutsche Rechtschreibung beruht auf einer Buchstabenschrift. Wie ein gesprochenes Wort aus Lauten besteht, so besteht ein geschriebenes Wort aus Buchstaben. Die (regelgeleitete) Zuordnung von Lauten und Buchstaben soll es ermöglichen, jedes geschriebene Wort zu lesen und jedes gehörte Wort zu schreiben.

Die Schreibung der deutschen Sprache – worunter im Folgenden immer auch die Zeichensetzung mitverstanden wird – ist durch folgende grundlegende Beziehungen geprägt:

- die Beziehung zwischen Schreibung und Lautung
- die Beziehung zwischen Schreibung und Bedeutung

2.1 Die Beziehung zwischen Schreibung und Lautung

Jedem Laut entspricht ein Buchstabe oder eine Buchstabenverbindung (zum Beispiel *sch, ch*). Gelegentlich werden auch *zwei* Laute durch *einen* Buchstaben bezeichnet (so durch *x* und *z*).

Die Zuordnung von Lauten und Buchstaben orientiert sich an der deutschen Standardaussprache. Das hat den Vorteil, dass ein Wort immer in derselben Weise geschrieben wird, obwohl es regionale Varianten in der Aussprache geben kann. Wer schreiben lernt, muss daher manchmal mit der Schreibung auch die Standardaussprache kennen lernen.

Besondere Probleme bereitet die Schreibung der Fremdwörter, weil andere Sprachen über Laute verfügen, die im Deutschen nicht vorkommen (zum Beispiel [θ] im Englischen wie in *Thriller* und die französischen Nasalvokale wie in *Teint*). Darüber hinaus können fremde Sprachen andere Laut-Buchstaben-Zuordnungen haben (zum Beispiel in *Nightclub*). Grundsätzlich kann man, was die Schreibung von Fremdwörtern angeht, zwei Tendenzen unterscheiden:

(1) Schreibung wie in der fremden Sprache: Diese Lösung hat Vorteile beim Erlernen fremder Sprachen, bei Mehrsprachigkeit, bei der internationalen Verständigung, speziell bei den Internationalismen (zum Beispiel *City, Taxi*) oder in den Fachsprachen (zum Beispiel *Calcium*). Teilweise verbindet sich mit der fremden Schreibung auch das Flair von Weltläufigkeit, dies besonders bei Varianten (zum Beispiel *Club* neben *Klub*).

(2) Lautliche und/oder orthographische Angleichung (zum Beispiel beides in englisch *strike*, gesprochen [straɪk], zu deutsch *Streik*, gesprochen [ʃtraɪk]): Diese Lösung hat Vorteile für den, der die fremde Herkunftssprache nicht kennt. Denn bei nicht erfolgter Angleichung kann er sich das Fremdwort nur als Schreibschema oder Schreibaussprache einprägen (zum Beispiel *Portemonnaie* als *Por-te-mon-na-i-e*). Die Angleichung vollzog und vollzieht sich meist nicht systematisch, sondern von Fall zu Fall, und sie hängt sehr stark von der Häufigkeit und Gebräuchlichkeit eines Wortes ab. Gelegentlich gibt es auch Doppelschreibungen (zum Beispiel *Soße – Sauce*).

Nicht immer gelten die regelmäßigen Laut-Buchstaben-Zuordnungen bei Eigennamen; man vergleiche *Schmidt, Schmid; Maier, Mayer, Meyer, Meier; Duisburg; Soest.*

2.2 Die Beziehung zwischen Schreibung und Bedeutung

Die deutsche Rechtschreibung bezieht sich nicht nur auf die Lautung, sondern sie dient auch der grafischen Fixierung von Inhalten der sprachlichen Einheiten, das heißt der Bedeutung von Wortteilen, Wörtern, Sätzen und Texten. So wird ein Wortstamm möglichst gleich geschrieben, selbst wenn er in unterschiedlicher Umgebung verschieden ausgesprochen wird. Man spricht hier von Stammschreibung oder Schemakonstanz. Dies betrifft zum Beispiel die Schreibung bei Auslautverhärtung in manchen deutschen Sprachgebieten (*Rad* und *Rat* werden gleich ausgesprochen, aber unterschiedlich geschrieben wegen *des Rades* und *des Rates*), den Umlaut (zum Beispiel *Wand – Wände,* aber *Wende*), das Zusammentreffen gleicher Konsonanten (zum Beispiel *Haussegen, fünffach, zerreißen, enttäuschen, Blinddarm*), gelegentlich auch Einzelfälle (*vier* mit langem [iː], aber *vierzehn, vierzig* trotz kurzem [ɪ]). Hingegen werden in manchen Fällen verschiedene Wörter, obwohl sie gleich ausgesprochen werden, unterschiedlich geschrieben (Unterscheidungsschreibung; zum Beispiel *Saite, Seite; wieder, wider*).

Diese Schemakonstanz sichert den Lesenden ein rasches Erkennen einzelner Wörter und ihrer „Bausteine". Schwierig an diesem Verfahren ist, dass den Sprachteilhaberinnen und Sprachteilhabern einerseits in manchen Fällen nicht klar ist, ob eine Wortverwandtschaft vorliegt (gehört zum Beispiel *Herbst* zu *herb?*), oder dass sie andererseits eine Wortverwandtschaft rechtschreiblich nicht beachten müssen (zum Beispiel *Eltern* zu *alt; voll* zu *füllen*). Bei der Unterscheidungsschreibung wirkt die Wahl der unterscheidenden Buchstaben auf die heutigen Sprachteilhaberinnen und Sprachteilhaber zufällig (zum Beispiel *Laib, Leib; Lied, Lid; Lärche, Lerche*).

Der Kennzeichnung des Wortes und seiner Unterscheidung von Wortgruppen dient unter anderem die Getrennt- und Zusammenschreibung. Die Großschreibung hat im Deutschen mehrere Aufgaben. So dient sie zum Beispiel dazu, Eigennamen sowie Substantive und Substantivierungen zu markieren. Gleichzeitig dient die Großschreibung auch der Hervorhebung des Anfangs von Sätzen und Überschriften. Sätze und Texte als komplexere sprachliche Einheiten werden ihrerseits durch die Mittel der Zeichensetzung in einzelne Teileinheiten untergliedert. Die Lesenden erhalten dadurch schnell erfassbare Informationen über grammatisch-semantische Zusammenhänge.

Schwierig bei all diesen grafischen Bedeutungsmarkierungen ist, dass von den Schreibenden ein gewisses Maß an grammatischem Wissen verlangt wird. Darüber hinaus liegt es in der Natur der Sprache, dass es manchmal keine eindeutige Entscheidung für die eine oder andere Schreibung gibt, weil es sich um Übergangsfälle zwischen verschiedenen sprachlichen Einheiten oder Klassen handelt (zum Beispiel zwischen Zusammensetzung und Wortgruppe).

3   Regelteil und Wörterverzeichnis

Auf der Basis dieser grundlegenden Beziehungen wird durch den Regelteil und das Wörterverzeichnis die geltende Norm der deutschen Schreibung festgelegt. Dabei ergänzen sie einander. So kann die Norm, den Satzanfang großzuschreiben oder gleichrangige Teile in Aufzählungen durch ein Komma zu trennen, durch Regeln im Regelteil allgemein beschrieben werden. Hingegen kann die Schreibung vieler Fremdwörter nur durch Einzelfestlegungen im Wörterverzeichnis erfasst werden; es gibt dazu weder Regeln noch ist es sinnvoll, lange Ausnahmelisten im Regelteil anzulegen.

In vielen Fällen kann man die Schreibung sowohl mit Hilfe der Regeln allgemein bestimmen als auch durch das Nachschlagen im Wörterverzeichnis ermitteln. So besagt zum Beispiel eine Regel, dass der Buchstabe für einen einzelnen Konsonanten nach betontem kurzem Vokal verdoppelt und so die Kürze des Vokals gekennzeichnet wird (zum Beispiel *Affe, Barren, gönnen, schlimm*); aber auch im Wörterverzeichnis ist notwendigerweise jedes einschlägige Wort mit dem verdoppelten Buchstaben für den Konsonanten (zum Beispiel *Affe*) verzeichnet.

3.1 Zum Aufbau des Regelteils

Der Regelteil ist in sechs Teilbereiche gegliedert:

A   Laut-Buchstaben-Zuordnungen
B   Getrennt- und Zusammenschreibung
C   Schreibung mit Bindestrich
D   Groß- und Kleinschreibung
E   Zeichensetzung
F   Worttrennung am Zeilenende

Den Teilbereichen ist jeweils eine Vorbemerkung vorangestellt, die über Inhalt und Aufbau Auskunft gibt. Die Teilbereiche sind durch Zwischenüberschriften mit arabischer Nummerierung (1, 1.1, 1.2 ...) untergliedert. Der gesamte Regelteil ist darüber hinaus fortlaufend durch Paragraphen durchgezählt, um Verweisungen sowohl innerhalb des Regelteils als auch vom Wörterverzeichnis auf den Regelteil zu ermöglichen.

Alle Regeln werden durch Beispiele verdeutlicht; die Ausnahmen sind, wenn nicht anders vermerkt, vollständig angeführt. In den Erläuterungen (= E) werden zusätzliche Hinweise gegeben. Dabei wird prinzipiell von einer Grundregel ausgegangen. In dem weiteren Text werden dann regelhafte Abweichungen als Einzelregeln oder als Ausnahmen genannt.

So ist bei den Laut-Buchstaben-Zuordnungen *sch* in *schnell* oder *ei* in *Kreide* der Normalfall; im Weiteren wird dann dargelegt, dass *sp, st* in *Speck, Stein* regelhafte Abweichungen sind und *ai* in *Kaiser* eine Ausnahme ist. Ebenso ist bei der Getrennt- und Zusammenschreibung die Getrenntschreibung der Normalfall; regelungsbedürftig ist die Zusammenschreibung. Bei der Groß- und Kleinschreibung ist die Kleinschreibung der Normalfall. Die Worttrennung folgt grundsätzlich der Silbenzerlegung beim Sprechen; regelungsbedürftig sind die Abweichungen davon (zum Beispiel in Sprechsilben: *wi-drig* – getrennt: *wid-rig*). Bei der Zeichensetzung ist der Punkt am Satzende der Normalfall; Einzelregeln folgen für das Fehlen des Punktes, zum Beispiel in Überschriften, oder für das Ausrufe- und Fragezeichen.

Es werden die üblichen grammatischen Fachausdrücke verwendet. Speziell gilt:

Im Regelwerk	*Varianten*
Ausrufezeichen	Rufzeichen (Österreich)
Komma	Beistrich (Österreich)
Nebensatz	Gliedsatz (Österreich)
Semikolon	Strichpunkt (Österreich, Schweiz)
Substantiv	Nomen (Österreich, Schweiz),
	Nomen oder Substantiv (Deutschland)

Die Beispiele sind im Regelteil kursiv gesetzt.

Der vorliegende Text ist gemäß der neuen Regelung geschrieben.

3.2 Zum Aufbau des Wörterverzeichnisses

Das Wörterverzeichnis führt den zentralen rechtschreiblichen Wortschatz in alphabetischer Reihenfolge an; Ableitungen und Zusammensetzungen sind nur angegeben, wenn sich bei der Anwendung von Regeln (zum Beispiel zur Getrennt- und Zusammenschreibung) Schwierigkeiten ergeben können. Ebenso sind Angaben zu Flexion und Bedeutung nur dann aufgeführt, wenn dies für rechtschreibliche Zwecke notwendig ist; diese Angaben sind jedoch nicht amtlich festgelegt.

Im Einzelnen gilt:

(1) Stichwörter

Regionale und mundartliche Besonderheiten sind *nicht* erfasst. Länderspezifische Wörter (Austriazismen und Helvetismen) werden jedoch verzeichnet, sofern sie in Österreich beziehungsweise in der Schweiz als standardsprachlich gelten. Sie sind, sofern es sich nicht um österreichische oder schweizerische Schreibvarianten handelt, nicht markiert.

Eigennamen werden nicht aufgeführt. Warenzeichen sind mit *Wz* gekennzeichnet.

Zitatwörter und fremdsprachliche Wendungen wie *all right, de facto, dolce far niente* sind nicht aufgenommen, jedoch werden Beispiele für den Gebrauch in Zusammensetzungen gegeben (*De-facto-Anerkennung* usw.).

(2) Weitere Angaben

Zur Unterscheidung von gleich gesprochenen beziehungsweise gleich geschriebenen Wörtern werden zusätzliche Angaben gemacht, zum Beispiel: *Band* (zu *binden*) und *Band* (Musikgruppe). Bei gleicher Aussprache wird außerdem durch ein Ungleichheitszeichen wechselseitig aufeinander aufmerksam gemacht, zum Beispiel: *Saite* (beim Musikinstrument) ≠ *Seite* und *Seite* (etwa im Buch) ≠ *Saite*.

Ein Ungleichheitszeichen findet sich auch bei Wörtern, die einander in Schreibung und/oder Bedeutung so ähnlich sind, dass sie verwechselt werden können, zum Beispiel: *Apartment* ╪ *Appartement* und *Appartement* ╪ *Apartment*. Unterschiedliche Wortarten erhalten getrennte Einträge ohne Kommentar, zum Beispiel: *bar, Bar.*

(3) Rechtschreibliche und lexikalische Varianten

Sofern sich bei Varianten eine Hauptvariante (im Sinne einer empfohlenen, zu bevorzugenden Schreibung) und eine Nebenvariante (im Sinne einer auch möglichen Schreibung) unterscheiden lassen, wird auf die Hauptvariante verwiesen, zum Beispiel: *Anchovis* s. *Anschovis,* während bei der Hauptvariante die Nebenvariante nur genannt wird: *Anschovis, auch Anchovis.* Analog wird verfahren, wenn fachsprachliche Schreibungen auftreten, zum Beispiel: *Ether* s. *Äther; Äther,* fachspr. *Ether.* Zu beachten ist, dass sich die Schweiz und Österreich in Bezug auf die Schreibung stärker an der Herkunftssprache orientieren (Bevorzugung der Fremdschreibung). Gleichberechtigte Varianten stehen ohne Verweis nebeneinander, zum Beispiel: *räkeln, rekeln* und *rekeln, räkeln.*

Lexikalische Varianten werden ohne weitere Kennzeichnung angeführt und nicht gewertet, zum Beispiel: *Ahn, Ahne* und *Ahne, Ahn.*

(4) Wortreihen

Mit dem Bogen und drei Pünktchen wird auf Reihenbildung hingewiesen, zum Beispiel: *an⌣brennen* ...

Der Bestandteil vor dem Bogen gilt als Stichwort. Der Bestandteil hinter dem Bogen zählt als Beispiel und bleibt bei der alphabetischen Einordnung unberücksichtigt. Bei mehreren Beispielen wird das Stichwort durch Pünktchen ersetzt, zum Beispiel: *bereit⌣stehen, ...halten* ...

(5) Verweise

Die Paragraphen verweisen auf den Regelteil.

(6) Neue Schreibungen

Schreibungen, die sich durch die Neuregelung geändert haben, sind durch ein Sternchen markiert, zum Beispiel: *rau*.* Eingeklammerte Sternchen zeigen an, dass eine analoge Schreibung bereits vorhanden war, so etwa: *aufwärts gehen(*).*

Teil I
Regeln

A Laut-Buchstaben-Zuordnungen

0 Vorbemerkungen

(1) Die Schreibung des Deutschen beruht auf einer Buchstabenschrift. Jeder Buchstabe existiert als Kleinbuchstabe und als Großbuchstabe (Ausnahme *ß*):

a b c d e f g h i j k l m n o p q r s t u v w x y z   ä ö ü   ß

A B C D E F G H I J K L M N O P Q R S T U V W X Y Z   Ä Ö Ü

Die Umlautbuchstaben *ä, ö, ü* werden im Folgenden mit den Buchstaben *a, o, u* zusammen eingeordnet; *ß* nach *ss.* Zum Ersatz von *ß* durch *ss* oder *SS* siehe § 25 E2 und E3.

In Fremdwörtern und fremdsprachigen Eigennamen kommen außerdem Buchstaben mit zusätzlichen Zeichen sowie Ligaturen vor (zum Beispiel *ç, é, â, œ*).

(2) Für die Schreibung des Deutschen gilt:

(2.1) Buchstaben und Sprachlaute sind einander zugeordnet. Die folgende Darstellung bezieht sich auf die Standardaussprache, die allerdings regionale Varianten aufweist.

(2.2) Die Schreibung der Wortstämme, Präfixe, Suffixe und Endungen bleibt bei der Flexion der Wörter, in Zusammensetzungen und Ableitungen weitgehend konstant (zum Beispiel *Kind, die Kinder, des Kindes, Kindbett, Kinderbuch, Kindesalter, kindisch, kindlich; Differenz, Differenzial, differenzieren;* aber *säen, Saat; nähen, Nadel*). Dies macht es in vielen Fällen möglich, die Schreibung eines Wortes aus verwandten Wörtern zu erschließen.

Dabei ist zu beachten, dass Wortstämme sich verändern können, so vor allem durch Umlaut (zum Beispiel *Hand – Hände, Not – nötig, Kunst – Künstler, rauben – Räuber*), durch Ablaut (zum Beispiel *schwimmen – er schwamm – geschwommen*) oder durch e/i-Wechsel (zum Beispiel *geben – du gibst – er gibt*).

In manchen Fällen werden durch verschiedene Laut-Buchstaben-Zuordnungen gleich lautende Wörter unterschieden (zum Beispiel *malen* ╪ *mahlen, leeren* ╪ *lehren*).

(3) Der folgenden Darstellung liegt die deutsche Standardsprache zugrunde.

Besonderheiten sind bei Fremdwörtern und Eigennamen zu beachten.

(3.1) Fremdwörter unterliegen oft fremdsprachigen Schreibgewohnheiten (zum Beispiel *Chaiselongue, Sympathie, Lady*). Ihre Schreibung kann jedoch – und Ähnliches gilt für die Aussprache – je nach Häufigkeit und Art der Verwendung integriert, das heißt dem Deutschen angeglichen werden (zum Beispiel *Scharnier* aus französisch *charnière, Streik* aus englisch *strike*). Manche Fremdwörter

17

werden sowohl in einer integrierten als auch in einer fremdsprachigen Schreibung verwendet (zum Beispiel *Fotograf/Photograph*).

Nicht integriert sind üblicherweise

a) zitierte fremdsprachige Wörter und Wortgruppen (zum Beispiel: *Die Engländer nennen dies „one way mind"*);

b) Wörter in international gebräuchlicher oder festgelegter – vor allem fachsprachlicher – Schreibung (zum Beispiel *City;* medizinisch *Phlegmone*).

Für die nicht oder nur teilweise integrierten Fremdwörter lassen sich wegen der Vielgestaltigkeit fremdsprachiger Schreibgewohnheiten keine handhabbaren Regeln aufstellen. In Zweifelsfällen siehe das Wörterverzeichnis.

(3.2) Für Eigennamen (Vornamen, Familiennamen, geographische Eigennamen und dergleichen) gelten im Allgemeinen amtliche Schreibungen. Diese entsprechen nicht immer den folgenden Regeln.

Eigennamen aus Sprachen mit nicht lateinischem Alphabet können unterschiedliche Schreibungen haben, die auf die Verwendung verschiedener Umschriftsysteme zurückgehen (zum Beispiel *Schanghai, Shanghai*).

(4) Beim Aufbau der folgenden Darstellung sind zunächst Vokale (siehe Abschnitt 1) und Konsonanten (siehe Abschnitt 2) zu unterscheiden.

Unterschieden sind des Weiteren in beiden Gruppen grundlegende Zuordnungen (siehe Abschnitt 1.1 und 2.1), besondere Zuordnungen (siehe Abschnitte 1.2 bis 1.7 und 2.2 bis 2.7) sowie spezielle Zuordnungen in Fremdwörtern (siehe Abschnitt 1.8 und 2.8).

Laute werden im Folgenden durch die phonetische Umschrift wiedergegeben (zum Beispiel das lange *a* durch [aː]). Sind die Buchstaben gemeint, so ist dies durch kursiven Druck gekennzeichnet (zum Beispiel der Buchstabe *h* oder *H*).

1 Vokale

1.1 Grundlegende Laut-Buchstaben-Zuordnungen

§ 1

> Als grundlegend im Sinne dieser orthographischen Regelung gelten die folgenden Laut-Buchstaben-Zuordnungen.

Besondere Zuordnungen werden in den sich anschließenden Abschnitten behandelt.

18

(1) Kurze einfache Vokale

Laute	Buchstaben	Beispiele
[a]	*a*	*ab, Alter, warm, Bilanz*
[ɛ], [e]	*e*	*enorm, Endung, helfen, fett, penetrant, Prozent*
[ə]	*e*	*Atem, Ballade, gering, nobel*
[ɪ], [i]	*i*	*immer, Iltis, List, indiskret, Pilot*
[ɔ], [o]	*o*	*ob, Ort, folgen, Konzern, Logis, Obelisk, Organ*
[œ], [ø]	*ö*	*öfter, Öffnung, wölben, Ökonomie*
[ʊ], [u]	*u*	*unten, Ulme, bunt, Museum*
[ʏ], [y]	*ü*	*Küste, wünschen, Püree*

(2) Lange einfache Vokale

Laute	Buchstaben	Beispiele
[aː]	*a*	*artig, Abend, Basis*
[eː]	*e*	*edel, Efeu, Weg, Planet*
[ɛː]	*ä*	*äsen, Ära, Sekretär*
[iː]	*ie*	(in einheimischen Wörtern:) *Liebe, Dieb*
	i	(in Fremdwörtern:) *Diva, Iris, Krise, Ventil*
[oː]	*o*	*oben, Ofen, vor, Chor*
[øː]	*ö*	*öde, Öfen, schön*
[uː]	*u*	*Ufer, Bluse, Muse, Natur*
[yː]	*ü*	*üben, Übel, fügen, Menü, Molekül*

(3) Diphthonge

Laute	Buchstaben	Beispiele
[aɪ]	*ei*	*eigen, Eile, beiseite, Kaleidoskop*
[aʊ]	*au*	*auf, Auge, Haus, Audienz*
[ɔʏ]	*eu*	*euch, Eule, Zeuge, Euphorie*

1.2 Besondere Kennzeichnung der kurzen Vokale

Folgen auf einen betonten Vokal innerhalb des Wortstammes – bei
Fremdwörtern betrifft dies auch den betonten Wortausgang – zwei
verschiedene Konsonanten, so ist der Vokal in der Regel kurz; folgt
kein Konsonant, so ist der Vokal in der Regel lang; folgt nur ein
Konsonant, so ist der Vokal kurz oder lang. Deshalb beschränkt sich
die besondere grafische Kennzeichnung des kurzen Vokals auf den
Fall, dass nur ein einzelner Konsonant folgt.

§ 2

> Folgt im Wortstamm auf einen betonten kurzen Vokal nur ein
> einzelner Konsonant, so kennzeichnet man die Kürze des Vokals
> durch Verdopplung des Konsonantenbuchstabens.

Das betrifft Wörter wie:

*Ebbe; Paddel; schlaff, Affe; Egge; generell, Kontrolle; schlimm,
immer; denn, wann, gönnen; Galopp, üppig; starr, knurren; Hass,
dass* (Konjunktion), *bisschen, wessen, Prämisse; statt* (≠ *Stadt*), *Hütte,
Manschette*

§ 3

> Für k und z gilt eine besondere Regelung:
> (1) Statt kk schreibt man ck.
> (2) Statt zz schreibt man tz.

Das betrifft Wörter wie:

Acker, locken, Reck; Katze, Matratze, Schutz

Ausnahmen: Fremdwörter wie *Mokka, Sakko; Pizza, Razzia, Skizze*

E zu § 2 und § 3: Die Verdopplung des Buchstabens für den einzelnen
Konsonanten bleibt üblicherweise in Wörtern, die sich aufeinander beziehen
lassen, auch dann erhalten, wenn sich die Betonung ändert, zum Beispiel:
*Galopp – galoppieren, Horror – horrend, Kontrolle – kontrollieren, Nummer
– nummerieren, spinnen – Spinnerei, Stuck – Stuckatur, Stuckateur*

§ 4

> In acht Fallgruppen verdoppelt man den Buchstaben für den
> einzelnen Konsonanten nicht, obwohl dieser einem betonten kurzen
> Vokal folgt.

Dies betrifft

(1) eine Reihe einsilbiger Wörter (besonders aus dem Englischen),
zum Beispiel:

*Bus, Chip, fit, Gag, Grog, Jet, Job, Kap, Klub, Mob, Pop, Slip, top,
Twen*

E1: Ableitungen schreibt man entsprechend § 2 mit doppeltem Konsonanten-
buchstaben:
jobben – du jobbst – er jobbt; jetten, poppig, Slipper; außerdem: *die Busse
(zu Bus)*

(2) die fremdsprachigen Suffixe *-ik* und *-it*, die mit kurzem, aber auch
mit langem Vokal gesprochen werden können, zum Beispiel:

Kritik, Politik; Kredit, Profit

(3) einige Wörter mit unklarem Wortaufbau oder mit Bestandteilen,
die nicht selbständig vorkommen, zum Beispiel:

Brombeere, Damwild, Himbeere, Imbiss, Imker (aber *Imme*), *Sperling,
Walnuss;* aber *Bollwerk*

(4) eine Reihe von Fremdwörtern, zum Beispiel:

Ananas, April, City, Hotel, Kamera, Kapitel, Limit, Mini, Relief, Roboter

(5) Wörter mit den nicht mehr produktiven Suffixen *-d, -st* und *-t,* zum Beispiel:

Brand (trotz *brennen*), *Spindel* (trotz *spinnen*); *Geschwulst* (trotz *schwellen*), *Gespinst* (trotz *spinnen*), *Gunst* (trotz *gönnen*); *beschäftigen, Geschäft* (trotz *schaffen*), *(ins)gesamt, sämtlich* (trotz *zusammen*)

(6) eine Reihe einsilbiger Wörter mit grammatischer Funktion, zum Beispiel:

ab, an, dran, bis, das (Artikel, Pronomen), *des* (aber *dessen*), *in, drin* (aber *innen, drinnen*), *man, mit, ob, plus, um, was, wes* (aber *wessen*)

E2: Aber entsprechend § 2:
dann, denn, wann, wenn; dass (Konjunktion)

(7) die folgenden Verbformen:

ich bin, er hat; aber nach der Grundregel (§ 2): *er hatte, sie tritt, nimm!*

(8) die folgenden Ausnahmen:

Drittel, Mittag, dennoch

§ 5

> In vier Fallgruppen verdoppelt man den Buchstaben für den einzelnen Konsonanten, obwohl der vorausgehende kurze Vokal nicht betont ist.

Dies betrifft

(1) das scharfe (stimmlose) *s* in Fremdwörtern, zum Beispiel:

Fassade, Karussell, Kassette, passieren, Rezession

(2) die Suffixe *-in* und *-nis* sowie die Wortausgänge *-as, -is, -os* und *-us,* wenn in erweiterten Formen dem Konsonanten ein Vokal folgt, zum Beispiel:

-in:	*Ärztin – Ärztinnen, Königin – Königinnen*
-nis:	*Beschwernis – Beschwernisse, Kenntnis – Kenntnisse*
-as:	*Ananas – Ananasse, Ukas – Ukasse*
-is:	*Iltis – Iltisse, Kürbis – Kürbisse*
-os:	*Albatros – Albatrosse, Rhinozeros – Rhinozerosse*
-us:	*Diskus – Diskusse, Globus – Globusse*

(3) eine Reihe von Fremdwörtern, zum Beispiel:

Allee, Batterie, Billion, Buffet, Effekt, frappant, Grammatik, Kannibale, Karriere, kompromittieren, Konkurrenz, Konstellation, Lotterie, Porzellan, raffiniert, Renommee, skurril, Stanniol

E: In Zusammensetzungen mit fremdsprachigen Präfixen wie *ad-, dis-, in-, kon-/con-, ob-, sub-* und *syn-* ist deren auslautender Konsonant in manchen Fällen an den Konsonanten des folgenden Wortes angeglichen, zum Beispiel: *Affekt, akkurat, Attraktion* (vgl. aber *Advokat, addieren*); ebenso: *Differenz, Illusion, korrekt, Opposition, suggerieren, Symmetrie*

(4) wenige Wörter mit *tz* (siehe § 3(2)), zum Beispiel:

Kiebitz, Stieglitz

1.3 Besondere Kennzeichnung der langen Vokale

Folgt im Wortstamm auf einen betonten Vokal kein Konsonant, ist er lang. Die regelmäßige Kennzeichnung mit *h* hat auch die Aufgabe, die Silbenfuge zu markieren, zum Beispiel *Kühe*; vgl. § 6. Folgt nur ein Konsonant, so kann der Vokal kurz oder lang sein. Die Länge wird jedoch nur bei einheimischen Wörtern mit [iː] regelmäßig durch *ie* bezeichnet; vgl. § 1. Ansonsten erfolgt die Kennzeichnung nur ausnahmsweise:

a) in manchen Wörtern vor *l, m, n, r* mit *h*; vgl. § 8;
b) mit Doppelvokal *aa, ee, oo*; vgl. § 9;
c) mit *ih, ieh*; vgl. § 12.

Zum *ß* (statt *s*) nach langem Vokal und Diphthong siehe § 25.

§ 6

> Wenn einem betonten einfachen langen Vokal ein unbetonter kurzer Vokal unmittelbar folgt oder in erweiterten Formen eines Wortes folgen kann, so steht nach dem Buchstaben für den langen Vokal stets der Buchstabe *h*.

Dies betrifft Wörter wie:

ah: *nahen, bejahen* (aber *ja*)
eh: *Darlehen, drehen*
oh: *drohen, Floh* (wegen *Flöhe*)
uh: *Kuh* (wegen *Kühe*), *Ruhe, Schuhe*
äh: *fähig, Krähe, zäh* (Ausnahme *säen*)
öh: *Höhe* (Ausnahme *Bö*, trotz *Böe, Böen*)
üh: *früh* (wegen *früher*)

Zu *ieh* siehe § 12(2).
Zu *See* u. a. siehe § 9.

§ 7

> Das *h* steht ausnahmsweise auch nach dem Diphthong [aɪ].

Das betrifft Wörter wie:

gedeihen, Geweih, leihen (≠ *Laien*), *Reihe, Reiher, seihen, verzeihen, weihen, Weiher;* aber sonst: *Blei, drei, schreien*

§ 8

> Wenn einem betonten langen Vokal einer der Konsonanten [l], [m], [n] oder [r] folgt, so wird in vielen, jedoch nicht in der Mehrzahl der Wörter nach dem Buchstaben für den Vokal ein *h* eingefügt.

Dies betrifft

(1) Wörter, in denen auf [l], [m], [n] oder [r] kein weiterer Konsonant folgt, zum Beispiel:

ah: *Dahlie, lahm, ahnen, Bahre*
eh: *Befehl, benehmen, ablehnen, begehren*
oh: *hohl, Sohn, bohren*
uh: *Pfuhl, Ruhm, Huhn, Uhr*
äh: *ähneln, Ähre*
öh: *Höhle, stöhnen, Möhre*
üh: *fühlen, Bühne, führen*
Zu *ih* siehe § 12(1).

(2) die folgenden Einzelfälle: *ahnden, fahnden*

E1: Zu unterscheiden sind gleich lautende, aber unterschiedlich geschriebene Wortstämme wie: *Mahl* ╪ *Mal, mahlen* ╪ *malen, Sohle* ╪ *Sole; dehnen* ╪ *denen; Bahre* ╪ *Bar, wahr* ╪ *er war, lehren* ╪ *leeren, mehr* ╪ *Meer, Mohr* ╪ *Moor, Uhr* ╪ *Ur, währen* ╪ *sie wären*

E2 zu § 6 bis 8: Das *h* bleibt auch bei Flexion, Stammveränderung und in Ableitungen erhalten, zum Beispiel: *befehlen – befiehl – er befahl – befohlen, drehen – gedreht – Draht, empfehlen – empfiehl – er empfahl – empfohlen, gedeihen – es gedieh – gediehen, fliehen – er floh – geflohen, leihen – er lieh – geliehen, mähen – Mahd, nähen – Naht, nehmen – er nahm, sehen – er sieht – er sah – gesehen, stehlen – er stiehlt – er stahl – gestohlen, verzeihen – er verzieh – verziehen, weihen – geweiht – Weihnachten*

Ausnahmen, zum Beispiel: *Blüte, Blume* (trotz *blühen*), *Glut* (trotz *glühen*), *Nadel* (trotz *nähen*)
E3: In Fremdwörtern steht bis auf wenige Ausnahmen wie *Allah, Schah* kein *h*.

§ 9

> Die Länge von [a:], [e:] und [o:] kennzeichnet man in einer kleinen Gruppe von Wörtern durch die Verdopplung *aa, ee* bzw. *oo*.

Dies betrifft Wörter wie:

aa: *Aal, Aas, Haar, paar, Paar, Saal, Saat, Staat, Waage*
ee: *Beere, Beet, Fee, Klee, scheel, Schnee, See, Speer, Tee, Teer;*
außerdem eine Reihe von Fremdwörtern mit *ee* im Wortausgang wie: *Armee, Idee, Kaffee, Klischee, Tournee, Varietee*
oo: *Boot, Moor, Moos, Zoo*

Zu *die Feen, Seen* siehe § 19.

E1: Zu unterscheiden sind gleich lautende, aber unterschiedlich geschriebene Wortstämme wie: *Waage* ǂ *Wagen; Heer* ǂ *her, hehr; leeren* ǂ *lehren; Meer* ǂ *mehr; Reede* ǂ *Rede; Seele, seelisch* ǂ *selig; Moor* ǂ *Mohr*

E2: Bei Umlaut schreibt man nur *ä* bzw. *ö*, zum Beispiel: *Härchen* – aber *Haar; Pärchen* – aber *Paar; Säle* – aber *Saal; Bötchen* – aber *Boot*

§ 10

> Wenige einheimische Wörter und eingebürgerte Entlehnungen mit dem langen Vokal [iː] schreibt man ausnahmsweise mit *i*.

Dies betrifft Wörter wie:

dir, mir, wir; gib, du gibst, er gibt (aber *ergiebig*); *Bibel, Biber, Brise, Fibel, Igel, Liter, Nische, Primel, Tiger, Wisent*

E: Zu unterscheiden sind gleich lautende, aber unterschiedlich geschriebene Wörter wie: *Lid* ǂ *Lied; Mine* ǂ *Miene; Stil* ǂ *Stiel; wider* ǂ *wieder*

§ 11

> Für langes [iː] schreibt man ie in den fremdsprachigen Suffixen und Wortausgängen *-ie, -ier* und *-ieren*.

Dies betrifft Wörter wie:
Batterie, Lotterie; Manier, Scharnier; marschieren, probieren

Ausnahmen, zum Beispiel: *Geysir, Saphir, Souvenir, Vampir, Wesir*

§ 12

> In Einzelfällen kennzeichnet man die Länge des Vokals [iː] zusätzlich mit dem Buchstaben *h* und schreibt *ih* oder *ieh*.

Im Einzelnen gilt:

(1) *ih* steht nur in den folgenden Wörtern (vgl. § 8):
ihm, ihn, ihnen; ihr (Personal- und Possessivpronomen), außerdem *Ihle*

(2) *ieh* steht nur in den folgenden Wörtern (vgl. § 6):
fliehen, Vieh, wiehern, ziehen

Zu *ieh* in Flexionsformen wie *befiehl* (zu *befehlen*) siehe § 8 E2.

1.4 Umlautschreibung bei [ɛ]

§ 13

> Für kurzes [ɛ] schreibt man *ä* statt *e*, wenn es eine Grundform mit *a* gibt.

Dies betrifft flektierte und abgeleitete Wörter wie:
Bänder, Bändel (wegen *Band*); *Hälse* (wegen *Hals*); *Kälte, kälter* (wegen *kalt*); *überschwänglich* (wegen *Überschwang*)

E1: Man schreibt *e* oder *ä* in *Schenke/Schänke* (wegen *ausschenken/Ausschank*), *aufwendig/aufwändig* (wegen *aufwenden/Aufwand*).

E2: Für langes [eː] und langes [ɛː], die in der Aussprache oft nicht unterschieden werden, schreibt man *ä*, sofern es eine Grundform mit *a* gibt, zum Beispiel: *quälen* (wegen *Qual*). Wörter wie *sägen, Ähre* (≠ *Ehre*), *Bär* sind Ausnahmen.

§ 14

> In wenigen Wörtern schreibt man ausnahmsweise *ä*.

Dies betrifft Wörter wie:
ätzen, dämmern, Geländer, Lärm, März, Schärpe

E: Zu unterscheiden sind gleich lautende, aber unterschiedlich geschriebene Wörter wie: *Äsche* ≠ *Esche; Färse* ≠ *Ferse; Lärche* ≠ *Lerche*

§ 15

> In wenigen Wörtern schreibt man ausnahmsweise *e*.

Das betrifft Wörter wie:
Eltern (trotz *alt*); *schwenken* (trotz *schwanken*)

1.5 Umlautschreibung bei [ɔY]

§ 16

> Für den Diphthong [ɔY] schreibt man *äu* statt *eu,* wenn es eine Grundform mit *au* gibt.

Dies betrifft flektierte und abgeleitete Wörter wie:
Häuser (wegen *Haus*), *er läuft* (wegen *laufen*), *Mäuse, Mäuschen* (wegen *Maus*); *Gebäude* (wegen *Bau*), *Geräusch* (wegen *rauschen*), *sich schnäuzen* (wegen *Schnauze*), *verbläuen* (wegen *blau*)

§ 17

> In wenigen Wörtern schreibt man ausnahmsweise *äu*.

Das betrifft Wörter wie:
Knäuel, Räude, sich räuspern, Säule, sich sträuben, täuschen

1.6 Ausnahmen beim Diphthong [aɪ]

§ 18

> In wenigen Wörtern schreibt man den Diphthong [aɪ] ausnahmsweise *ai*.

Das betrifft Wörter wie:

Hai, Kaiser, Mai

E: Zu unterscheiden sind gleich lautende, aber unterschiedlich geschriebene Wortstämme wie: *Bai* ≠ *bei; Laib* ≠ *Leib; Laich* ≠ *Leiche; Laie, Laien* ≠ *leihen; Saite* ≠ *Seite; Waise* ≠ *Weise, weisen*

1.7 Besonderheiten beim *e*

Folgen auf *-ee* oder *-ie* die Flexionsendungen oder Ableitungs-
suffixe *-e, -en, -er, -es, -ell,* so lässt man ein *e* weg.

Das betrifft Wörter wie:
*die Feen; die Ideen; die Mondseer, des Sees; die Knie, knien; die
Fantasien; sie schrien, geschrien; ideell; industriell*

1.8 Spezielle Laut-Buchstaben-Zuordnungen in Fremdwörtern

Über die bisher dargestellten Laut-Buchstaben-Zuordnungen
hinaus treten in Fremdwörtern auch fremdsprachige Zuordnungen
auf. In den folgenden Listen sind nur die wichtigeren angeführt.

Dabei ist zu beachten, dass Kürze und Länge der Vokale von der
Betonung abhängen. Vokale, die in betonten Silben lang sind, werden
in unbetonten Silben kurz gesprochen, zum Beispiel *Analyse* mit
langem Vokal [y:] – *analysieren* mit kurzem Vokal [y].

(1) Fremdsprachige Laut-Buchstaben-Zuordnungen

Laute	Buchstaben	Beispiele
[a], [a:]	*u*	*Butler, Cup, Make-up, Slum*
	at	*Eklat, Etat*
[ɛ], [ɛ:]	*a*	*Action, Camping, Fan, Gag*
	ai	*Airbus, Chaiselongue, fair, Flair, Saison*
[e], [e:]	*é*	*Abbé, Attaché, Lamé*
	er	*Atelier, Bankier, Premier*
	et	*Budget, Couplet, Filet*
	ai	*Cocktail, Container*
[i], [i:]	*y*	*Baby, City, Lady, sexy*
	ea	*Beat, Dealer, Hearing, Jeans, Team*
	ee	*Evergreen, Spleen, Teenager*
[o], [o:]	*au*	*Chaussee, Chauvinismus*
	eau	*Niveau, Plateau, Tableau*
	ot	*Depot, Trikot*
[ø:]	*eu*	*adieu, Milieu;*
		häufig in den Suffixen *-eur, -euse: Ingenieur, Souffleuse*

Laute	Buchstaben	Beispiele
[ʊ], [u], [uː]	oo	*Boom, Swimmingpool*
	ou	*Journalist, Rouge, Route, souverän*
[ɤ], [y], [yː]	y	*Analyse, Hymne, Physik, System, Typ;* auch in den Präfixen *dys- (≠ dis-), hyper-, hypo-, syl-, sym-, syn-: dysfunktional, hyperkorrekt, Hypozentrum, Syllogismus, Symbiose, synchron*
[ɑ̃], [ɑ̃ː]	an	*Branche, Chance, Orange, Renaissance, Revanche*
	ant	*Avantgarde, Pendant, Restaurant*
	en	*engagiert, Ensemble, Entree, Pendant, Rendezvous*
	ent	*Abonnement, Engagement*
[ɛ̃], [ɛ̃ː]	ain	*Refrain, Souterrain, Terrain*
	eint	*Teint*
	in	*Bulletin, Dessin, Mannequin*
[ɔ̃], [ɔ̃ː]	on	*Annonce, Chanson, Pardon*
[œ̃], [œ̃ː]	um	*Parfum*
[aʊ]	ou	*Couch, Countdown, Foul, Sound*
	ow	*Clown, Countdown, Cowboy, Power(play)*
[aɪ]	i	*Lifetime, Pipeline*
	igh	*Copyright, high, Starfighter*
	y	*Nylon, Recycling*
[ɔɤ]	oy	*Boy, Boykott*
[oa]	oi	*Memoiren, Repertoire, Reservoir, Toilette*

(2) Doppelschreibungen

Im Prozess der Integration entlehnter Wörter können fremdsprachige und integrierte Schreibung nebeneinander stehen. (Zu Haupt- und Nebenform siehe das Wörterverzeichnis.)

Laute	Buchstaben	Beispiele
[ɛ], [ɛː]	ai – ä	*Drainage – Dränage, Mayonnaise – Majonäse, Mohair – Mohär, Polonaise – Polonäse*
[e], [eː]	é – ee	*Bouclé – Buklee, Doublé – Dublee, Exposé – Exposee* *Café – Kaffee* (mit Bedeutungsdifferenzierung), *Kommuniqué – Kommunikee, Varieté – Varietee*
[o], [oː]	au – o	*Sauce – Soße*
[ʊ], [u], [uː]	ou – u	*Bravour – Bravur, Bouquet – Bukett, Doublé – Dublee, Coupon – Kupon, Nougat – Nugat*

§ 21

> Fremdwörter aus dem Englischen, die auf -y enden und im Englischen den Plural -ies haben, erhalten im Plural ein -s.

Das betrifft Wörter wie:
Baby – Babys, Lady – Ladys, Party – Partys

E: Bei Zitatwörtern gilt die englische Schreibung, zum Beispiel:
Grand Old Ladies.

2 Konsonanten

2.1 Grundlegende Laut-Buchstaben-Zuordnungen

§ 22

> Als grundlegend im Sinne dieser orthographischen Regelung gelten die folgenden Laut-Buchstaben-Zuordnungen.

Besondere Zuordnungen werden in den sich anschließenden Abschnitten behandelt.

(1) Einfache Konsonanten

Laute	Buchstaben	Beispiele
[b]	*b*	*backen, Baum, Obolus, Parabel*
[ç], [x]	*ch*	*ich, Bücher, lynchen; ach, Rauch*
[d]	*d*	*danken, Druck, leiden, Mansarde*
[f]	*f*	*fertig, Falke, Hafen, Fusion*
[g]	*g*	*gehen, Gas, sägen, Organ, Eleganz*
[h]	*h*	*hinterher, Haus, Hektik, Ahorn, vehement*
[j]	*j*	*ja, Jagd, Boje, Objekt*
[k]	*k*	*Kiste, Haken, Flanke, Majuskel, Konkurs*
[l]	*l*	*laufen, Laut, Schale, lamentieren*
[m]	*m*	*machen, Mund, Lampe, Maximum*
[n]	*n*	*nur, Nagel, Ton, Natur, nuklear*
[ŋ]	*ng*	*Gang, Länge, singen, Zange*
[p]	*p*	*packen, Paste, Raupe, Problem*
[r], [ʀ], [ʁ]	*r*	*rauben, Rampe, hören, Zitrone*
[s]	*s*	*skurril, Skandal, Hast, hopsen*
[z]	*s*	*sagen, Seife, lesen, Laser*
[ʃ]	*sch*	*scharf, Schaufel, rauschen*
[t]	*t*	*tragen, Tür, fort, Optimum*
[v]	*w*	*wann, Wagen, Möwe*

(2) Konsonantenverbindungen (innerhalb des Stammes)

Laute	Buchstaben	Beispiele
[kv]	*qu*	*quälen, Quelle, liquid, Qualität*
[ks]	*x*	*xylographisch, Xenophobie, boxen, toxisch*
[ts]	*z*	*zart, Zaum, tanzen, speziell, Zenit*

2.2 Auslautverhärtung und Wortausgang -*ig*

§ 23

> Die in großen Teilen des deutschen Sprachgebiets auftretende Verhärtung der Konsonanten [b], [d], [g], [v] und [z] am Silbenende sowie vor anderen Konsonanten innerhalb der Silbe wird in der Schreibung nicht berücksichtigt.

E1: Bei vielen Wörtern kann die Schreibung aus der Aussprache erweiterter Formen oder verwandter Wörter abgeleitet werden, in denen der betreffende Konsonant am Silbenanfang steht, zum Beispiel:

Konsonant am Silbenende usw.	Konsonant am Silbenanfang
Lob, löblich, du lobst	*Lobes, belobigen* (aber *Isotop* – *Isotope*)
trüb, trübselig, eingetrübt	*trübe, eintrüben* (aber *Typ* – *Typen*)
Rad, Radumfang	*Rades, rädern* (aber *Rat* – *Rates*)
absurd	*absurde, Absurdität* (aber *Gurt* – *Gurte*)
Sieg, siegreich, er siegt	*siegen* (aber *Musik* – *musikalisch*)
Trug, er betrog, Betrug	*betrügen* (aber *Spuk* – *spuken*)
gläubig	*gläubige* (aber *Plastik* – *Plastiken*)
Möwchen	*Möwe* (aber *Öfchen* – *Ofen*)
naiv, Naivling, Naivheit	*Naive, Naivität* (aber *er rief* – *rufen*)
Preis, preislich, preiswert	*Preise* (aber *Fleiß* – *fleißig*)
Haus, häuslich, behaust	*Häuser* (aber *Strauß* – *Sträuße*)

E 2: Bei einer kleinen Gruppe von Wörtern ist es nicht oder nur schwer möglich, eine solche Erweiterung durchzuführen oder eine Beziehung zu verwandten Wörtern herzustellen. Man schreibt sie trotzdem mit *b, d, g* bzw. *s,* zum Beispiel: *ab, Eisbein (Eis* – *Eises), flugs (Flug), Herbst, hübsch, jeglich, Jugend, Kies (Kiesel), Lebkuchen, morgendlich, ob, Obst, Plebs (Plebejer), preisgeben, Rebhuhn, redlich (Rede), Reis (Reisig), Reis (= Korn; Reise* fachsprachlich = Reissorten; aber *Grieß), ihr seid* (≠ *seit), sie sind, und, Vogt, weg (Weges), weissagen (weise)*

§ 24

> Für den Laut [ç] schreibt man regelmäßig *g*, wenn erweiterte Formen am Silbenanfang mit dem Laut [g] gesprochen werden.

Das betrifft Wörter wie:
ewig, Ewigkeit (wegen *ewige*), *gläubig* (wegen *gläubige*); aber *unglaublich* (wegen *unglaubliche*); *heilig, Käfig, ruhig*

E: In einigen Sprachlandschaften wird *-ig* mit [k] gesprochen; dann gilt § 23.

2.3 Besonderheiten bei [s]

§ 25

> Für das scharfe (stimmlose) [s] nach langem Vokal oder Diphthong schreibt man *ß*, wenn im Wortstamm kein weiterer Konsonant folgt.

Das betrifft Wörter wie:
Maß, Straße, Grieß, Spieß, groß, grüßen; außen, außer, draußen, Strauß, beißen, Fleiß, heißen
Ausnahme: *aus*
Zur Schreibung von [s] in Wörtern mit Auslautverhärtung wie *Haus, graziös, Maus, Preis* siehe § 23.
E1: In manchen Wortstämmen wechselt bei Flexion und in Ableitungen die Länge und Kürze des Vokals vor [s]; entsprechend wechselt die Schreibung *ß* mit *ss*. Beispiele:
fließen – er floss – Fluss – das Floß
genießen – er genoss – Genuss
wissen – er weiß – er wusste
E2: Steht der Buchstabe *ß* nicht zur Verfügung, so schreibt man *ss*. In der Schweiz kann man immer *ss* schreiben. Beispiel: *Straße – Strasse*
E3: Bei Schreibung mit Großbuchstaben schreibt man *SS*, zum Beispiel: *Straße – STRASSE*

§ 26

> Folgt auf das *s, ss, ß, x* oder *z* eines Verb- oder Adjektivstammes die Endung *-st* der 2. Person Singular bzw. die Endung *-st(e)* des Superlativs, so lässt man das *s* der Endung weg.

Das betrifft Wörter wie:
du reist (zu *reisen*), *du hasst* (zu *hassen*), *du reißt* (zu *reißen*), *du mixt* (zu *mixen*), *du sitzt* (zu *sitzen*); (*groß – größer –*) *größte*

2.4 Besonderheiten bei [ʃ]

§ 27

> Für den Laut [ʃ] am Anfang des Wortstammes vor folgendem [p] oder [t] schreibt man *s* statt *sch*.

Das betrifft Wörter wie:

spielen, verspotten; starren, Stelle, Stunde

2.5 Besonderheiten bei [ŋ]

§ 28

Für den Laut [ŋ] vor [k] oder [g] im Wortstamm schreibt man *n* statt *ng*.

Das betrifft Wörter wie:
Bank, dünken, Enkel, Schranke, trinken; Mangan, Singular

2.6 Besonderheiten bei [f] und [v]

§ 29

Für den Laut [f] schreibt man *v* statt *f* in *ver-* (wie in *verlaufen*) sowie am Anfang einiger weiterer Wörter.

Das betrifft Wörter wie:
Vater, Veilchen, Vettel, Vetter, Vieh, viel, vielleicht, vier, Vlies, Vogel, Vogt, Volk, voll (aber *füllen*), *von, vor, vordere, vorn*
Dazu kommen *Frevel, Nerv (Nerven).*

§ 30

Für den Laut [v] schreibt man in Fremdwörtern regelmäßig und in wenigen eingebürgerten Entlehnungen *v* statt *w*.

Das betrifft Wörter wie:
privat, Revolution, Universität, Virus, zivil, Malve, Vase; Suffix bzw. Endung *-iv, -ive: Aktivität, die Detektive, Motivation; Initiative, Perspektive*

E: Bei einigen Wörtern schwankt die Aussprache von *v* zwischen [v] und [f] wie bei *Initiative, Larve, Pulver, evangelisch, Vers, Vesper, November, brave.*

2.7 Besonderheiten bei [ks]

§ 31

Für die Lautverbindung [ks] schreibt man in einigen Wortstämmen ausnahmsweise *chs* bzw. *ks* statt *x*.

Das betrifft Wörter wie:
Achse, Achsel, Büchse, Dachs, drechseln, Echse, Flachs, Fuchs, Lachs, Luchs, Ochse, sechs, Wachs, wachsen, Wechsel, Weichsel(kirsche), wichsen

Keks, schlaksig

E: Die bei Flexion und in Ableitungen entstehende Lautverbindung [ks] wird je nach dem zugrunde liegenden Wort *gs, ks* oder *cks* geschrieben, zum Beispiel: *du hegst* (wegen *hegen*), *du hinkst* (wegen *hinken*), *Streiks* (wegen *Streik*), *Häcksel* (wegen *hacken*)

2.8 Spezielle Laut-Buchstaben-Zuordnungen in Fremdwörtern

§ 32

> Über die bisher dargestellten Laut-Buchstaben-Zuordnungen hinaus treten in Fremdwörtern auch fremdsprachige Zuordnungen auf.

In den folgenden Listen sind nur die wichtigeren angeführt.

(1) Fremdsprachige Laut-Buchstaben-Zuordnungen

(1.1) Einfache Konsonanten

Laute	Buchstaben	Beispiele
[f]	*ph*	*Atmosphäre, Metapher, Philosophie, Physik*
[k]	*c*	*Clown, Container, Crew*
	ch	*Chaos, Charakter, Chlor, christlich*
	qu	*Mannequin, Queue*
[r]	*rh*	*Rhapsodie, Rhesusfaktor*
	rt	*Dessert, Kuvert, Ressort*
[s]	*c, ce*	*Annonce, Chance, City, Renaissance, Service*
[ʃ]	*ch*	*Champignon, Chance, charmant, Chef*
	sh	*Geisha, Sheriff, Shop, Shorts*
[ʒ]	*g*	*Genie, Ingenieur, Loge, Passagier, Regime;* auch im Suffix *-age: Blamage, Garage*
	j	*Jalousie, Jargon, jonglieren, Journalist*
[t]	*th*	*Ethos, Mathematik, Theater, These*
[v]	*v*	*Virus, zivil* (vgl. § 30)

(1.2) Konsonantenverbindungen

Laute	Buchstaben	Beispiele
[dʒ]	*g*	*Gentleman, Gin, Manager, Teenager*
	j	*Jazz, Jeans, Jeep, Job, Pyjama*
[lj] / [j]	*ll*	*Billard, Bouillon, brillant, Guerilla, Medaille, Pavillon, Taille*
[nj]	*gn*	*Champagner, Kampagne, Lasagne*
[ts]	*c*	*Aceton, Celsius, Cellophan*
	t (vor [i] + Vokal)	sehr häufig im Suffix *-tion;* außerdem häufig in Fällen wie *-tie, -tiell, -tiös: Funktion, Nation, Produktion; Aktie, partiell, infektiös*

Laute	Buchstaben	Beispiele
[tʃ]	c	*Cello, Cembalo*
	ch	*Chip, Coach, Ranch*
	ge, dge	*College, Bridge*

(2) Doppelschreibungen

Im Prozess der Integration entlehnter Wörter können fremdsprachige und integrierte Schreibung nebeneinander stehen. (Zu Haupt- und Nebenformen siehe das Wörterverzeichnis.)

Laute	Buchstaben	Beispiele
[f]	ph – f	*-photo- – -foto-,*
		zum Beispiel *Photographie – Fotografie*
		-graph- – -graf-,
		zum Beispiel *Graphik – Grafik*
		-phon- – -fon-,
		zum Beispiel *Mikrophon – Mikrofon*
		Delphin – Delfin,
		phantastisch – fantastisch
[g]	gh – g	*Ghetto – Getto, Joghurt – Jogurt,*
		Spaghetti – Spagetti
[j]	y – j	*Yacht – Jacht, Yoga – Joga,*
		Mayonnaise – Majonäse
[k]	c – k	*Calcit – Kalzit, Caritas – Karitas,*
		Code – Kode, codieren – kodieren, circa – zirka
	qu – k	*Bouquet – Bukett, Kommuniqué – Kommunikee*
[r]	rh – r	*Katarrh - Katarr, Myrrhe - Myrre*
[s]	c – ss, ß	*Facette – Fassette, Necessaire – Nessessär,*
		Sauce – Soße
[ʃ]	ch – sch	*Anchovis – Anschovis, Chicorée – Schikoree,*
		Sketch – Sketsch
[t]	th – t	*Kathode – Katode,*
		Panther - Panter, Thunfisch - Tunfisch
[ts]	c – z	*Acetat – Azetat, Calcit – Kalzit,*
		Penicillin – Penizillin, circa – zirka
	t – z	*pretiös – preziös, Pretiosen – Preziosen;*
	(vor [i]	*potentiell – potenziell* (wegen *Potenz*),
	+ Vokal)	*substantiell – substanziell* (wegen *Substanz*)

B Getrennt- und Zusammenschreibung

0 Vorbemerkungen

(1) Die Getrennt- und Zusammenschreibung betrifft die Schreibung von Wörtern, die im Text unmittelbar benachbart und aufeinander bezogen sind. Handelt es sich um die Bestandteile von Wortgruppen, so schreibt man sie voneinander getrennt. Handelt es sich um die Bestandteile von Zusammensetzungen, so schreibt man sie zusammen. Manchmal können dieselben Bestandteile sowohl eine Wortgruppe als auch eine Zusammensetzung bilden. Die Verwendung als Wortgruppe oder als Zusammensetzung kann dabei von der Aussageabsicht des Schreibenden abhängen.

(2) Bei der Regelung der Getrennt- und Zusammenschreibung wird davon ausgegangen, dass die getrennte Schreibung der Wörter der Normalfall und daher allein die Zusammenschreibung regelungsbedürftig ist.

(3) Soweit dies möglich ist, werden zu den Regeln formale Kriterien aufgeführt, mit deren Hilfe sich entscheiden lässt, ob man im betreffenden Fall getrennt oder ob man zusammenschreibt. So wird zum Beispiel stets zusammengeschrieben, wenn der erste oder der zweite Bestandteil in dieser Form als selbständiges Wort nicht vorkommt (wie bei *wissbegierig, zuinnerst*). So wird zum Beispiel stets getrennt geschrieben, wenn der erste oder der zweite Bestandteil erweitert ist (wie bei *viele Kilometer weit,* aber *kilometerweit; irgend so ein,* aber *irgendein*).

(4) Bei den verschiedenen Wortarten sind – auch in Abhängigkeit von sprachlichen Entwicklungsprozessen – spezielle Bedingungen zu beachten. Daher ist die folgende Darstellung nach der Wortart der Zusammensetzung gegliedert:

1 Verb (§ 33 bis § 35)
2 Adjektiv und Partizip (§ 36)
3 Substantiv (§ 37 bis § 38)
4 Andere Wortarten (§ 39)

1 Verb

Zusätzlich zu der generellen Einteilung in Wortgruppen (wie *in die Ferne sehen*) und Zusammensetzungen (wie *fernsehen*) sind bei Verben zu unterscheiden:

a) untrennbare Zusammensetzungen wie *maßregeln, langweilen*

Untrennbare Zusammensetzungen erkennt man daran, dass die Reihenfolge der Bestandteile stets unverändert bleibt.

maß + *regeln:* Wer jemanden *maßregelt* ... Man *maßregelte* ihn. Niemand wagte, ihn zu *maßregeln.* Er wurde offiziell *gemaßregelt.*

Siehe im Einzelnen § 33.

b) trennbare Zusammensetzungen wie *hinzukommen, fehlgehen, bereithalten, wundernehmen*

Trennbare Zusammensetzungen erkennt man daran, dass die Reihenfolge der Bestandteile in Abhängigkeit von ihrer Stellung im Satz wechselt.

hinzu + *kommen:* Wenn dieses Argument *hinzukommt* ... Dieses Argument scheint *hinzuzukommen.* Dieses Argument ist *hinzugekommen.* Dieses Argument *kommt hinzu.* Dieses Argument *kommt* erschwerend *hinzu.*

Siehe im Einzelnen § 34.

§ 33

> Substantive, Adjektive oder Partikeln können mit Verben untrennbare Zusammensetzungen bilden. Man schreibt sie stets zusammen.

Dies betrifft

(1) Zusammensetzungen aus Substantiv + Verb, zum Beispiel:

brandmarken (gebrandmarkt, zu brandmarken), handhaben, lobpreisen, maßregeln, nachtwandeln, schlafwandeln, schlussfolgern, wehklagen, wetteifern

E1: In einzelnen Fällen stehen Zusammensetzung und Wortgruppe nebeneinander, zum Beispiel:

danksagen (er danksagt) oder *Dank sagen (er sagt Dank); gewährleisten (sie gewährleistet)* oder *Gewähr leisten (sie leistet Gewähr)*

E2: Eine Reihe untrennbarer Zusammensetzungen wird fast nur im Infinitiv oder substantivisch, in Einzelfällen auch im Partizip I und im Partizip II gebraucht, zum Beispiel:

bauchreden, bergsteigen, bruchlanden, bruchrechnen, brustschwimmen, kopfrechnen, notlanden, punktschweißen, sandstrahlen, schutzimpfen, segelfliegen, seiltanzen, seitenschwimmen, sonnenbaden, wettlaufen, wettrennen, zwangsräumen

(2) Zusammensetzungen aus Adjektiv + Verb, zum Beispiel:

frohlocken (frohlockt, zu frohlocken), langweilen, liebäugeln, liebkosen, vollbringen, vollenden, weissagen

(3) Zusammensetzungen mit den Partikeln *durch-, hinter-, über-, um-, unter-, wider-, wieder-* + Verb (mit Ton auf dem zweiten Bestandteil), zum Beispiel:

durchbrechen (er durchbricht die Regel, zu durchbrechen), hintergehen, übersetzen (er übersetzt das Buch), umfahren, unterstellen, widersprechen, wiederholen

§ 34

Partikeln, Adjektive oder Substantive können mit Verben trennbare Zusammensetzungen bilden. Man schreibt sie nur im Infinitiv, im Partizip I und im Partizip II sowie im Nebensatz bei Endstellung des Verbs zusammen.

Zu Verbindungen mit dem Verb *sein* siehe § 35.

Dies betrifft

(1) Zusammensetzungen aus Partikel + Verb mit den folgenden ersten Bestandteilen:

ab- (Beispiele: *abändern, abbauen, abbeißen, abbestellen, abbiegen*), *an-, auf-, aus-, bei-, beisammen-, da-, dabei-, dafür-, dagegen-, daher-, dahin-, daneben-, dar-, d(a)ran-, d(a)rein-, da(r)nieder-, darum-, davon-, dawider-, dazu-, dazwischen-, drauf-, drauflos-, drin-, durch-, ein-, einher-, empor-, entgegen-, entlang-, entzwei-, fort-, gegen-, gegenüber-, her-, herab-, heran-, herauf-, heraus-, herbei-, herein-, hernieder-, herüber-, herum-, herunter-, hervor-, herzu-, hin-, hinab-, hinan-, hinauf-, hinaus-, hindurch-, hinein-, hintan-, hintenüber-, hinterher-, hinüber-, hinunter-, hinweg-, hinzu-, inne-, los-, mit-, nach-, nieder-, über-, überein-, um-, umher-, umhin-, unter-, vor-, voran-, vorauf-, voraus-, vorbei-, vorher-, vorüber-, vorweg-, weg-, weiter-, wider-, wieder-, zu-, zurecht-, zurück-, zusammen-, zuvor-, zuwider-, zwischen-*

Auch: *auf-* und *abspringen, ein-* und *ausführen, hin-* und *hergehen* usw.

E1: Aber als Wortgruppe: *dabei* (bei der genannten Tätigkeit) *sitzen, daher* (aus dem genannten Grund) *kommen, wieder* (erneut, nochmals) *gewinnen, zusammen* (gemeinsam) *spielen* usw.

E2: Zu den trennbaren Zusammensetzungen gehören auch Zusammensetzungen mit *haben* und *werden* wie: *innehaben, vorhaben, voraushaben; innewerden*. Zu Verbindungen mit dem Verb *sein* siehe § 35.

(2) Zusammensetzungen aus Adverb oder Adjektiv + Verb, bei denen

(2.1) der erste, einfache Bestandteil in dieser Form als selbständiges Wort nicht vorkommt, zum Beispiel:

fehlgehen, fehlschlagen, feilbieten, kundgeben, kundtun, weismachen

(2.2) der erste Bestandteil in dieser Verbindung weder erweiterbar noch steigerbar ist, wobei die Negation *nicht* nicht als Erweiterung gilt, zum Beispiel:

bereithalten, bloßstellen, fernsehen, festsetzen (= bestimmen), *freisprechen* (= für nicht schuldig erklären), *gutschreiben* (= anrechnen), *hochrechnen, schwarzarbeiten, totschlagen, wahrsagen* (= prophezeien)

Zu Zweifelsfällen siehe § 34 E3.

(3) Zusammensetzungen aus (teilweise auch verblasstem) Substantiv +
Verb mit den folgenden ersten Bestandteilen:

heim-	zum Beispiel: *heimbringen, heimfahren, heimführen, heimgehen, heimkehren, heimleuchten, heimreisen, heimsuchen, heimzahlen*
irre-	*irreführen, irreleiten;* außerdem: *irrewerden*
preis-	*preisgeben*
stand-	*standhalten*
statt-	*stattfinden, stattgeben, statthaben*
teil-	*teilhaben, teilnehmen*
wett-	*wettmachen*
wunder-	*wundernehmen*

E3: In den Fällen, die nicht durch § 34(1) bis (3) geregelt sind, schreibt man
getrennt. Siehe auch § 34 E4.

Dies betrifft

(1) Partikel, Adverb, Adjektiv oder Substantiv + Verb in finiter Form am
Satzanfang, zum Beispiel:
Hinzu kommt, dass ...
Fehl ging er in der Annahme, dass ...
Bereit hält er sich für den Fall, dass ...
Wunder nimmt nur, dass ...

(2) (zusammengesetztes) Adverb + Verb, zum Beispiel:
*abhanden kommen, anheim fallen (geben, stellen), beiseite legen (stellen,
schieben), fürlieb nehmen, überhand nehmen, vonstatten gehen, vorlieb
nehmen, zugute halten (kommen, tun), zunichte machen, zupass kommen,
zustatten kommen, zuteil werden*

Zu Fällen wie *zu Hilfe (kommen)* siehe § 39 E2(2.1); zu Fällen wie *infrage
(stellen)/in Frage (stellen)* siehe § 39 E3(1).

*aneinander denken (grenzen, legen), aufeinander achten (hören, stapeln),
auseinander gehen (laufen, setzen), beieinander bleiben (sein, stehen),
durcheinander bringen (reden, sein)*
auswendig lernen, barfuß laufen, daheim bleiben; auch: *allein stehen, (sich)
quer stellen*
*abseits stehen, diesseits/jenseits liegen; abwärts gehen, aufwärts streben,
rückwärts fallen, seitwärts treten, vorwärts blicken*

(3) Adjektiv + Verb, wenn das Adjektiv in dieser Verbindung erweiterbar
oder steigerbar ist, wenigstens durch *sehr* oder *ganz,* zum Beispiel:
*bekannt machen (etwas noch bekannter machen, etwas ganz bekannt
machen), fern liegen (ferner liegen, sehr fern liegen), fest halten, frei
sprechen (= ohne Manuskript sprechen), genau nehmen, gut gehen, gut
schreiben (= lesbar, verständlich schreiben), hell strahlen, kurz treten,
langsam arbeiten, laut reden, leicht fallen, locker sitzen, nahe bringen,
sauber schreiben, schlecht gehen, schnell laufen, schwer nehmen, zufrieden
stellen*

Fälle, in denen der erste Bestandteil eine Ableitung auf *-ig, -isch, -lich* ist,
zum Beispiel:

lästig fallen, übrig bleiben; kritisch denken, spöttisch reden; freundlich grüßen, gründlich säubern

(4) Partizip + Verb, zum Beispiel:

gefangen nehmen (halten), geschenkt bekommen, getrennt schreiben, verloren gehen

(5) Substantiv + Verb, zum Beispiel:

Angst haben, Auto fahren, Diät halten, Eis laufen, Feuer fangen, Fuß fassen, Kopf stehen, Leid tun, Maß halten, Not leiden, Not tun, Pleite gehen, Posten stehen, Rad fahren, Rat suchen, Schlange stehen, Schuld tragen, Ski laufen, Walzer tanzen

(6) Verb (Infinitiv) + Verb, zum Beispiel:

kennen lernen, liegen lassen, sitzen bleiben, spazieren gehen

E4: Lässt sich in einzelnen Fällen der Gruppe aus Adjektiv + Verb zwischen § 34(2.2) und § 34 E3(3) keine klare Entscheidung für Getrennt- oder Zusammenschreibung treffen, so bleibt es dem Schreibenden überlassen, ob er sie als Wortgruppe oder als Zusammensetzung verstanden wissen will.

Zu den Wortgruppen mit einem Partizip als letztem Bestandteil wie *abhanden gekommen, sitzen geblieben* siehe § 36 E1(1).

Zu den Substantivierungen wie *das Abhandenkommen, das Autofahren, das Sitzenbleiben* siehe § 37(2).

§ 35

> Verbindungen mit *sein* gelten nicht als Zusammensetzung.
> Dementsprechend schreibt man stets getrennt.

Beispiele:

außerstande sein (auch: *außer Stande sein;* § 39 E3(1)), *beisammen sein (wenn sie beisammen sind), da sein, fertig sein, inne sein, los sein, pleite sein* (siehe auch § 56(1)), *vonnöten sein, vorbei sein, vorhanden sein, vorüber sein, zufrieden sein, zuhanden sein, zumute sein* (auch: *zu Mute sein;* § 39 E3(1)), *zurück sein, zusammen sein*

2   Adjektiv und Partizip

Für Partizipien gelten dieselben Regeln wie für Adjektive; zu diesen werden hier auch die Kardinal- und die Ordinalzahlen gerechnet.

Bei den Adjektiven/Partizipien sind zu unterscheiden

(1) Zusammensetzungen wie: *angsterfüllt, altersschwach, schwerstbehindert, wehklagend, blaugrau, bitterböse, dreizehn, siebzehnte*

(2) Wortgruppen wie: *abhanden gekommen, Rat suchend, sitzen geblieben, riesig groß, blendend weiß, mehrere Jahre lang; zwei Milliarden*

Siehe im Einzelnen § 36.

Zu Fällen wie *nicht öffentlich/nichtöffentlich* siehe § 36 E2.

> Substantive, Adjektive, Verbstämme, Adverbien oder Pronomen
> können mit Adjektiven oder Partizipien Zusammensetzungen
> bilden. Man schreibt sie zusammen.

Dies betrifft

(1) Zusammensetzungen, bei denen der erste Bestandteil für eine
Wortgruppe steht, zum Beispiel:

*angsterfüllt (= von Angst erfüllt), bahnbrechend (= sich eine Bahn-
brechend), butterweich (= weich wie Butter), fingerbreit (= einen
Finger breit), freudestrahlend (= vor Freude strahlend), herz-
erquickend (= das Herz erquickend), hitzebeständig (= gegen Hitze
beständig), jahrelang (= mehrere Jahre lang), knielang (= lang bis
zum Knie), meterhoch (= einen oder mehrere Meter hoch),
milieubedingt (= durch das Milieu bedingt)*

*denkfaul, fernsehmüde, lernbegierig, röstfrisch, schreibgewandt, tropf-
nass; selbstbewusst, selbstsicher*

Mit Fugenelement, zum Beispiel: *altersschwach, anlehnungsbedürftig, geschlechtsreif, lebensfremd, sonnenarm, werbewirksam*

(2) Zusammensetzungen, bei denen der erste oder der zweite Bestandteil in dieser Form nicht selbständig vorkommt, zum Beispiel:

*einfach, zweifach; letztmalig, redselig, saumselig, schwerstbehindert,
schwindsüchtig; blauäugig, großspurig, kleinmütig, vieldeutig*

(3) Zusammensetzungen, bei denen das dem Partizip zugrunde
liegende Verb entsprechend § 33 bzw. § 34 mit dem ersten Bestandteil
zusammengeschrieben wird, zum Beispiel:

wehklagend (wegen *wehklagen*); *herunterfallend, heruntergefallen;
irreführend, irregeführt; teilnehmend, teilgenommen*

(4) Zusammensetzungen aus gleichrangigen (nebengeordneten) Adjektiven, zum Beispiel:

blaugrau, dummdreist, feuchtwarm, grünblau, nasskalt, taubstumm

Zur Schreibung mit Bindestrich siehe § 45(2).

(5) Zusammensetzungen mit bedeutungsverstärkenden oder bedeu-
tungsmindernden ersten Bestandteilen, die zum Teil lange Reihen
bilden, zum Beispiel:

*bitter- (bitterböse, bitterernst, bitterkalt), brand-, dunkel-, erz-, extra-,
gemein-, grund-, hyper-, lau-, minder-, stock-, super-, tod-, ultra-, ur-,
voll-*

(6) mehrteilige Kardinalzahlen unter einer Million sowie alle
mehrteiligen Ordinalzahlen, zum Beispiel:

dreizehn, siebenhundert, neunzehnhundertneunundachtzig; der siebzehnte Oktober, der einhundertste Geburtstag, der fünfhunderttausendste Fall, der zweimillionste Besucher

Beachte aber Substantive wie *Dutzend, Million, Milliarde, Billion*, zum Beispiel: *zwei Dutzend Hühner, eine Million Teilnehmer, zwei Milliarden fünfhunderttausend Menschen*

E1: In den Fällen, die nicht durch § 36(1) bis (6) geregelt sind, schreibt man getrennt. Siehe auch § 36 E2.

Dies betrifft

(1) Fälle, bei denen das dem Partizip zugrunde liegende Verb vom ersten Bestandteil getrennt geschrieben wird, und zwar

(1.1) entsprechend § 35, zum Beispiel:
*beisammen gewesen (*wegen *beisammen sein), zurück gewesen*

(1.2) entsprechend § 34 E3(2) bis (6), zum Beispiel:
abhanden gekommen (abhanden kommen), auseinander laufend, auswendig gelernt, vorwärts blickend
hell strahlend (hell strahlen), laut redend
gefangen genommen (gefangen nehmen), verloren gegangen
Rat suchend (Rat suchen), Not leidend, Rad fahrend
kennen gelernt (kennen lernen), sitzen geblieben

(2) Fälle, bei denen der erste Bestandteil eine Ableitung auf *-ig, -isch, -lich* ist, zum Beispiel:
riesig groß, mikroskopisch klein, schrecklich nervös
Zur Schreibung mit Bindestrich in Fällen wie *wissenschaftlich-technisch* siehe § 45(2).

(3) Fälle, bei denen der erste Bestandteil ein (adjektivisches) Partizip ist, zum Beispiel:

abschreckend hässlich, blendend weiß, gestochen scharf, kochend heiß, leuchtend rot, strahlend hell

(4) Fälle, bei denen der erste Bestandteil erweitert oder gesteigert ist bzw. erweitert oder gesteigert werden kann, zum Beispiel:

vor Freude strahlend, gegen Hitze beständig, zwei Finger breit, drei Meter hoch, mehrere Jahre lang, seiner selbst bewusst; sehr ernst gemeint, leichter verdaulich
dicht behaart, dünn bewachsen, schwach bevölkert

E2: Lässt sich in einzelnen Fällen der Gruppen aus Adjektiv, Adverb oder Pronomen + Adjektiv/Partizip zwischen § 36 und § 36 E1 keine klare Entscheidung für Getrennt- oder Zusammenschreibung treffen, so bleibt es dem Schreibenden überlassen, ob er sie als Wortgruppe oder als Zusammensetzung verstanden wissen will, zum Beispiel *nicht öffentlich* (Wortgruppe)/*nichtöffentlich* (Zusammensetzung).

3 Substantiv

Bei den Substantiven sind zu unterscheiden

(1) Zusammensetzungen, bei denen der letzte Bestandteil ein Substantiv ist, zum Beispiel: *Feuerstein, Fünfkampf, Achtelliter*

(2) substantivisch gebrauchte Zusammensetzungen, bei denen der letzte Bestandteil kein Substantiv ist, zum Beispiel: *das Autofahren, das Stelldichein*

(3) Zusammensetzungen mit einem Eigennamen oder einer Einwohnerbezeichnung als erstem Bestandteil, zum Beispiel: *Goethegedicht, Danaergeschenk*

(4) Zusammensetzungen, die als Ganzes einen Eigennamen bilden, zum Beispiel: *Bahnhofstraße.*

§ 37

> Substantive, Adjektive, Verbstämme, Pronomen oder Partikeln können mit Substantiven Zusammensetzungen bilden. Man schreibt sie ebenso wie mehrteilige Substantivierungen zusammen.

Dies betrifft

(1) Zusammensetzungen, bei denen der letzte Bestandteil ein Substantiv ist, zum Beispiel:

Feuerstein, Lebenswerk, Kirschbaum, Kohlenwasserstoff, Wochenlohn, Dienstagabend
Airbag, Bandleader, Football, Ghostwriter, Mountainbike, Nightclub, Streetwork, Weekend, Worldcup
Zweierbob, Fünfkampf, Selbstsucht, Leerlauf, Faultier, Außenpolitik, Rastplatz, Nichtraucher, Ichsucht, Achtzigerjahre (auch *achtziger Jahre*)*, Vierachteltakt, Dreiviertelliterflasche*
Background, Bestseller, Bluejeans, Bypassoperation, Clearingstelle, Hardware, Secondhandshop, Selfmademan, Swimmingpool, Upperclass; Bigband, Blackbox, Softdrink

E1: Bei Verbindungen aus Adjektiv und Substantiv wie in *Bigband, Blackbox, Softdrink* ist in Anlehnung an die Herkunftssprache auch Getrenntschreibung möglich: *Big Band, Black Box, Soft Drink*. Zur Groß- und Kleinschreibung siehe § 55(3); zur Schreibung mit Bindestrich siehe § 45(2).

ein Viertelkilogramm, drei Achtelliter, fünf Hundertstelsekunden

E2: In Verbindung mit einer unmittelbar folgenden Maßbezeichnung kann die Bruchzahl auch als Zahladjektiv aufgefasst werden, zum Beispiel:
ein viertel Kilogramm, drei achtel Liter, fünf hundertstel Sekunden

(2) Substantivisch gebrauchte Zusammensetzungen, bei denen der letzte Bestandteil kein Substantiv ist, zum Beispiel:

das Autofahren (aber *Auto fahren*)*, das Ratholen, das Abhandenkommen, das Unrechttun, das Aufrechtgehen, das Bekanntmachen, das*

Sitzenbleiben, das Liegenlassen, das Infragestellen; das Suppengrün; das Stelldichein, das Vergissmeinnicht

(3) Zusammensetzungen mit einem Eigennamen oder einer Einwohnerbezeichnung als erstem Bestandteil, zum Beispiel:

Goethegedicht, Europabrücke, Jakobsplan, Brennerpass, Glocknergruppe; Schweizergarde, Römerbrief, Danaergeschenk

(4) Zusammensetzungen, die als Ganzes einen Eigennamen bilden, insbesondere Straßennamen, zum Beispiel:

Bahnhofstraße, Drosselgasse, Neugraben

§ 38

> Ableitungen auf *-er* von geographischen Eigennamen, die sich auf die geographische Lage beziehen, schreibt man von dem folgenden Substantiv getrennt.

Beispiele:

Allgäuer Alpen, Brandenburger Tor, Naumburger Dom, Potsdamer Abkommen, Thüringer Wald, Wiener Straße

4 Andere Wortarten

Manche mehrteilige Adverbien, Konjunktionen, Präpositionen und Pronomen sind aus Elementen verschiedener Wortarten entstanden. Zum Teil sind sie als Wortgruppe erhalten geblieben, zum Teil haben sie sich zu einer Zusammensetzung entwickelt.

In Zweifelsfällen siehe das Wörterverzeichnis.

§ 39

> Mehrteilige Adverbien, Konjunktionen, Präpositionen und Pronomen schreibt man zusammen, wenn die Wortart, die Wortform oder die Bedeutung der einzelnen Bestandteile nicht mehr deutlich erkennbar sind.

Dies betrifft

(1) Adverbien, zum Beispiel:

bergab, bergauf; kopfüber; landaus, landein; stromabwärts, stromaufwärts; tagsüber; zweifelsohne

-dessen   indessen, infolgedessen, unterdessen

-dings   allerdings, neuerdings, schlechterdings

-falls   allenfalls, ander(e)nfalls, keinesfalls, schlimmstenfalls

-halber   ehrenhalber, umständehalber

-mal   diesmal, einmal, zweimal, keinmal, manchmal

-mals   erstmals, letztmals, vielmals

-maßen	dermaßen, einigermaßen, gleichermaßen, solchermaßen, zugegebenermaßen
-orten	allerorten, mancherorten
-orts	allerorts, ander(e)norts, mancherorts
-seits	allseits, allerseits, and(e)rerseits, einerseits, meinerseits
-so	ebenso, genauso, geradeso, sowieso, umso, wieso
-teils	einesteils, großenteils, meistenteils
-wärts	himmelwärts, meerwärts, seitwärts
-wegen	deinetwegen, deswegen, meinetwegen
-wegs	geradewegs, keineswegs, unterwegs
-weil	alldieweil, alleweil, derweil
-weilen	bisweilen, derweilen, zuweilen
-weise	probeweise, klugerweise, schlauerweise
-zeit	all(e)zeit, derzeit, jederzeit, seinerzeit, zurzeit
-zeiten	beizeiten, vorzeiten, zuzeiten
-zu	allzu, geradezu, hierzu, immerzu
bei-	beileibe, beinahe, beisammen, beizeiten
der-	derart, dereinst, dergestalt, dermaßen, derweil(en), derzeit
irgend-	irgendeinmal, irgendwann, irgendwie, irgendwo, irgendwohin
nichts-	nichtsdestominder, nichtsdestoweniger
zu-	zuallererst, zuallerletzt, zuallermeist, zuerst, zuhauf, zuhinterst, zuhöchst, zuletzt, zumal, zumeist, zumindest, zunächst, zuoberst, zutiefst, zuunterst, zuweilen, zuzeiten

E1: Zu Fällen wie *abhanden kommen, anheim fallen* siehe § 34 E3(2); zu Fällen wie *außerstand setzen/außer Stand setzen, imstande sein/im Stande sein* siehe unten E3(1).

(2) Konjunktionen, zum Beispiel:

anstatt (dass/zu), indem, inwiefern, sobald, sofern, solange, sooft, soviel, soweit

(3) Präpositionen, zum Beispiel:

anhand, anstatt (des/der), infolge, inmitten, zufolge, zuliebe

(4) Pronomen, zum Beispiel:

irgend-: irgendein, irgendetwas, irgendjemand, irgendwas, irgendwelcher, irgendwer

E2: In anderen Fällen schreibt man getrennt. Siehe auch § 39 E3(1).

Dies betrifft

(1) Fälle, bei denen ein Bestandteil erweitert ist, zum Beispiel:

dies eine Mal (aber *diesmal*), *den Strom abwärts* (aber *stromabwärts*)
der Ehre halber (aber *ehrenhalber*), *in keinem Fall, das erste Mal, ein einziges Mal, in bekannter Weise, zu jeder Zeit, eine Zeit lang*
irgend so ein/eine/einer (aber *irgendein*), *irgend so etwas*

(2) Fälle, bei denen die Wortart, die Wortform oder die Bedeutung der einzelnen Bestandteile deutlich erkennbar ist und zwar

(2.1) Fügungen in adverbialer Verwendung, zum Beispiel:

zu Ende [gehen, kommen], zu Fuß [gehen], zu Hause [bleiben, sein] (österreichisch und schweizerisch auch: *zuhause bleiben, sein*), *zu Hilfe [kommen], zu Lande, zu Wasser und zu Lande, zu Schaden [kommen]*
darüber hinaus, nach wie vor, vor allem

(2.2) mehrteilige Konjunktionen, zum Beispiel:
ohne dass, statt dass, außer dass

(2.3) Fügungen in präpositionaler Verwendung, zum Beispiel:
zur Zeit [Goethes], zu Zeiten [Goethes]

(2.4) *so, wie* oder *zu* + Adjektiv, Adverb oder Pronomen, zum Beispiel:

so (wie, zu) hohe Häuser; er hat das schon so (wie, zu) oft gesagt; so (wie, zu) viel Geld; so (wie, zu) viele Leute; so (wie, zu) weit

(2.5) *gar kein, gar nicht, gar nichts, gar sehr, gar wohl*

E3: In den folgenden Fällen bleibt es dem Schreibenden überlassen, ob er sie als Zusammensetzung oder als Wortgruppe verstanden wissen will:

(1) Fügungen in adverbialer Verwendung, zum Beispiel:

außerstand setzen/außer Stand setzen; außerstande sein/außer Stande sein; imstande sein/im Stande sein; infrage stellen/in Frage stellen; instand setzen/in Stand setzen; zugrunde gehen/zu Grunde gehen; zuleide tun/zu Leide tun; zumute sein/zu Mute sein; zurande kommen/zu Rande kommen; zuschanden machen, werden/zu Schanden machen, werden; zuschulden kommen lassen/zu Schulden kommen lassen; zustande bringen/zu Stande bringen; zutage fördern, treten/zu Tage fördern, treten; zuwege bringen/zu Wege bringen

(2) die Konjunktion
sodass/so dass

(3) Fügungen in präpositionaler Verwendung, zum Beispiel:

anstelle/an Stelle; aufgrund/auf Grund; aufseiten/auf Seiten; mithilfe/mit Hilfe; vonseiten/von Seiten; zugunsten/zu Gunsten; zulasten/zu Lasten; zuungunsten/zu Ungunsten

C Schreibung mit Bindestrich

0 Vorbemerkungen

(1) Der Bindestrich bietet dem Schreibenden die Möglichkeit, anstelle der sonst bei Zusammensetzungen und Ableitungen üblichen Zusammenschreibung die einzelnen Bestandteile als solche zu kennzeichnen, sie gegeneinander abzusetzen und sie dadurch für den Lesenden hervorzuheben.

(2) Die Schreibung mit Bindestrich bei Fremdwörtern (zum Beispiel bei *7-Bit-Code, Stand-by-System*) folgt den für das Deutsche geltenden Regeln.

Die Schreibung mit Bindestrich bei Eigennamen entspricht nicht immer den folgenden Regeln, so dass nur allgemeine Hinweise gegeben werden können. Zusammensetzungen aus Eigennamen und Substantiv zur Benennung von Schulen, Universitäten, Betrieben, Firmen und ähnlichen Institutionen werden so geschrieben, wie sie amtlich festgelegt sind. In Zweifelsfällen sollte man nach § 46 bis § 52 schreiben.

Steht ein Bindestrich am Zeilenende, so gilt er zugleich als Trennungsstrich.

(3) Zu unterscheiden sind:

- Zusammensetzungen und Ableitungen, die keine Eigennamen als Bestandteile enthalten (§ 40 bis § 45)
- Zusammensetzungen und Ableitungen, die Eigennamen als Bestandteile enthalten (§ 46 bis § 52)
- Gruppen, in denen man den Bindestrich setzen muss (§ 40 bis § 44; § 46 und § 48 bis § 50), und solche, in denen der Gebrauch des Bindestrichs dem Schreibenden freigestellt ist (§ 45, § 51 bis § 52).

Zum Ergänzungsstrich (zum Beispiel in *Haupt- und Nebeneingang*) siehe § 98.

1 Zusammensetzungen und Ableitungen, die keine Eigennamen als Bestandteile enthalten

§ 40

> Man setzt einen Bindestrich in Zusammensetzungen mit Einzelbuchstaben, Abkürzungen oder Ziffern.

Dies betrifft

(1) Zusammensetzungen mit Einzelbuchstaben, zum Beispiel:

A-Dur (ebenso *Cis-Dur*), *b-Moll, b-Strahlen, i-Punkt, n-Eck, S-Kurve, s-Laut, s-förmig, T-Shirt, T-Träger, x-beliebig, x-beinig, x-mal, y-Achse; Dativ-e, Zungenspitzen-r, Fugen-s*

(2) Zusammensetzungen mit Abkürzungen und Initialwörtern, zum Beispiel:

dpa-Meldung, D-Zug, Kfz-Schlosser, km-Bereich, UNO-Sicherheitsrat, VIP-Lounge; Fußball-WM, Lungen-Tbc; H_2O-gesättigt, DGB-eigen, Na-haltig, UV-bestrahlt; Abt.-Leiter, Inf.-Büro

Abt.-Ltr. (= Abteilungsleiter), Dipl.-Ing. (= Diplomingenieur), Tgb.-Nr. (= Tagebuchnummer), Telegr.-Adr. (= Telegrammadresse)

E: Aber ohne Bindestrich bei Kurzformen von Wörtern (Kürzeln), zum Beispiel: *Busfahrt, Akkubehälter*

(3) Zusammensetzungen mit Ziffern, zum Beispiel:

3-Tonner, 2-Pfünder, 8-Zylinder; 5-mal, 4-silbig, 100-prozentig, 1-zeilig, 17-jährig, der 17-Jährige

8:6-Sieg, 2:3-Niederlage, der 5:3-[2:1-]Sieg (auch *5:3[2:1]-Sieg*)

$2/3$-Mehrheit, $3/4$-Takt, 2^n-Eck

§ 41

> Vor Suffixen setzt man nur dann einen Bindestrich, wenn sie mit einem Einzelbuchstaben verbunden werden.

Beispiele:

der x-te, zum x-ten Mal, die n-te Potenz

E: Aber: *abclich, ÖVPler; der 68er, ein 32stel, 100%ig, 25fach, das 25fache*

§ 42

> Bilden Verbindungen aus Ziffern und Suffixen den vorderen Teil einer Zusammensetzung, so setzt man nach dem Suffix einen Bindestrich.

Beispiele:

ein 100stel-Millimeter, die 61er-Bildröhre, eine 25er-Gruppe, in den 80er-Jahren (auch *in den 80er Jahren*)

E: Aber ausgeschrieben: *die Zweierbeziehung, die Zehnergruppe, die Achtzigerjahre* (auch *die achtziger Jahre*)

§ 43

> Man setzt Bindestriche in substantivisch gebrauchten Zusammensetzungen (Aneinanderreihungen), insbesondere bei substantivisch gebrauchten Infinitiven mit mehr als zwei Bestandteilen.

Beispiele:

das Entweder-oder, das Teils-teils, das Als-ob, das Sowohl-als-auch; der Boogie-Woogie, das Walkie-Talkie; das Make-up, das Rooming-in

das Auf-die-lange-Bank-Schieben, das An-den-Haaren-Herbeiziehen, das In-den-Tag-Hineinträumen, das Von-der-Hand-in-den-Mund-Leben

E: Dies gilt nicht für einfache Zusammensetzungen mit Infinitiv, zum Beispiel:
das Autofahren, das Ballspielen, beim Walzertanzen

Zur Groß- und Kleinschreibung siehe § 57 E3.

§ 44

> Man setzt einen Bindestrich zwischen allen Bestandteilen mehr-
> teiliger Zusammensetzungen, in denen eine Wortgruppe oder eine
> Zusammensetzung mit Bindestrich auftritt.

Beispiele:

A-Dur-Tonleiter, D-Zug-Wagen, S-Kurven-reich (aber *kurvenreich*),
Vitamin-B-haltig (aber *vitaminhaltig*), *K.-o.-Schlag, UV-Strahlen-ge-*
fährdet (aber *strahlengefährdet*), *Dipl.-Ing.-Ök.*

2-Mark-Stück, 800-Jahr-Feier, 35-Stunden-Woche, 10-Pfennig-Brief-
marke, 8-Zylinder-Motor, 400-m-Lauf, 2-kg-Büchse, 3-Zimmer-Woh-
nung, ½-kg-Packung

Berg-und-Tal-Bahn, Frage-und-Antwort-Spiel; Kopf-an-Kopf-Rennen,
Mund-zu-Mund-Beatmung, Wort-für-Wort-Übersetzung

Arzt-Patient-Verhältnis, Grund-Folge-Beziehung, Links-rechts-Kom-
bination, Hals-Nasen-Ohren-Klinik, Ost-West-Gespräche, September-
Oktober-Heft (auch *September/Oktober-Heft;* siehe § 106(1))

Ad-hoc-Bildung, Als-ob-Philosophie, De-facto-Anerkennung, Do-it-
yourself-Bewegung, Erste-Hilfe-Lehrgang, Go-go-Girl, Rooming-in-
System; Make-up-freie Haut, Ruhe-vor-dem-Sturm-artig, Fata-Mor-
gana-ähnlich; Trimm-dich-Pfad

Abend-Make-up, Wasch-Eau-de-Cologne

§ 45

> Man kann einen Bindestrich setzen zur Hervorhebung einzelner
> Bestandteile, zur Gliederung unübersichtlicher Zusammensetzun-
> gen, zur Vermeidung von Missverständnissen, in Zusammen-
> setzungen aus gleichrangigen (nebengeordneten) Adjektiven oder
> beim Zusammentreffen von drei gleichen Buchstaben.

Dies betrifft

(1) Hervorhebung einzelner Bestandteile, zum Beispiel:

der dass-Satz, die Ich-Erzählung, das Ist-Aufkommen, die Kann-Be-
stimmung, die Soll-Stärke; die Hoch-Zeit, das Nach-Denken, Vor-
Sätze, be-greifen

(2) Unübersichtliche Zusammensetzungen, auch mit Fremdwörtern,
zum Beispiel:

Arbeiter-Unfallversicherungsgesetz, Haushalt-Mehrzweckküchenma-
schine, Lotto-Annahmestelle, Mosel-Winzergenossenschaft, Software-
Angebotsmesse, Ultraschall-Messgerät; Desktop-Publishing, Midlife-
Crisis

der wissenschaftlich-technische Fortschritt, ein lateinisch-deutsches Wörterbuch, deutsch-österreichische Angelegenheiten; physikalisch-chemisch-biologische Prozesse

Zu Verbindungen wie *Blackbox/Black Box* siehe § 37 E1.

(3) Vermeidung von Missverständnissen, zum Beispiel:

Drucker-Zeugnis und *Druck-Erzeugnis, Musiker-Leben* und *Musik-Erleben; re-integrieren*

(4) Zusammentreffen von drei gleichen Buchstaben in Zusammensetzungen, zum Beispiel:

Hawaii-Inseln, Kaffee-Ersatz, See-Elefant, Zoo-Orchester; Bett-Tuch, Schiff-Fahrt, Schrott-Transport

2   Zusammensetzungen und Ableitungen, die Eigennamen als Bestandteile enthalten

§ 46

> Man setzt einen Bindestrich in Zusammensetzungen, die als zweiten Bestandteil einen Eigennamen enthalten oder die aus zwei Eigennamen bestehen.

Dies betrifft

(1) Zusammensetzungen mit Personennamen, zum Beispiel:

Frau Müller-Weber, Herr Schmidt-Wilpert; Eva-Maria (auch *Eva Maria, Evamaria), Karl-Heinz* (auch *Karl Heinz, Karlheinz*)

die Bäcker-Anna, der Schneider-Karl; Blumen-Richter, Foto-Müller, Möbel-Schmidt; Müller-Lüdenscheid, Schneider-Partenkirchen

E1: Die standesamtliche Schreibung mehrteiliger Personennamen kann von dieser Regelung abweichen.

(2) geographische Eigennamen, zum Beispiel:

Annaberg-Buchholz, Baden-Württemberg, Flughafen Köln-Bonn, Neu-Bamberg, Rheinland-Pfalz, Sachsen-Anhalt

E2: Die amtliche Schreibung von Zusammensetzungen mit einem geographischen Eigennamen, die ihrerseits zu einem geographischen Eigennamen geworden sind, kann von dieser Regelung abweichen.

Adjektiv + Eigenname, zum Beispiel:
Neu Seehagen, Neubrandenburg

Immer Getrenntschreibung bei *Sankt,* zum Beispiel:
Sankt Georgen (St. Georgen)

Substantiv + Eigenname, zum Beispiel:
Nordkorea, Königs Wusterhausen, Marktredwitz, Markt Indersdorf, Stadtlauringen, Stadt Rottenmann

Immer Getrenntschreibung bei *Bad,* zum Beispiel: *Bad Säckingen*

Zwei Eigennamen, zum Beispiel:

Grindelwald Grund, Rostock Lütten Klein; Berlin Schönefeld (auch *Berlin-Schönefeld*)

§ 47

> Werden Zusammensetzungen mit einem ursprünglichen Personennamen als Gattungsbezeichnung gebraucht, so schreibt man ohne Bindestrich zusammen.

Beispiele:

Gänseliesel, Heulsuse, Meckerfritze

§ 48

> Bei Ableitungen von Verbindungen mit einem Eigennamen als zweitem Bestandteil bleibt der Bindestrich erhalten.

Beispiele:

baden-württembergisch (Baden-Württemberg), rheinland-pfälzisch, alt-wienerische/Alt-Wiener Kaffeehäuser, Spree-Athener

§ 49

> Bei Ableitungen von mehreren Eigennamen, von Titeln und Eigennamen oder von einem mehrteiligen Eigennamen setzt man einen Bindestrich.

Beispiele:

die sankt-gallischen/st.-gallischen Klosterschätze (St. Gallen), die gräflich-rieneckische Güterverwaltung (Graf Rieneck)

die kant-laplacesche Theorie (Kant und Laplace), der de-costersche Roman (de Coster), die gräflich-rienecksche Güterverwaltung (Graf Rieneck)

die Kant-Laplace'sche Theorie (Kant und Laplace), der de-Coster'sche Roman (de Coster), die Gräflich-Rieneck'sche Güterverwaltung (Graf Rieneck)

Zur Groß- und Kleinschreibung und zur Schreibung mit Apostroph siehe § 62.

E: Bei Ableitungen auf *-er* kann man den Bindestrich weglassen, zum Beispiel:

die Bad-Schandauer (Bad Schandau)/Bad Schandauer, die Sankt-Galler/Sankt Galler, die New-Yorker/New Yorker

§ 50

> Man setzt einen Bindestrich zwischen allen Bestandteilen mehrteiliger Zusammensetzungen, deren erste Bestandteile aus Eigennamen bestehen.

Beispiele:

Albrecht-Dürer-Allee, Heinrich-Heine-Platz, Kaiser-Karl-Ring, Ernst-Ludwig-Kirchner-Straße, Rainer-Maria-Rilke-Promenade, Thomas-Müntzer-Gasse

Elbe-Havel-Kanal, Oder-Neiße-Grenze, La-Plata-Mündung

Albert-Einstein-Gedenkstätte, Georg-Büchner-Preis, Jacob-und-Wilhelm-Grimm-Preis, Goethe-Schiller-Archiv, Johann-Sebastian-Bach-Gymnasium, Van-Gogh-Ausstellung

am Lago-di-Como-seitigen Abhang, Fidel-Castro-freundlich

§ 51

> Man kann einen Bindestrich in Zusammensetzungen setzen, die als ersten Bestandteil einen Eigennamen haben, der besonders hervorgehoben werden soll, oder wenn der zweite Bestandteil bereits eine Zusammensetzung ist.

Beispiele:

Goethe-Ausgabe, Johannes-Passion, Richelieu-freundlich, Kafka-Kolloquium; Goethe-Geburtshaus, Brecht-Jubiläumsausgabe

Ganges-Ebene, Krim-Treffen, Mekong-Delta; Elbe-Wasserstandsmeldung, Helsinki-Nachfolgekonferenz

§ 52

> Wird ein geographischer Eigenname von einem nachgestellten Substantiv näher bestimmt, so kann man einen Bindestrich setzen.

Beispiele:

Frankfurt Hauptbahnhof/Frankfurt-Hauptbahnhof, München Ost/München-Ost

D Groß- und Kleinschreibung

0 Vorbemerkungen

(1) Die Großschreibung, das heißt die Schreibung mit einem großen Anfangsbuchstaben, dient dem Schreibenden dazu, den Anfang bestimmter Texteinheiten sowie Wörter bestimmter Gruppen zu kennzeichnen und sie dadurch für den Lesenden hervorzuheben.

(2) Die Großschreibung wird im Deutschen verwendet zur Kennzeichnung von

- Überschriften, Werktiteln und dergleichen

- Satzanfängen

- Substantiven und Substantivierungen

- Eigennamen mit ihren nichtsubstantivischen Bestandteilen

- bestimmten festen nominalen Wortgruppen mit nichtsubstantivischen Bestandteilen

- Anredepronomen und Anreden

(3) Die Abgrenzung von Groß- und Kleinschreibung, wie sie sich in der Tradition der deutschen Orthographie herausgebildet hat, macht es erforderlich, neben den Regeln für die Großschreibung auch Regeln für die Kleinschreibung zu formulieren. Diese werden in den einzelnen Teilabschnitten jeweils im Anschluss an die Großschreibungsregeln angegeben. In einigen Fallgruppen ist eine eindeutige Zuweisung zur Groß- oder Kleinschreibung fragwürdig. Hier sind beide Schreibungen zulässig.

(4) Entsprechend gliedert sich die folgende Darstellung in die Abschnitte:

1 Kennzeichnung des Anfangs bestimmter Texteinheiten durch Großschreibung (§ 53: Überschriften, Werktitel und dergleichen; § 54: Ganzsätze)

2 Anwendung von Groß- oder Kleinschreibung bei bestimmten Wörtern und Wortgruppen

2.1 Substantive und Desubstantivierungen (§ 55 bis § 56)

2.2 Substantivierungen (§ 57 bis § 58)

2.3 Eigennamen mit ihren nichtsubstantivischen Bestandteilen sowie Ableitungen von Eigennamen (§ 59 bis § 62)

2.4 Feste Verbindungen aus Adjektiv und Substantiv (§ 63 bis § 64)

2.5 Anredepronomen und Anreden (§ 65 bis § 66)

1 Kennzeichnung des Anfangs bestimmter Texteinheiten durch Großschreibung

§ 53

> Das erste Wort einer Überschrift, eines Werktitels, einer Anschrift und dergleichen schreibt man groß.

Dies betrifft unter anderem

(1) Überschriften und Werktitel (etwa von Büchern und Theaterstücken, Werken der bildenden Kunst und der Musik, Rundfunk- und Fernsehproduktionen), zum Beispiel:

Allmähliche Normalisierung im Erdbebengebiet
Hohe Schneeverwehungen behindern Autoverkehr
Keine Chance für eine diplomatische Lösung!
Kleines Wörterbuch der Stilkunde
Wo warst du, Adam?
Der kaukasische Kreidekreis
Der grüne Heinrich
Hundert Jahre Einsamkeit
Ungarische Rhapsodie
Unter den Dächern von Paris
Ein Fall für zwei

(2) Titel von Gesetzen, Verträgen, Deklarationen und dergleichen sowie Bezeichnungen für Veranstaltungen, zum Beispiel:

Bayerisches Hochschulgesetz
Potsdamer Abkommen
Internationaler Ärzte- und Ärztinnenkongress
Grüne Woche (in Berlin)

E1: Die Großschreibung des ersten Wortes bleibt auch dann erhalten, wenn eine Überschrift, ein Werktitel und dergleichen innerhalb eines Textes gebraucht wird, zum Beispiel:

Das Theaterstück „Der kaukasische Kreidekreis" steht auf dem Programm.
Sie lesen Kellers Roman „Der grüne Heinrich".

Wird dabei am Anfang ein Titel und dergleichen verkürzt oder sein Artikel verändert, so schreibt man das nächstfolgende Wort des Titels groß, zum Beispiel:

Wir haben im Theater Brechts „Kaukasischen Kreidekreis" gesehen. Sie lesen den „Grünen Heinrich".

Zur Schreibung nach Gliederungsangaben oder nach Auslassungszeichen und Zahlen siehe § 54(5) und (6). Zum Gebrauch der Anführungszeichen siehe § 94(1).

(3) Anschriften, Datumszeilen und Anreden sowie Grußformeln etwa in Briefen, zum Beispiel:

Donnerstag, 15. Februar 1996

Frau
Ulla Schröder
Rüdesheimer Str. 29
D-65197 Wiesbaden

Sehr geehrte Frau Schröder,

entsprechend unserer telefonischen Vereinbarung ...

...erwarten wir Ihre Antwort.

Mit freundlichen Grüßen
Werner Meier

E2: Wenn man nach der Anrede – wie in der Schweiz üblich – auf ein Satzzeichen verzichtet, schreibt man das erste Wort des folgenden Abschnitts groß.

Siehe auch § 69 E3.

§ 54

Das erste Wort eines Ganzsatzes schreibt man groß.

Beispiele:

Gestern hat es geregnet. Du kommst bitte morgen! Hat er das wirklich gesagt?

Nachdem sie von der Reise zurückgekehrt war, hatte sie den dringenden Wunsch, ein Bad zu nehmen. Im Hausflur war es still, ich drückte erwartungsvoll auf die Klingel. Meine Freundin hatte den Zug versäumt, deshalb kam sie eine halbe Stunde zu spät. Wir sehen nach, was Paul macht. Sehen Sie nur, wie schön die Aussicht ist. Haben Sie ihn aufgefordert, die Wohnung zu verlassen?

Kommt doch schnell! Bitte die Türen schließen und Vorsicht bei der Abfahrt des Zuges!

Ob sie heute kommt? Nein, morgen. Warum nicht? Gute Reise!

Vorwärts! Vgl. Anlage 3, Ziffer 7.

Alles war zerstört: das Haus, der Stall, die Scheune. Die Teeküche kann zu folgenden Zeiten benutzt werden: morgens von 7 bis 8 Uhr, abends von 18 bis 19 Uhr.

Im Einzelnen ist zu beachten:

(1) Wird die nach dem Doppelpunkt folgende Ausführung als Ganzsatz verstanden, so schreibt man das erste Wort groß, zum Beispiel:

Beachten Sie bitte folgenden Hinweis: Alle Bänke sind frisch gestrichen. Die Regel lautet: Würfelt man eine Sechs, dann ...

55

(2) Das erste Wort der wörtlichen Rede schreibt man groß, zum Beispiel:

Sie fragte: „Kommt er heute?" Er sagte: „Wir wissen es nicht." Alle baten: „Bleib!"

(3) Folgt dem wörtlich Wiedergegebenen der Begleitsatz oder ein Teil von ihm, so schreibt man das erste Wort nach dem abschließenden Anführungszeichen klein, zum Beispiel:

„Hörst du?", fragte sie. „Ich verstehe dich gut", antwortete er. „Mit welchem Recht", fragte er, „willst du das tun?" Sie rief mir zu: „Wir treffen uns auf dem Schulhof!", und lief weiter.

(4) Das erste Wort von Parenthesen schreibt man klein, wenn es nicht nach einer anderen Regel großzuschreiben ist, zum Beispiel:

Eines Tages, es war mitten im Sommer, hagelte es. Er behauptete – so eine Frechheit! –, dass er im Kino gewesen sei. Sie hat das (erinnerst du dich?) gestern gesagt.

Zu den Satzzeichen siehe § 77(1), § 84(1), § 86(1).

(5) Gliederungsangaben wie Ziffern, Paragraphen, Buchstaben gehören nicht zum nachfolgenden Ganzsatz; entsprechend schreibt man das folgende Wort groß. Dies gilt auch für Überschriften, Werktitel und dergleichen. Beispiele:

3. Die Besitzer und Besitzerinnen von Haustieren sollten ...
§ 13 Die Behandlung sollte sofort einsetzen.
c) Vgl. Anlage 3, Ziffer 7.
2 Die Säugetiere

(6) Auslassungspunkte, Apostroph oder Zahlen zu Beginn eines Ganzsatzes gelten als Satzanfang; entsprechend bleibt die Schreibung des folgenden Wortes unverändert. Dies gilt auch für Überschriften, Werktitel und dergleichen. Beispiele:

... und gab keine Antwort.
's ist schade um sie.
52 volle Wochen hat das Jahr.

2 Anwendung von Groß- oder Kleinschreibung bei bestimmten Wörtern und Wortgruppen

2.1 Substantive und Desubstantivierungen

§ 55

Substantive schreibt man groß.

Beispiele:
Tisch, Wald, Milch, Mond, Genie, Team, Ladung, Feuer, Wasser, Luft, Sandkasten

Verständnis, Verantwortung, Freiheit, Aktion

Gabriela, Markus, Europa, Wien, Alpen

Substantive dienen der Bezeichnung von Gegenständen, Lebewesen und abstrakten Begriffen. Sie besitzen in der Regel ein festes Genus (Maskulinum, Femininum, Neutrum) und sind im Numerus (Singular, Plural) und im Kasus (Nominativ, Genitiv, Dativ, Akkusativ) bestimmt.

Die Großschreibung gilt auch

(1) für nichtsubstantivische Wörter, wenn sie am Anfang einer Zusammensetzung mit Bindestrich stehen, die als Ganzes die Eigenschaften eines Substantivs hat, zum Beispiel:

die Ad-hoc-Entscheidung, der A-cappella-Chor (vgl. auch § 55 E2), *das In-den-Tag-hinein-Leben* (vgl. auch § 57(2)), *der Trimm-dich-Pfad, die X-Beine, die S-Kurve*

Abkürzungen sowie zitierte Wortformen und Einzelbuchstaben und dergleichen bleiben allerdings unverändert, zum Beispiel:

die km-Zahl, die pH-Wert-Bestimmung, der dass-Satz, die x-Achse, der i-Punkt (der Punkt auf dem kleinen *i*)

(2) für Substantive – auch Initialwörter (§ 102(2)) und Einzelbuchstaben, sofern sie nicht als Kleinbuchstaben zitiert sind – als Teile von Zusammensetzungen mit Bindestrich, zum Beispiel:

die Natrium-Chlor-Verbindung, der 400-Meter-Lauf, zum Aus-der-Haut-Fahren (vgl. auch § 57(2))

pH-Wert-neutral, Napoleon-freundlich, S-Kurven-reich, Formel-1-tauglich

UV-empfindlich, T-förmig (in der Form eines großen *T*), *S-förmig* oder *s-förmig* (in der Form eines großen *S* bzw. eines kleinen *s*), *x-beliebig*

(3) für Substantive aus anderen Sprachen, wenn sie nicht als Zitatwörter gemeint sind. Sind sie mehrteilig, wird der erste Teil großgeschrieben. Beispiele:

das Crescendo, der Drink, das Center, die Ratio; die Conditio sine qua non, das Cordon bleu, eine Terra incognita; das Know-how, das Make-up

Substantivische Bestandteile werden auch im Innern mehrteiliger Fügungen großgeschrieben, die als Ganzes die Funktion eines Substantivs haben, zum Beispiel:

die Alma Mater, die Ultima Ratio, das Desktop-Publishing, der Full-Time-Job, der Soft Drink, der Sex-Appeal, der Cash-Flow, das Corned Beef, der Chewing-Gum

E1: Teilweise wird auch zusammengeschrieben, siehe Getrennt- und Zusammenschreibung, § 37(1), und Schreibung mit Bindestrich, § 44 und § 45.
Beispiele: *der Fulltimejob, der Softdrink, der Sexappeal, das Cornedbeef, der Chewinggum*

(4) für Substantive, die Bestandteile fester Gefüge sind und nicht mit anderen Bestandteilen des Gefüges zusammengeschrieben werden (siehe dazu auch Teil B, Getrennt- und Zusammenschreibung, § 34(3) und § 39), zum Beispiel:

auf Abruf, in Bälde, in/mit Bezug auf, im Grunde, auf Grund (auch *aufgrund*); *zu Grunde gehen* (auch *zugrunde gehen*), *zu Händen von* (aber *zuhanden von; abhanden kommen*), *in Hinsicht auf* (aber *infolge*), *zur Not* (aber *vonnöten*), *zur Seite, von Seiten, auf Seiten* (auch *aufseiten, vonseiten; aber nur beiseite*)

etwas außer Acht lassen, die Haare stehen jemandem zu Berge, in Betracht kommen, zu Hilfe kommen, in Kauf nehmen

Auto fahren, Rad fahren, Maschine schreiben, Kegel schieben, Diät leben, Folge leisten, Maß halten, Hof halten, Kopf stehen, Leid tun, Not leiden, Not tun, Pleite gehen (aber nach § 56(1): *pleite sein*), *Eis laufen* (aber nach § 34(3): *irreführen, preisgeben, stattfinden, teilnehmen, wundernehmen*)

Recht haben/behalten/bekommen, Unrecht haben/behalten/bekommen, Ernst machen mit etwas, Wert legen auf etwas, Angst haben jemandem Angst (und Bange) machen, (keine) Schuld tragen (vgl. aber Fügungen mit Adjektiven: *recht sein, unrecht sein, ernst sein/werden, etwas ernst nehmen, wert sein, angst (und bange) sein* (§ 56(1)), *schuld sein* (§ 56(1))

zum ersten Mal (aber nach § 39(1): *einmal, diesmal, nochmal*)

eines Abends, des Nachts, letzten Endes, guten Mutes, schlechter Laune (aber nach § 56(3): *abends, nachts;* aber nach § 39(1): *keinesfalls, andernorts*)

E2: In festen adverbialen Fügungen, die als Ganzes aus einer fremden Sprache entlehnt worden sind, gilt Kleinschreibung, zum Beispiel:

a cappella, in flagranti, à discrétion, de jure, de facto, in nuce, pro domo, ex cathedra, coram publico

Zu Schreibungen wie *A-cappella-Chor, De-facto-Anerkennung* siehe oben Absatz (1).

(5) für Zahlsubstantive, zum Beispiel:

ein Dutzend, das Schock (= 60 Stück), *das Paar* (aber *ein paar* = *einige*), *das Hundert* (zum Beispiel: *das erste Hundert Schrauben*), *das Tausend, eine Million, eine Milliarde, eine Billion*

Zu *Dutzend, Hundert* und *Tausend* siehe auch § 58 E5.

(6) für Ausdrücke, die als Bezeichnung von Tageszeiten nach den Adverbien *vorgestern, gestern, heute, morgen, übermorgen* auftreten, zum Beispiel:

Wir treffen uns heute Mittag. Die Frist läuft übermorgen Mitternacht ab. Sie rief gestern Abend an.

Zu Verbindungen wie *(am) Dienstagabend* siehe § 37(1).

§ 56

> Klein schreibt man Wörter, die ihre substantivischen Merkmale eingebüßt und die Funktion anderer Wortarten übernommen haben (= Desubstantivierungen).

Dies betrifft

(1) folgende Wörter, die in Verbindung mit den Verben *sein, bleiben, werden* als Adjektive gebraucht werden:

angst, bange, gram, leid, pleite, schuld

Beispiele:

Mir wird angst. Uns ist angst und bange. Wir sind ihr gram. Mir ist das alles leid. Die Firma ist pleite. Er ist schuld daran.

E1: Zu Wörtern wie *recht, unrecht, ernst* vgl. § 55(4).

(2) den ersten Bestandteil unfest zusammengesetzter Verben auch in getrennter Stellung (siehe auch § 34(3)), zum Beispiel:

Ich nehme daran teil (teilnehmen). Die Besprechung findet am Freitag statt (stattfinden). Er führt uns irre (irreführen). Wir geben unser Ziel nicht preis (preisgeben). Es nimmt mich wunder (wundernehmen).

E2: Wird ein Substantiv mit dem Infinitiv nicht zusammengeschrieben, so schreibt man es entsprechend § 55(4) groß, zum Beispiel:

Ich nehme daran Anteil (Anteil nehmen). Du fährst Auto, und ich fahre Rad (Auto fahren, Rad fahren). Sie leistete der Aufforderung nicht Folge (Folge leisten). Meine Schwester läuft Eis (Eis laufen).

(3) Adverbien, Präpositionen, Konjunktionen auf *-s* und *-ens,* zum Beispiel:

abends, anfangs, donnerstags, schlechterdings, morgens, hungers (hungers sterben), willens, rechtens (rechtens sein, etwas rechtens machen); abseits, angesichts, mangels, mittels, namens, seitens; falls, teils ... teils

(4) die folgenden Präpositionen:

dank, kraft (kraft ihres Amtes), laut, statt, an ... statt (an Kindes statt, an seiner statt), trotz, wegen, von ... wegen (von Amts wegen), um ... willen, zeit (zeit seines Lebens)

(5) die folgenden unbestimmten Zahlwörter:

ein bisschen (= ein wenig), ein paar (= einige)

Beispiele:

ein bisschen Leim, dieses kleine bisschen Leim; ein paar Steine, diese paar Steine (aber nach § 55(5): *ein Paar Schuhe*)

(6) Bruchzahlen auf *-tel* und *-stel*

(6.1) vor Maßangaben (siehe auch § 37 E2), zum Beispiel:

ein zehntel Millimeter, ein viertel Kilogramm, in fünf hundertstel Sekunden, nach drei viertel Stunden

E3: Hier ist auch Zusammenschreibung nach § 37(1) möglich, zum Beispiel:
ein Zehntelmillimeter, ein Viertelkilogramm, in fünf Hundertstelsekunden, nach drei Viertelstunden

(6.2) in Uhrzeitangaben unmittelbar vor Kardinalzahlen, zum Beispiel:
um viertel fünf, gegen drei viertel acht

E4: In allen übrigen Fällen schreibt man Bruchzahlen auf *-tel* und *-stel* entsprechend § 55 groß, zum Beispiel:
ein Drittel, das erste Fünftel, neun Zehntel des Umsatzes, um drei Viertel größer, um (ein) Viertel vor fünf

2.2 Substantivierungen

§ 57

> Wörter anderer Wortarten schreibt man groß, wenn sie als Substantive gebraucht werden (= Substantivierungen).

Substantivierte Wörter nehmen die Eigenschaften von Substantiven an (vgl. § 55). Man erkennt sie im Text an zumindest einem der folgenden Merkmale:

a) an einem vorausgehenden Artikel *(der, die, das; ein, eine, ein)*, Pronomen *(dieser, jener, welcher, mein, kein, etwas, nichts, alle, einige ...)* oder unbestimmten Zahlwort *(ein paar, genug, viel, wenig ...)*, die sich auf das substantivierte Wort beziehen;

b) an einem vorangestellten adjektivischen Attribut oder einem nachgestellten Attribut, das sich auf das substantivierte Wort bezieht;

c) an ihrer Funktion als kasusbestimmtes Satzglied oder kasusbestimmtes Attribut.

Siehe dazu folgende Beispiele:

Das In-Kraft-Treten (a, b, c) des Gesetzes verzögert sich. Er übersah alles Kleingedruckte (a, c). Das Ausschlaggebende (a, b, c) für ihre Einstellung war ihr sicheres Auftreten (a, b, c). Nichts Menschliches (a, c) war ihr fremd. Das Deutsche (a, c) gilt als schwere Sprache. Sie bot ihr das Du (a, c) an. Der Beschluss fiel nach langem Hin und Her (b, c). Bananen kosten jetzt das Zweifache (a, b, c) des früheren Preises. Lesen und Schreiben (c) sind Kulturtechniken. Sie brachte eine Platte mit Gebratenem (c). Du sollst Gleiches (c) nicht mit Gleichem (c) vergelten. Man sagt, Liebende (c) seien blind.

E1: Zahlreiche Substantivierungen sind ein fester Bestandteil des Substantivwortschatzes geworden, zum Beispiel:
das Essen, das Herzklopfen, das Leben, das Deutsche, die Grünen, die Studierenden, der/die Angestellte, das Durcheinander, das Jenseits, das Vergissmeinnicht

Die folgende Aufgliederung der Großschreibung von Substantivierungen ist nach Wortarten geordnet.

(1) Substantivierte Adjektive und adjektivisch gebrauchte Partizipien, besonders auch in Verbindung mit Wörtern wie *alles, allerlei, etwas, genug, nichts, viel, wenig,* zum Beispiel:

Wir wünschen alles Gute. Zum Aperitif gab es Süßes und Salziges. Geh nicht mit Unbekannten! Das Ausschlaggebende für die Einstellung war ihre Erfahrung. Er hat nichts/wenig/etwas/viel Bedeutendes geschrieben. Das nie Erwartete trat ein. Sie hatte nur Angenehmes erlebt. Der Umsatz war dieses Jahr um das Dreifache höher. Das andere Gebäude war um ein Beträchtliches höher. Das ist das einzig Richtige, was du tun kannst. Es wäre wohl das Richtige, wenn wir noch einmal darüber reden. Bitte lesen Sie das unten Stehende/unten Stehendes genau durch. Wir haben das Folgende/Folgendes verabredet. Wir werden das im Folgenden noch genauer darstellen. Des Näheren vermag ich mich nicht zu entsinnen. Sie hat mir die Sache des Näheren erläutert. Wir haben alles des Langen und Breiten diskutiert. Wir wohnen im Grünen. Beim Umweltschutz liegen noch viele Dinge im Argen. Wir sind uns im Großen und Ganzen einig. Die Arbeiten sind im Allgemeinen nicht schlecht geraten. Das ist im Wesentlichen richtig. Im Einzelnen sind aber noch Verbesserungen möglich. Plötzlich ertönte eine Stimme aus dem Dunkeln. Die Polizei tappt im Dunkeln. Die Direktorin war auf dem Laufenden.

Sie war unsere Jüngste. Das Beste, was dieser Ferienort bietet, ist die Ruhe. Es ist das Beste, wenn du kommst. Es änderte sich nicht das Geringste. Dies geschieht zum Besten unserer Kinder. Er gab wieder einmal eine seiner Geschichten zum Besten. Sie konnte uns vor dem Ärgsten bewahren. Daran haben wir nicht im Entferntesten gedacht. Sie war bis ins Kleinste vorbereitet. Sie war aufs Schrecklichste/auf das Schrecklichste gefasst. Sie hat uns aufs Herzlichste/auf das Herzlichste begrüßt (siehe auch § 58 E1).

Die Pest traf Hohe und Niedrige/Hoch und Niedrig. Diese Musik gefällt Jungen und Alten/Jung und Alt. Die Teilnehmenden diskutierten über den Konflikt zwischen Jungen und Alten/zwischen Jung und Alt. Das ist ein Fest für Junge und Alte/für Jung und Alt.

Sie trug das kleine Schwarze. Der Zeitungsbericht traf ins Schwarze. Wenn man Schwarz mit Weiß mischt, entsteht Grau. Die Ampel schaltete auf Rot. Wir liefern das Gerät in Grau oder Schwarz.

Das Englische ist eine Weltsprache. Ihr Englisch hatte einen südamerikanischen Akzent. Mit Englisch kommt man überall durch. In Ostafrika verständigt man sich am besten auf Swahili oder auf Englisch.

E2: Gelegentlich ist Groß- oder Kleinschreibung möglich, zum Beispiel:
Sie spricht Englisch (was? – die englische Sprache)/*englisch* (wie?).

Ordnungszahladjektive sowie sinnverwandte Adjektive, zum Beispiel:

Die Miete ist am Ersten jedes Monats zu bezahlen. Er ist schon der Zweite, der den Rekord des vergangenen Jahres überboten hat. Jeder Fünfte lehnte das Projekt ab. Endlich war sie die Erste im Staat.

Dieses Vorgehen verletzte die Rechte Dritter. Er kam als Dritter an die Reihe. Er kam vom Hundertsten ins Tausendste. Fürs Erste wollen wir nicht mehr darüber reden. Die Nächste bitte! Liebe deinen Nächsten wie dich selbst! Trotz ihrer Verletzung wurde sie noch Viertletzte. Als Letztes muss der Deckel angeschraubt werden. Arthur und Armin gingen unterschiedliche Wege: der Erste/Ersterer wurde Beamter, der Zweite/der Letzte/Letzterer hatte als Schauspieler Erfolg.

Unbestimmte Zahladjektive (siehe aber auch § 58(5)), zum Beispiel:

Den Kometen haben Unzählige (Ungezählte, Zahllose) gesehen. Ich muss noch Verschiedenes erledigen. Er hatte das Ganze rasch wieder vergessen. Der Kongress war als Ganzes ein Erfolg. Das muss jeder Einzelne mit sich selbst ausmachen. Anita war die Einzige, die alles wusste. Alles Übrige besprechen wir morgen. Er gab sein Geld für alles Mögliche aus.

(2) Substantivierte Verben, zum Beispiel:

Das Lesen fällt mir schwer. Sie hörten ein starkes Klopfen. Wer erledigt das Fensterputzen? Viele waren am Zustandekommen des Vertrages beteiligt. Die Sache kam ins Stocken. Das ist zum Lachen. Euer Fernbleiben fiel uns auf. Uns half nur noch lautes Rufen. Die Mitbewohner begnügten sich mit Wegsehen und Schweigen.

Sie wollte auf Biegen und Brechen gewinnen. Er klopfte mit Zittern und Zagen an. Ich nehme die Tabletten auf Anraten meiner Ärztin.

Sie hat ihr Soll erfüllt. Dies ist ein absolutes Muss.

Bei mehrteiligen Fügungen, deren Bestandteile mit einem Bindestrich verbunden werden, schreibt man das erste Wort, den Infinitiv und die anderen substantivischen Bestandteile groß (siehe auch § 55(1) und (2)), zum Beispiel:

es ist zum Auf-und-davon-Laufen, das Hand-in-Hand-Arbeiten, das In-den-Tag-hinein-Leben

E3: Gelegentlich ist bei einfachen Infinitiven Groß- oder Kleinschreibung möglich, zum Beispiel: *Der Gehörgeschädigte lernt Sprechen.* (Wie: *Der Gehörgeschädigte lernt das Sprechen/das deutliche Sprechen.*) Oder: *Der Gehörgeschädigte lernt sprechen.* (Wie: *Der Gehörgeschädigte lernt deutlich sprechen.*) (Ebenso:) *Bekanntlich ist Umlernen/umlernen schwieriger als Dazulernen/dazulernen. Doch geht Probieren/probieren über Studieren/ studieren.*

(3) Substantivierte Pronomen (vgl. aber auch § 58(4)), zum Beispiel:

Sie hatte ein gewisses Etwas. Er bot ihm das Du an. Das ist ein Er, keine Sie. Wir standen vor dem Nichts. Er konnte Mein und Dein nicht unterscheiden.

(4) Substantivierte Grundzahlen als Bezeichnung von Ziffern, zum Beispiel:

Er setzte alles auf die Vier. Sie fürchtete sich vor der Dreizehn. Der Zeiger nähert sich der Elf. Sie hat lauter Einsen im Zeugnis. Er würfelt eine Sechs.

(5) Substantivierte Adverbien, Präpositionen, Konjunktionen, Interjektionen, zum Beispiel:

Es gab ein großes Durcheinander. Mich störte das ewige Hin und Her. Ich will das noch im Diesseits erleben. Auf das Hier und Jetzt kommt es an. Das Danach war ihr egal. Es gibt kein Übermorgen. Sie hatte so viel wie möglich im Voraus erledigt. Im Nachhinein wussten wir es besser. Er stand im Aus. Sie überlegte sich das Für und Wider genau. Sein ständiges Aber stört mich. Es kommt nicht nur auf das Dass an, sondern auch auf das Wie. Er erledigte es mit Ach und Krach. Ein vielstimmiges Ah ertönte. Ihr freudiges Oh freute ihre Kolleginnen. Das Nein fällt ihm schwer.

E4: Bei mehrteiligen substantivierten Konjunktionen, die mit einem Bindestrich verbunden werden (siehe § 43), schreibt man nur das erste Wort groß, zum Beispiel: *ein Entweder-oder, das Als-ob, das Sowohl-als-auch*

§ 58

> In folgenden Fällen schreibt man Adjektive, Partizipien und Pronomen klein, obwohl sie formale Merkmale der Substantivierung aufweisen.

(1) Adjektive, Partizipien und Pronomen, die sich auf ein vorhergehendes oder nachstehendes Substantiv beziehen, zum Beispiel:

Sie war die aufmerksamste und klügste meiner Zuhörerinnen. Der Verkäufer zeigte mir seine Auswahl an Krawatten, die gestreiften und gepunkteten gefielen mir am besten. Vor dem Haus spielten viele Kinder, einige kleine im Sandkasten, die größeren am Klettergerüst. Es waren neun Teilnehmer erschienen, auf den zehnten wartete man vergebens. Alte Schuhe sind meist bequemer als neue. Dünne Bücher lese ich in der Freizeit, dicke im Urlaub. Zwei Männer betraten den Raum; der erste trug einen Anzug, der zweite Jeans und Pullover. Leih mir bitte deine Farbstifte, ich habe meine/die meinen/die meinigen vergessen.

(2) Superlative mit „am", nach denen mit „Wie?" gefragt werden kann, zum Beispiel:

Dieser Weg ist am steilsten. (Frage: Wie ist der Weg?) *Dieser Stift schreibt am feinsten.* (Frage: Wie schreibt dieser Stift?) *Der ICE fährt am schnellsten.*

E1: Superlative mit „am" gehören zur regulären Flexion des Adjektivs; „am" ist in diesen Fügungen nicht in „an dem" auflösbar. Beispiele: *Dieser Weg ist steil – steiler – am steilsten. Dieser Stift schreibt fein – feiner – am feinsten.*

In Anlehnung an diese Fügungen kann man auch feste adverbiale Wendungen mit „aufs" oder „auf das", die mit „Wie?" erfragt werden können, kleinschreiben, zum Beispiel:

Sie hat uns aufs/auf das herzlichste begrüßt (Frage: Wie hat sie uns begrüßt?). *Der Fall ließ sich aufs/auf das einfachste lösen.*
Superlative, nach denen mit „Woran?" („An was?") oder „Worauf?" („Auf was?") gefragt werden kann, schreibt man nach § 57(1) groß, zum Beispiel:
Es fehlt ihnen am/an dem Nötigsten. (Frage: Woran fehlt es ihnen?) *Wir sind aufs/auf das Beste angewiesen.* (Frage: Worauf sind wir angewiesen?)

(3) bestimmte feste Verbindungen aus Präposition und nichtdekliniertem oder dekliniertem Adjektiv ohne vorangehenden Artikel, zum Beispiel:

Ich hörte von fern ein dumpfes Grollen. Die Pilger kamen von nah und fern. Die Ware wird nur gegen bar ausgeliefert. Die Mädchen hielten durch dick und dünn zusammen. Das wird sich über kurz oder lang herausstellen. Damit habe ich mich von klein auf beschäftigt.

Das werde ich dir schwarz auf weiß beweisen. Die Stimmung war grau in grau.

Aus der Brandruine stieg von neuem Rauch auf. Wir konnten das Feuer nur von weitem betrachten. Der Fahrplan bleibt bis auf weiteres in Kraft. Unsere Pressesprecherin gibt Ihnen ohne weiteres Auskunft. Der Termin stand seit längerem fest.

E2: Substantivierungen, die auch ohne Präposition üblich sind, werden nach § 57(1) auch dann großgeschrieben, wenn sie mit einer Präposition verbunden werden, zum Beispiel:
Die Historikerin beschäftigt sich mit dem Konflikt zwischen Arm und Reich. Das ist ein Fest für Jung und Alt. (Vgl.: *Die Königin lud Arm und Reich ein. Das Fest gefiel Jung und Alt.*)
Die Ampel schaltete auf Rot. Wir liefern das Gerät in Grau (= in grauer Farbe). (Vgl.: *Das ist ein grelles Rot. Sie hasst Grau.*)
Mit Englisch kommst du überall durch. In Ostafrika verständigt man sich am besten auf Swahili oder Englisch. (Vgl.: *Bekanntlich ist Englisch eine Weltsprache. Sein Englisch war gut verständlich.*)

(4) Pronomen, auch wenn sie als Stellvertreter von Substantiven gebraucht werden, zum Beispiel:
In diesem Wald hat sich schon mancher verirrt. Ich habe mich mit diesen und jenen unterhalten. Wenn einer eine Reise tut, so kann er was erzählen. Das muss (ein) jeder mit sich selbst ausmachen. Wir haben alles mitgebracht. Sie hatten beides mitgebracht. Man muss mit (den) beiden reden.
Zur Großschreibung der Anredepronomen siehe § 65, § 66.

E3: In Verbindung mit dem bestimmten Artikel oder dergleichen lassen sich Possessivpronomen auch als substantivische possessive Adjektive bestimmen, entsprechend kann man hier nach § 57(1) auch großschreiben, zum Beispiel:
Grüß mir die deinen/Deinen (die deinigen/Deinigen)! Sie trug das ihre/Ihre (das ihrige/Ihrige) zum Gelingen bei. Jedem das seine/Seine!

(5) die folgenden Zahladjektive mit allen ihren Flexionsformen:
viel, wenig; (der, die, das) eine, (der, die, das) andere

Beispiele:

Das haben schon viele erlebt. Zum Erfolg trugen auch die vielen bei, die ohne Entgelt mitgearbeitet haben. Nach dem Brand war nur noch weniges zu gebrauchen. Sie hat das wenige, was noch da war, in eine Kiste versorgt. Die meisten haben diesen Film schon einmal gesehen. Die einen kommen, die anderen gehen. Was der eine nicht tut, soll der andere nicht lassen. Die anderen kommen später. Das können auch andere bestätigen. Alles andere erzähle ich dir später. Sie hatte noch anderes zu tun. Unter anderem wurde auch über finanzielle Angelegenheiten gesprochen.

E4: Wenn hervorgehoben werden soll, dass das Adjektiv nicht als unbestimmtes Zahlwort zu verstehen ist, kann nach § 57(1) auch großgeschrieben werden, zum Beispiel: *Sie strebte etwas ganz Anderes (= völlig Neues) an.*

(6) Kardinalzahlen unter einer Million, zum Beispiel:

Was drei wissen, wissen bald dreißig. Diese drei kommen mir bekannt vor. Sie rief um fünf an. Wir waren an die zwanzig. Er sollte die Summe durch acht teilen. Dieser Kandidat konnte nicht bis drei zählen. Wir fünf gehören zusammen. Der Abschnitt sieben fehlt im Text. Der Mensch über achtzig schätzt die Gesundheit besonders.

E5: Wenn *hundert* und *tausend* eine unbestimmte (nicht in Ziffern schreibbare) Menge angeben, können sie auch auf die Zahlsubstantive *Hundert* und *Tausend* bezogen werden (vgl. § 55(5)); entsprechend kann man sie dann klein- oder großschreiben, zum Beispiel: *Es kamen viele tausende/Tausende von Zuschauern. Sie strömten zu aberhunderten/Aberhunderten herein. Mehrere tausend/Tausend Menschen füllten das Stadion. Der Beifall zigtausender/Zigtausender von Zuschauern war ihr gewiss.*

Entsprechend auch: *Der Stoff wird in einigen Dutzend/dutzend Farben angeboten. Der Fall war angesichts Dutzender/dutzender von Augenzeugen klar.*

2.3 Eigennamen mit ihren nichtsubstantivischen Bestandteilen sowie Ableitungen von Eigennamen

§ 59

Eigennamen schreibt man groß.

Eigennamen sind Bezeichnungen zur Identifizierung bestimmter einzelner Gegebenheiten (eine Person, ein Ort, ein Land, eine Institution usw.). Viele sind einfache, zusammengesetzte oder abgeleitete Substantive, zum Beispiel *Peter, Wien, Deutschland, Europa, Südamerika, Bahnhofstraße, Sigmaringen, Albrecht-Dürer-Allee, Ostsee-Zeitung.* Sie werden nach § 55 großgeschrieben. Daneben gibt es mehrteilige Eigennamen, die häufig auch nichtsubstantivische Bestandteile enthalten, zum Beispiel *Kap der Guten Hoffnung, Norddeutsche Neueste Nachrichten, Vereinigte Staaten von Amerika.* Im Folgenden wird die Groß- und Kleinschreibung dieser Gruppe von Eigennamen dargestellt.

§ 60

In mehrteiligen Eigennamen mit nichtsubstantivischen Bestandteilen schreibt man das erste Wort und alle weiteren Wörter außer Artikeln, Präpositionen und Konjunktionen groß.

E1: Ein vorangestellter Artikel ist in der Regel nicht Bestandteil des Eigennamens und wird darum kleingeschrieben. Zu Ausnahmen siehe unten, Absatz (4.4).

Als Eigennamen im Sinne dieser orthographischen Regelung gelten:

(1) Personennamen, Eigennamen aus Religion, Mythologie sowie Beinamen, Spitznamen und dergleichen, zum Beispiel:

Johann Wolfgang von Goethe, Gertrud von Le Fort, Charles de Coster, Ludwig van Beethoven, der Apokalyptische Reiter, Walther von der Vogelweide, Holbein der Jüngere, der Alte Fritz, Katharina die Große, Heinrich der Achte, Elisabeth die Zweite; Klein Erna Präpositionen wie *von, van, de, ten, zu(r)* in Personennamen schreibt man im Satzinnern auch dann klein, wenn ihnen kein Vorname vorausgeht, zum Beispiel: *Der Autor dieses Buches heißt von Ossietzky.*

(2) Geographische und geographisch-politische Eigennamen, so

(2.1) von Erdteilen, Ländern, Staaten, Verwaltungsgebieten und dergleichen, zum Beispiel:

Vereinigte Staaten von Amerika, Freie und Hansestadt Hamburg (als Bundesland), *Tschechische Republik*

(2.2) von Städten, Dörfern, Straßen, Plätzen und dergleichen, zum Beispiel:

Neu Lübbenau, Groß Flatow, Rostock-Lütten Klein, Unter den Linden, Lange Straße, In der Mittleren Holdergasse, Am Tiefen Graben, An den Drei Pfählen, Hamburger Straße, Neuer Markt

(2.3) von Landschaften, Gebirgen, Wäldern, Wüsten, Fluren und dergleichen, zum Beispiel:

Kahler Asten, Hohe Tatra, Holsteinische Schweiz, Schwäbische Alb, Bayerischer Wald, Libysche Wüste, Goldene Aue, Thüringer Wald

(2.4) von Meeren, Meeresteilen und -straßen, Flüssen, Inseln und Küsten und dergleichen, zum Beispiel:

Stiller Ozean, Indischer Ozean, Rotes Meer, Kleine Antillen, Großer Belt, Schweriner See, Straße von Gibraltar, Kapverdische Inseln, Kap der Guten Hoffnung

(3) Eigennamen von Objekten unterschiedlicher Klassen, so

(3.1) von Sternen, Sternbildern und anderen Himmelskörpern, zum Beispiel:

Kleiner Bär, Großer Wagen, Halleyscher Komet (auch: *Halley'scher Komet*; § 62)

(3.2) von Fahrzeugen, bestimmten Bauwerken und Örtlichkeiten, zum Beispiel:

die Vorwärts (Schiff), *der Blaue Enzian* (Eisenbahnzug), *der Fliegende Hamburger* (Eisenbahnzug), *die Blaue Moschee* (in Istanbul), *das Alte Rathaus* (in Leipzig), *der Französische Dom* (in Berlin), *die Große Mauer* (in China), *der Schiefe Turm* (in Pisa)

(3.3) von einzeln benannten Tieren, Pflanzen und gelegentlich auch von Einzelobjekten weiterer Klassen, zum Beispiel:

der Fliegende Pfeil (ein bestimmtes Pferd), *die Alte Eiche* (ein bestimmter Baum)

(3.4) von Orden und Auszeichnungen, zum Beispiel:

das Blaue Band des Ozeans, Großer Österreichischer Staatspreis für Literatur

(4) Eigennamen von Institutionen, Organisationen, Einrichtungen, so

(4.1) von staatlichen bzw. öffentlichen Dienststellen, Behörden und Gremien, von Bildungs- und Kulturinstitutionen und dergleichen, zum Beispiel:

Deutscher Bundestag, Statistisches Bundesamt, Mecklenburgisches Staatstheater Schwerin, Museum für Deutsche Geschichte (in Berlin), *Naturhistorisches Museum* (in Wien), *Grünes Gewölbe* (in Dresden), *Klinik für Innere Medizin der Universität Rostock, Akademie für Alte Musik Berlin, Zweites Deutsches Fernsehen, Eidgenössische Technische Hochschule* (in Zürich)

(4.2) von Organisationen, Parteien, Verbänden, Vereinen und dergleichen, zum Beispiel:

Vereinte Nationen, Internationales Olympisches Komitee, Deutscher Gewerkschaftsbund, Sozialdemokratische Partei Deutschlands, Christlich-Demokratische Union, Allgemeiner Deutscher Automobilclub, Börsenverein des Deutschen Buchhandels, Österreichisches Rotes Kreuz

(4.3) von Betrieben, Firmen, Genossenschaften, Gaststätten, Geschäften und dergleichen, zum Beispiel:

Deutsche Bank, Österreichischer Raiffeisenverband, Bibliographisches Institut (in Mannheim), *Deutsche Bahn, Weiße Flotte, Städtisches Klinikum Berlin-Buch, Hotel Vier Jahreszeiten, Gasthaus zur Neuen Post, Zum Goldenen Anker* (Gaststätte), *Salzburger Dombuchhandlung, Rheinisch-Westfälisches Elektrizitätswerk AG*

(4.4) von Zeitungen und Zeitschriften und dergleichen, zum Beispiel:

Berliner Zeitung, Sächsische Neueste Nachrichten, Deutsch als Fremdsprache, Dermatologische Monatsschrift, Die Zeit

Wird der Artikel am Anfang verändert, so schreibt man ihn klein, zum Beispiel:

Sie hat das in der Zeit gelesen.

(5) inoffizielle Eigennamen, Kurzformen sowie Abkürzungen von Eigennamen, zum Beispiel:

Schwarzer Kontinent, Ferner Osten, Naher Osten, Vereinigte Staaten A. Müller, Astrid M., A. M. (= Astrid Müller), J. W. v. Goethe; SPD (= Sozialdemokratische Partei Deutschlands), DGB (= Deutscher Gewerkschaftsbund), EU (= Europäische Union), SBB (= Schweizerische Bundesbahnen), ORF (= Österreichischer Rundfunk)

E2: In einigen der oben genannten Namengruppen kann die Schreibung im Einzelfall abweichend festgelegt sein, zum Beispiel:

neue deutsche literatur, profil, konkret (Zeitschriften); *Institut für deutsche Sprache, Akademie für Musik und darstellende Kunst „Mozarteum"; Zur letzten Instanz* (Gaststätte)

Zur Kennzeichnung der Namen von Zeitungen und Zeitschriften mit Anführungszeichen siehe § 94(1).

§ 61

> Ableitungen von geographischen Eigennamen auf *-er* schreibt man groß.

Beispiele:

die Berliner Bevölkerung, die Mecklenburger Landschaft, der Schweizer Käse, das St. Galler/Sankt Galler Kloster, das Bad Krozinger Kurgebiet, die New Yorker Kunstszene

Zur Schreibung mit oder ohne Bindestrich siehe § 49 E.

§ 62

> Kleingeschrieben werden adjektivische Ableitungen von Eigennamen auf *-(i)sch*, außer wenn die Grundform eines Personennamens durch einen Apostroph verdeutlicht wird, ferner alle adjektivischen Ableitungen mit anderen Suffixen.

Beispiele:

die darwinsche/die Darwin'sche Evolutionstheorie, das wackernagelsche/Wackernagel'sche Gesetz, die goethischen/goetheschen/Goethe' schen Dramen, die bernoullischen/Bernoulli'schen Gleichungen

die homerischen Epen, das kopernikanische Weltsystem, die darwinistische Evolutionstheorie, tschechisches Bier, indischer Tee, englischer Stoff

mit eulenspiegelhaftem Schalk, eine kafkaeske Stimmung

Zur Schreibung mit Apostroph siehe auch Zeichensetzung, § 97 E.

Zur Schreibung mehrteiliger Ableitungen mit Bindestrich siehe § 49 E.

2.4 Feste Verbindungen aus Adjektiv und Substantiv

§ 63

> In substantivischen Wortgruppen, die zu festen Verbindungen geworden, aber keine Eigennamen sind, schreibt man Adjektive klein.

Beispiele:

der italienische Salat, der blaue Brief, das autogene Training, das neue Jahr, die gelbe Karte, das gelbe Trikot, der goldene Schnitt, die goldene Hochzeit, das große Los, die höhere Mathematik, die innere Medizin, die künstliche Intelligenz, die grüne Lunge, das olympische Feuer, der schnelle Brüter, das schwarze Brett, das schwarze Schaf, die schwedischen Gardinen, der weiße Tod, das zweite Gesicht, die graue Eminenz

§ 64

> In bestimmten substantivischen Wortgruppen werden Adjektive großgeschrieben, obwohl keine Eigennamen vorliegen.

Dies betrifft

(1) Titel, Ehrenbezeichnungen, bestimmte Amts- und Funktionsbezeichnungen, zum Beispiel:

der Heilige Vater, die Königliche Hoheit, der Erste Bürgermeister, der Regierende Bürgermeister, der Technische Direktor

(2) fachsprachliche Bezeichnungen bestimmter Klassifizierungseinheiten, so von Arten, Unterarten oder Rassen in der Botanik und Zoologie, zum Beispiel:

die Schwarze Witwe, das Fleißige Lieschen, der Rote Milan, die Gemeine Stubenfliege

(3) besondere Kalendertage, zum Beispiel:

der Heilige Abend, der Weiße Sonntag, der Internationale Frauentag, der Erste Mai

(4) bestimmte historische Ereignisse und Epochen, zum Beispiel:

der Westfälische Friede, der Deutsch-Französische Krieg 1870/1871, der Zweite Weltkrieg, die Goldenen Zwanziger, die Jüngere Steinzeit

2.5 Anredepronomen und Anreden

§ 65

> Das Anredepronomen *Sie* und das entsprechende Possessivpronomen *Ihr* sowie die zugehörigen flektierten Formen schreibt man groß.

Beispiele:

Würden Sie mir helfen? Wie geht es Ihnen? Ist das Ihr Mantel? Bestehen Ihrerseits Bedenken gegen den Vorschlag?

E1: Großschreibung gilt auch für ältere Anredeformen wie: *Habt Ihr es Euch überlegt, Fürst von Gallenstein? Johann, führe Er die Gäste herein.*

E2: In Anreden wie *Seine Majestät, Eure Exzellenz, Eure Magnifizenz* schreibt man das Pronomen ebenfalls groß.

§ 66

Die Anredepronomen *du* und *ihr*, die entsprechenden Possessivpronomen *dein* und *euer* sowie das Reflexivpronomen *sich* schreibt man klein.

Beispiele:

Würdest du mir helfen? Hast du dich gut erholt? Haben Sie sich schon angemeldet?

Lieber Freund,
ich schreibe dir diesen Brief und schicke dir eure Bilder ...

E Zeichensetzung

0 Vorbemerkungen

(1) Die Satzzeichen sind Grenz- und Gliederungszeichen. Sie dienen insbesondere dazu, einen geschriebenen Text übersichtlich zu gestalten und ihn dadurch für den Lesenden überschaubar zu machen. Zudem kann der Schreibende mit den Satzzeichen besondere Aussageabsichten oder Einstellungen zum Ausdruck bringen oder stilistische Wirkungen anstreben.

Zu unterscheiden sind Satzzeichen

* zur Kennzeichnung des Schlusses von Ganzsätzen: Punkt, Ausrufezeichen, Fragezeichen
* zur Gliederung innerhalb von Ganzsätzen: Komma, Semikolon, Doppelpunkt, Gedankenstrich, Klammern
* zur Anführung von Äußerungen oder Textstellen bzw. zur Hervorhebung von Wörtern oder Textteilen: Anführungszeichen

(2) Daneben dienen bestimmte Zeichen

* zur Markierung von Auslassungen: Apostroph, Ergänzungsstrich, Auslassungspunkte
* zur Kennzeichnung der Wörter bestimmter Gruppen: Punkt nach Abkürzungen bzw. Ordinalzahlen, Schrägstrich

1 Kennzeichnung des Schlusses von Ganzsätzen

Der Kennzeichnung des Schlusses von Ganzsätzen dienen:

* der Punkt
* das Ausrufezeichen
* das Fragezeichen

Ganzsätze im Sinne dieser orthographischen Regelung zeigen Beispiele wie:

Gestern hat.es geregnet. Du kommst bitte morgen! Hat er das wirklich gesagt? Im Hausflur war es still, ich drückte erwartungsvoll auf die Klingel. Ich hoffe, dass wir uns bald wiedersehen. Meine Freundin hatte den Zug versäumt; deshalb kam sie eine halbe Stunde zu spät. Niemand kannte ihn. Auch der Gärtner nicht. Bitte die Türen schließen und Vorsicht bei der Abfahrt des Zuges! Ob er heute kommt? Nein, morgen. Warum nicht? Gute Reise! Hilfe!

Zu den Zeichen in Verbindung mit Gedankenstrich oder Klammern siehe § 85 bzw. § 88.

Zu den Zeichen bei wörtlich Wiedergegebenem siehe § 90.

Zum Gedankenstrich zwischen zwei Ganzsätzen siehe § 83.

> Mit dem Punkt kennzeichnet man den Schluss eines Ganzsatzes.

Ich habe ihn gestern gesehen. Sie kommt morgen. Das Kind weinte, weil es seinen Schlüssel verloren hatte.
Wir sehen nach, was Paul macht. Sie habe ihn gestern gesehen, behauptete sie. Sie forderte ihn auf die Wohnung sofort zu verlassen. Ich wünschte, die Prüfung wäre vorbei. Sie fragte ungeduldig, ob er endlich komme. Der Redner stellte die Frage, wie es nach diesen Umweltschäden weitergehen solle.
Im Hausflur war es still. Ich drückte erwartungsvoll auf die Klingel.

E1: Wenn aber als mehrteiliger Ganzsatz verstanden, entsprechend § 71(1) bzw. § 80(1) mit Komma oder Semikolon:
Im Hausflur war es still, ich drückte erwartungsvoll auf die Klingel.
Im Hausflur war es still; ich drückte erwartungsvoll auf die Klingel.

E2: Bei Aufforderungen, denen man keinen besonderen Nachdruck geben will, setzt man einen Punkt und kein Ausrufezeichen (hierzu siehe § 69):
Rufen Sie bitte später noch einmal an. Nehmen Sie doch Platz. Vgl. S. 25 seiner letzten Veröffentlichung.

E3: In den folgenden Fällen setzt man keinen Punkt:
– am Ende von frei stehenden Zeilen (siehe § 68)
– am Ende einer kolumnenartigen Aufzählung ohne schließende Satzzeichen (siehe § 71 E2)
– am Ende von Parenthesen (mit Gedankenstrich siehe § 85, mit Klammern siehe § 88)
– bei wörtlich Wiedergegebenem am Anfang oder im Inneren von Ganzsätzen (siehe § 92)
– nach Auslassungspunkten (siehe § 100)
– nach Punkt zur Kennzeichnung von Abkürzungen (siehe § 103) und Ordinalzahlen (siehe § 105)

> Nach frei stehenden Zeilen setzt man keinen Punkt.

Dies betrifft unter anderem

(1) Überschriften und Werktitel (etwa von Büchern und Theaterstücken, Werken der bildenden Kunst und der Musik, Rundfunk- und Fernsehproduktionen):
Allmähliche Normalisierung im Erdbebengebiet
Schneeverwehungen behindern Autoverkehr
Chance für eine diplomatische Lösung
Einführung in die höhere Mathematik
Der kaukasische Kreidekreis
Die Zauberflöte
Zum Ausrufezeichen siehe § 69 E2(1); zum Fragezeichen siehe § 70 E2.

(2) Titel von Gesetzen, Verträgen, Deklarationen und dergleichen sowie Bezeichnungen für Veranstaltungen:

Bundesgesetz über den Straßenverkehr
Konferenz über Sicherheit und Zusammenarbeit in Europa
Internationaler Ärztekongress

(3) Anschriften und Datumszeilen sowie Grußformeln und Unterschriften etwa in Briefen:

Werner Meier   Donnerstag, 15. Februar 1996
Gerichtsweg 12
04103 Leipzig

Herrn Rudolf Schröder
Rüdesheimer Str. 29
62123 Wiesbaden

Sehr geehrter Herr Schröder,

entsprechend unserer telefonischen Vereinbarung ...

...

Mit freundlichen Grüßen

Ihr Werner Meier

Zur Zeichensetzung bei der Anrede etwa in Briefen siehe § 69 E3.

§ 69

> Mit dem Ausrufezeichen gibt man dem Inhalt des Ganzsatzes einen besonderen Nachdruck wie etwa bei nachdrücklichen Behauptungen, Aufforderungen, Grüßen, Wünschen oder Ausrufen.

Ich habe ihn gestern bestimmt gesehen! Komm bitte morgen! Du kommst morgen! Lasst uns keine Zeit verlieren! Du musst die Arbeit abgeben, weil morgen der letzte Termin ist!

Seht nach, was Paul macht! Sehen Sie nur, wie schön die Aussicht ist! Bitte fordern Sie ihn auf die Wohnung sofort zu verlassen! Frag ihn, ob er kommt!

Ruhe! Bitte nicht stören! Zurücktreten! Bitte die Türen schließen und Vorsicht bei der Abfahrt des Zuges! Guten Morgen! Hoffentlich sehen wir uns bald wieder! Wäre nur die Prüfung erst einmal vorbei! Wenn ich dich noch einmal erwische, kannst du was erleben! Das ist ja großartig! Welch ein Glück! Au! Das tut weh! Nein! Nein!

Zum Punkt nach Aufforderungen ohne besonderen Nachdruck siehe § 67 E2.

E1: Wenn aber als mehrteiliger Ganzsatz oder als Teile einer Aufzählung verstanden, entsprechend § 71 mit Komma (siehe auch § 79(2) und (3)):

Das ist ja großartig, welch ein Glück! Au, das tut weh! Nein, nein!

E2: Zur Kennzeichnung eines besonderen Nachdrucks setzt man auch nach frei stehenden Zeilen ein Ausrufezeichen.

Dies betrifft

(1) Überschriften und Werktitel:
Chance für eine diplomatische Lösung!
Kämpft für den Frieden!
Endlich!

Zum Punkt siehe § 68(1); zum Fragezeichen siehe § 70 E2.

(2) die Anrede:
Sehr geehrter Herr Präsident! Meine Damen und Herren!

E3: Nach der Anrede etwa in Briefen kann man ein Ausrufezeichen oder entsprechend § 79(1) ein Komma setzen:
Sehr geehrter Herr Schröder!
Entsprechend unserer telefonischen Vereinbarung ...
Sehr geehrter Herr Schröder,
entsprechend unserer telefonischen Vereinbarung ...

In der Schweiz auch ohne Zeichen am Ende:
Sehr geehrter Herr Schröder
Entsprechend unserer telefonischen Vereinbarung ...

§ 70

Mit dem Fragezeichen kennzeichnet man den Ganzsatz als Frage.

Hast du ihn gestern gesehen? Wann kommst du? Kommst du wirklich morgen? Ob er morgen kommt? Soll er ihm einen Brief schreiben oder ist es besser, dass er ihn anruft?
Habt ihr nachgesehen, was Paul macht? Sehen Sie, wie schön die Aussicht ist? Haben Sie ihn aufgefordert die Wohnung sofort zu verlassen? Hat er gefragt, ob Fritz kommt?
Warst du im Kino? In welchem Film? Dein Freund war auch mit? Was möchtet ihr trinken: Bier, Wein oder Apfelmost? Ist das nicht großartig? Ist das nicht ein Glück? Warum? Weshalb? Weswegen?

E1: Wenn aber als mehrteiliger Ganzsatz oder als Teile einer Aufzählung verstanden, entsprechend § 71 mit Komma:
Ist das nicht großartig, ist das nicht ein Glück? Warum, weshalb, weswegen?

E2: Zur Kennzeichnung einer Frage setzt man auch nach frei stehenden Zeilen, zum Beispiel nach Überschriften und Werktiteln, ein Fragezeichen:
Chance für eine diplomatische Lösung? Wo warst du, Adam? Quo vadis?

Zum Punkt siehe § 68(1); zum Ausrufezeichen siehe § 69 E2.

2   Gliederung innerhalb von Ganzsätzen

(1) Der Gliederung des Ganzsatzes dienen die folgenden Satzzeichen:

- das Komma
- das Semikolon
- der Doppelpunkt
- der Gedankenstrich
- die Klammern

Zu den Auslassungspunkten siehe § 99 bis § 100.

(2) Das Komma wird sowohl einfach als auch paarig gebraucht:

Er trug einen schwarzen, breitkrempigen Hut. Seine Kopfbedeckung, ein schwarzer und breitkrempiger Hut, lag auf dem Tisch.

Dasselbe gilt für den Gedankenstrich.

Nur paarig werden die Klammern gebraucht, nur einfach das Semikolon und der Doppelpunkt.

(3) Manchmal kann man zwischen verschiedenen Zeichen wählen:

Im Hausflur war es still, ich drückte erwartungsvoll auf die Klingel.
Im Hausflur war es still; ich drückte erwartungsvoll auf die Klingel.
Im Hausflur war es still – ich drückte erwartungsvoll auf die Klingel.

Zur stärkeren Abgrenzung kann man entsprechend § 67 auch einen Punkt setzen:

Im Hausflur war es still. Ich drückte erwartungsvoll auf die Klingel.

Eines Tages, es war mitten im Sommer, hagelte es. Eines Tages – es war mitten im Sommer – hagelte es. Eines Tages (es war mitten im Sommer) hagelte es.

2.1 Komma

§ 71

> Gleichrangige (nebengeordnete) Teilsätze, Wortgruppen oder Wörter grenzt man mit Komma voneinander ab.

Dies betrifft (siehe aber § 72)

(1) gleichrangige Teilsätze:

Im Hausflur war es still, ich drückte erwartungsvoll auf die Klingel. Die Musik wird leiser, der Vorhang hebt sich, das Spiel beginnt. Er dachte angestrengt nach, aber ihr Name fiel ihm nicht ein. Ich wollte ihm helfen, doch er ließ es nicht zu. Ich wollte ihm helfen, er ließ es jedoch nicht zu. Das ist ja großartig, welch ein Glück! Ist das nicht großartig, ist das nicht ein Glück?

Zur Möglichkeit der Wahl zwischen Komma, Semikolon oder Punkt siehe § 80(1).

Er log beharrlich, er wisse von nichts, er sei es nicht gewesen. Wenn das wahr ist, wenn du ihn wirklich nicht gesehen hast, brauchst du dir keine Vorwürfe zu machen. Er erkundigte sich, was es Neues gebe, ob Post gekommen sei. Dass sie ihn nicht nur übersah, sondern dass sie auch noch mit anderen flirtete, kränkte ihn sehr.

(2) gleichrangige Wortgruppen oder Wörter in Aufzählungen:

Der Nachbar hatte versprochen den Briefkasten zu leeren, die Blumen zu gießen, hin und wieder zu lüften. Völlig erschöpft, hungrig und frierend, vom Regen durchnässt kamen sie nach Hause. Er hat nicht behauptet in Berlin gewesen zu sein, sondern in Mainz seinen Onkel besucht zu haben. Sie ärgerte sich ständig über ihren Mann, über die Kinder, über die Hausbewohner.

Er trug einen schwarzen, breitkrempigen Hut. Das ist ein ausgesprochen süßes, widerlich klebriges Getränk. (Siehe aber unten E1.)

Zu Fällen wie den folgenden siehe § 77(4): *Auf der Ausstellung waren viele ausländische, insbesondere holländische Firmen vertreten. Als er sein Herz ausgeschüttet, das heißt alles erzählt hatte, fühlte er sich besser.*

Die Buchstaben x, y, z bilden den Schluss des Alphabets. Frühling, Sommer, Herbst, Winter.

Er fährt nicht mit dem Auto, sondern mit dem Zug. Er ist klug, (dabei) aber faul. Einerseits ist er klug, andererseits faul. Der März war teils freundlich, teils regnerisch, aber im Ganzen zu kalt. Sie lächelte halb verlegen, halb belustigt.

Nein, nein! Warum, weshalb, weswegen?

Zum Ausrufe- oder Fragezeichen siehe § 69 bzw. § 70.

Zum Komma bei mehrteiligen Orts-, Wohnungs-, Zeit- und Literaturangaben siehe § 77(3).

E1: Sind zwei Adjektive nicht gleichrangig, so setzt man kein Komma.

die letzten großen Ferien, eine neue blaue Bluse, dunkles bayerisches Bier, die allgemeine wirtschaftliche Lage, zahlreiche wertende Stellungnahmen

Gelegentlich kann der Schreibende dadurch, dass er ein Komma setzt oder nicht, deutlich machen, ob er die Adjektive als gleichrangig verstanden wissen will oder nicht.

Gleichrangig: *neue, umweltfreundliche Verfahren* (neben den bisherigen Verfahren, die nicht umweltfreundlich sind, gibt es nunmehr neue und umweltfreundliche Verfahren)

Nicht gleichrangig: *neue umweltfreundliche Verfahren* (zusätzlich zu den bisherigen umweltfreundlichen Verfahren gibt es weitere umweltfreundliche Verfahren)

E2: Das Komma und der Schlusspunkt können in kolumnenartigen Aufzählungen fehlen, zum Beispiel:

Unser Sonderangebot:
– 	*Äpfel*
– 	*Birnen*
– 	*Orangen*

§ 72

> Sind die gleichrangigen Teilsätze, Wortgruppen oder Wörter durch *und, oder, beziehungsweise/bzw., sowie (= und), wie (= und), entweder ... oder, nicht ... noch, sowohl ... als (auch), sowohl ... wie (auch)* oder durch *weder ... noch* verbunden, so setzt man kein Komma.

Dies betrifft

(1) gleichrangige Teilsätze (siehe aber § 73):

Die Musik wird leiser und der Vorhang hebt sich und das Spiel beginnt. Ich habe sie oft besucht und wir saßen bis spät in die Nacht zusammen. Seid ihr mit meinem Vorschlag einverstanden oder habt ihr Einwände vorzubringen? Sie wisse Bescheid und der Vorgang sei ihr völlig klar, sagte sie. Er erkundigte sich, was es Neues gebe und ob Post gekommen sei. Alle wollten wissen, wie es gewesen sei und warum es so lange gedauert habe. Ich hoffe, dass es dir gefällt und dass du zufrieden bist.

(2) gleichrangige Wortgruppen oder Wörter in Aufzählungen:

Der Nachbar hatte versprochen den Briefkasten zu leeren und die Blumen zu gießen und hin und wieder zu lüften. Völlig erschöpft und vom Regen durchnässt kamen sie nach Hause.

Sie fährt sowohl bei gutem als auch bei schlechtem Wetter. Der März war kalt und unfreundlich. Das ist ein ausgesprochen süßes sowie widerlich klebriges Getränk. Feuer, Wasser, Luft und Erde

Sie fährt entweder mit dem Auto oder mit dem Zug. Er ist klug und dabei faul. Nein und abermals nein! Wie und warum und wozu?

E1: Ein Komma vor *und* usw. kann dadurch begründet sein, dass mit ihm entsprechend § 74 ein Nebensatz, entsprechend § 77 ein Zusatz oder Nachtrag bzw. entsprechend § 93 ein wörtlich wiedergegebener Satz abgeschlossen wird:

Er sagte, dass er morgen komme, und verabschiedete sich. Mein Onkel, ein großer Tierfreund, und seine Katzen leben in einer alten Mühle. Sie fragte: „Brauchen Sie die Unterlagen?", und öffnete die Schublade.

E2: Bei entgegenstellenden Konjunktionen wie *aber, doch, jedoch, sondern* steht nach der Grundregel (§ 71) ein Komma, wenn sie zwischen gleichrangigen Wörtern oder Wortgruppen stehen:

Sie fährt nicht nur bei gutem, sondern auch bei schlechtem Wetter. Der März war sonnig, aber kalt. Er hat mir ein süßes, jedoch wohlschmeckendes Getränk eingeschenkt.

§ 73

> Bei gleichrangigen Teilsätzen, die durch *und, oder* usw. verbunden sind, kann man ein Komma setzen, um die Gliederung des Ganzsatzes deutlich zu machen.

Ich habe sie oft besucht(,) und wir saßen bis spät in die Nacht zusammen, wenn sie in guter Stimmung war. Es war nicht selten, dass er sie besuchte(,) und dass sie bis spät in die Nacht zusammensaßen, wenn sie in guter Stimmung war.

Er traf sich mit meiner Schwester(,) und deren Freundin war auch mitgekommen. Wir warten auf euch(,) oder die Kinder gehen schon voraus. Ich fotografierte die Berge(,) und meine Frau lag in der Sonne.

> Nebensätze grenzt man mit Komma ab; sind sie eingeschoben, so
> schließt man sie mit paarigem Komma ein.

Am Anfang des Ganzsatzes:
*Was ich anfangen soll, weiß ich nicht. Als wir nach Hause kamen, war
es schon spät. Dass es dir wieder besser geht, freut mich sehr. Obwohl
schlechtes Wetter war, suchten wir die Ostereier im Garten. Ist dir der
Weg zu weit, kannst du mit dem Bus fahren. Er komme morgen, sagte
er. Als er sich niederbeugte, weil er ihre Tasche aufheben wollte,
stießen sie mit den Köpfen zusammen.*

Eingeschoben:
*Das Buch, das ich dir mitgebracht habe, liegt auf dem Tisch. Seine
Annahme, dass Peter käme, erfüllte sich nicht. Sie konnte, wenn sie
wollte, äußerst liebenswürdig sein. Er sagte, dass er morgen komme,
und verabschiedete sich. Er sagte, er komme morgen, und verabschiedete sich.*

Am Ende des Ganzsatzes:
*Ich weiß nicht, was ich anfangen soll. Sie beobachtete die Kinder, die
auf der Wiese ihre Drachen steigen ließen. Gestern traf ich eine
Freundin, von der ich lange nichts mehr gehört hatte. Das Kind
weinte, weil es seinen Schlüssel verloren hatte. Ich hätte nie gedacht,
dass du mich so enttäuschen würdest. Sie sah gesünder aus, als sie
sich fühlte. Seine Tochter war ebenso rothaarig, wie er es als Kind
gewesen war. Sie sagte, sie komme morgen. Er war zu klug, als dass
er in die Falle gegangen wäre, die man ihm gestellt hatte.*

E1: Besteht die Einleitung eines Nebensatzes aus einem Einleitewort und
weiteren Wörtern, so gilt:

(1) Man setzt das Komma vor die ganze Wortgruppe:
*Ich habe sie selten besucht, aber wenn ich bei ihr war, saßen wir bis spät in
die Nacht zusammen. Er rannte, als ob es um sein Leben ginge, über die
Straße. Sie rannte, wie wenn es um ihr Leben ginge. Ein Passant hatte
bereits Risse in den Pfeilern der Brücke bemerkt, zwei Tage bevor sie
zusammenbrach.*

(2) In einigen Fällen kann der Schreibende zusätzlich ein Komma zwischen
den Bestandteilen der Wortgruppe setzen:
*Morgen wird es regnen, angenommen(,) dass der Wetterbericht stimmt. Wir
fahren morgen, ausgenommen(,) wenn es regnet. Ich glaube nicht, dass er
anruft, geschweige(,) dass er vorbeikommt. Ich glaube nicht, dass er anruft,
geschweige denn(,) dass er vorbeikommt. Ich komme morgen, gleichviel(,)
ob er es will oder nicht. Ich werde ihnen gegenüber abweisend oder
entgegenkommend sein, je nachdem(,) ob sie hartnäckig oder sachlich sind.*

(3) Der Schreibende kann durch das Komma deutlich machen, ob er Wörter
als Bestandteil der Nebensatzeinleitung verstanden wissen will oder nicht:
*Ich freue mich, auch wenn du mir nur eine Karte schreibst. Ich freue mich
auch, wenn du mir nur eine Karte schreibst. Die Rehe bemerkten ihn, gleich*

als er sein Versteck verließ. Die Rehe bemerkten ihn gleich, als er sein Versteck verließ. Er ärgerte sich zeitlebens, so dass er schon früh graue Haare bekam. Er ärgerte sich zeitlebens so, dass er schon früh graue Haare bekam. Sie sorgt sich um ihn, vor allem(,) wenn er nachts unterwegs ist. Sie sorgt sich um ihn vor allem, wenn er nachts unterwegs ist.

E2: Wenn eine beiordnende Konjunktion wie *und, oder* (§ 72) Satzglieder oder Teile von Satzgliedern mit Nebensätzen verbindet, so steht zwischen den Bestandteilen einer solchen Reihung kein Komma. Gegenüber dem übergeordneten Satz sind die Teile der Reihung nur dann mit Komma abgetrennt, wenn der Nebensatz anschließt, nicht aber, wenn das Satzglied bzw. ein Teil eines Satzgliedes anschließt:

Außerordentlich bedauert hat er diesen Vorfall und dass das hier geschehen konnte.
Bei großer Dürre oder wenn der Föhn weht, ist das Rauchen hier streng verboten.
Wenn der Föhn weht oder bei großer Dürre ist das Rauchen hier streng verboten.
Das Rauchen ist hier streng verboten bei großer Dürre oder wenn der Föhn weht.
Das Rauchen ist hier streng verboten, wenn der Föhn weht oder bei großer Dürre.

E3: Vergleiche mit *als* oder *wie* in Verbindung mit einer Wortgruppe oder einem Wort sind keine Nebensätze; entsprechend setzt man kein Komma (zu *wie* siehe auch § 78(2)):

Früher als gewöhnlich kam er von der Arbeit nach Hause. Wie im letzten Jahr hatten wir auch diesmal einen schönen Herbst. Er kam früher als gewöhnlich von der Arbeit nach Hause. Er kam wie am Vortage auch heute zu spät. Peter ist größer als sein Vater. Heute war er früher da als gestern. Das ging schneller als erwartet. Er ist genauso groß wie sie.

§ 75

> Bei formelhaften Nebensätzen kann man das Komma weglassen.

Wie bereits gesagt(,) verhält sich die Sache anders. Ich komme(,) wenn nötig(,) bei dir noch vorbei.

§ 76

> Bei Infinitiv-, Partizip- oder Adjektivgruppen oder bei entsprechenden Wortgruppen kann man ein (gegebenenfalls paariges) Komma setzen, um die Gliederung des Ganzsatzes deutlich zu machen bzw. um Missverständnisse auszuschließen.

Sie ist bereit(,) zu diesem Unternehmen ihren Beitrag zu leisten. Etwas Schöneres(,) als bei dir zu sein(,) gibt es nicht. Durch eine Tasse Kaffee gestärkt(,) werden wir die Arbeit fortsetzen. Darauf aufmerksam gemacht(,) haben wir den Fehler beseitigt. Er sah sich(,) ihn laut und wütend beschimpfend(,) nach einem Fluchtweg um. Sie suchte(,) den etwas ungenauen Stadtplan in der Hand(,) ein Straßenschild.

Ich hoffe(,) jeden Tag(,) in die Stadt gehen zu können. Ich rate(,) ihm(,) zu helfen. Die Kranke versuchte(,) täglich(,) etwas länger aufzubleiben. Sabine versprach(,) ihrem Vater(,) einen Brief zu schreiben(,) und verabschiedete sich. Er ging(,) gestern(,) von allen wütend beschimpft(,) zur Polizei.

Zum Komma bei Infinitivgruppen usw. in Verbindung mit einem hinweisenden Wort siehe § 77(5).

Zum Komma bei nachgetragenen Infinitivgruppen oder entsprechenden Wortgruppen siehe § 77(6), bei nachgetragenen Partizip-, Adjektivgruppen oder entsprechenden Wortgruppen auch am Ende des Ganzsatzes siehe § 77(7).

Zur Möglichkeit der Wahl, Infinitivgruppen usw. mit Komma als Zusatz oder Nachtrag zu kennzeichnen, siehe § 78(3).

§ 77

> Zusätze oder Nachträge grenzt man mit Komma ab; sind sie ein-
> geschoben, so schließt man sie mit paarigem Komma ein.

Möglich sind in bestimmten Fällen auch Gedankenstrich (siehe § 84) oder Klammern (siehe § 86); mit diesen Zeichen kennzeichnet man stärker, dass man etwas als Zusatz oder Nachtrag verstanden wissen will.

Dies betrifft (1) Parenthesen, (2) Substantivgruppen als Nachträge (Appositionen), (3) Orts-, Wohnungs-, Zeit- und Literaturangaben ohne Präposition, (4) Erläuterungen, (5) angekündigte Wörter oder Wortgruppen, (6) Infinitivgruppen und (7) Partizip- oder Adjektiv-gruppen.

(1) Parenthesen:

Eines Tages, es war mitten im Sommer, hagelte es. Dieses Bild, es ist das letzte und bekannteste des Künstlers, wurde nach Amerika verkauft. Ihre Forderung, um das noch einmal zu sagen, halten wir für wenig angemessen.

Zum Gedankenstrich oder zu Klammern siehe § 84(1) bzw. § 86(1).

(2) Substantivgruppen als Nachträge (Appositionen), insbesondere auch Titel, Berufsbezeichnungen und dergleichen in Verbindung mit Eigennamen:

Mein Onkel, ein großer Tierfreund, und seine Katzen leben in einer alten Mühle. Wir gingen in die Hütte, einen kalten Raum mit kleinen Fenstern. Wir gingen in die Hütte, einen kalten Raum mit kleinen Fenstern, und zündeten ein Feuer an. Walter Gerber, Mannheim, und Anita Busch, Berlin, verlobten sich letzte Woche.

Mainz ist die Geburtsstadt Johannes Gutenbergs, des Erfinders der Buchdruckerkunst. Johannes Gutenberg, der Erfinder der Buch-druckerkunst, wurde in Mainz geboren. Professor Dr. med. Max Müller, Direktor der Kinderklinik, war unser Gesprächspartner. Franz Meier, der Angeklagte, verweigerte die Aussage. Gertrud Patzke, Hebamme des Dorfes, wurde 60 Jahre alt.

Zum Gedankenstrich oder zu Klammern siehe § 84(2) bzw. § 86(2).

E1: Folgt der Eigenname einem Titel, einer Berufsbezeichnung und derglei-chen, so kann man nach § 78(4) das Komma weglassen:

Der Erfinder der Buchdruckerkunst(,) Johannes Gutenberg(,) wurde in Mainz geboren.

E2: Bestandteile von mehrteiligen Eigennamen und vorangestellte Titel ohne Artikel sind keine Zusätze oder Nachträge; entsprechend setzt man kein Komma.

Wilhelm der Eroberer unterwarf ganz England. Direktor Professor Dr. med. Max Müller führte uns durch die Klinik.

Frau Schmidt geb. Kühn hat dies mitgeteilt.

Nach der Grundregel (§ 77) auch mit Komma:
Frau Schmidt, geb. Kühn, hat dies mitgeteilt.

(3) Mehrteilige Orts-, Wohnungs-, Zeit- und Literaturangaben ohne Präposition (das schließende Komma kann hier auch weggelassen werden):

Orts-, Wohnungs- und Zeitangaben:

Gustav Meier, Wiesbaden, Wilhelmstr. 24, 1. Stock(,) hat diese Annonce aufgegeben. Gabi Schmid, Berlin, Landsberger Allee 209, 3. Stock(,) gewann eine Reise in den Harz. Aber: Gabi hat lange in Köln am Kirchplatz 4 gewohnt.

Die Tagung soll Mittwoch, (den) 14. November(,) beginnen. Die Tagung soll am Mittwoch, dem 14. November(,) beginnen. Die Tagung soll am Mittwoch, dem 14. November, (um) 9.00 Uhr(,) im Rosengarten beginnen.

Mehrteilige Hinweise auf Stellen aus Büchern, Zeitschriften und dergleichen:

Die Zeitschrift Spektrum, Jahrgang 29, Heft 2, S. 134(,) hat darüber berichtet. In der Zeitschrift Spektrum, Jahrgang 29, Heft 2, S. 134(,) findet sich ein entsprechendes Zitat.

Ausnahme: In mehrteiligen Hinweisen auf Gesetze, Verordnungen und dergleichen setzt man kein Komma:

§ 6 Abs. 2 Satz 3 der Verordnung

(4) Nachgestellte Erläuterungen, die häufig mit *also, besonders, das heißt (d. h.), das ist (d. i.), genauer, insbesondere, nämlich, und das, und zwar, vor allem, zum Beispiel (z. B.)* oder dergleichen eingeleitet werden:

Sie isst gern Obst, besonders Apfelsinen und Bananen. Obst, besonders Apfelsinen und Bananen, isst sie gern. Wir erwarten dich nächste Woche, und zwar am Dienstag. Nachmittags kommt Gewitterneigung auf, vor allem im Süden. Mit einem Scheck über 2000 Mark, in Worten: zweitausend Mark, hat er die Rechnung bezahlt. Sie bezahlte mit einem Scheck über 2000 DM, in Worten: zweitausend Mark.

Auf der Ausstellung waren viele ausländische Firmen, insbesondere holländische [Maschinenhersteller/Firmen], vertreten. Wir erwarten dich nächste Woche, das heißt vielleicht auch übernächste [Woche], zu einem Gespräch. Als sie ihr Herz ausgeschüttet hatte, das heißt alles erzählt hatte, fühlte sie sich besser.

Wird – im Unterschied zu den letztgenannten Beispielen – die Erläuterung in die substantivische oder verbale Fügung einbezogen, so grenzt man sie mit einfachem Komma ab:

Auf der Ausstellung waren viele ausländische, insbesondere holländische Firmen vertreten. Wir erwarten dich nächste, das heißt vielleicht auch übernächste Woche zu einem Gespräch. Er wird sein Herz ausgeschüttet, das heißt alles erzählt haben.

Zum Gedankenstrich oder zu Klammern siehe § 84(3) bzw. § 86(3).

(5) Wörter oder Wortgruppen, die durch ein hinweisendes Wort oder eine hinweisende Wortgruppe angekündigt werden:

Sie, die Gärtnerin, weiß das ganz genau. Wir beide, du und ich, wissen es genau.

Daran, den Job länger zu behalten, dachte sie nicht. Sie dachte nicht daran, den Job länger zu behalten, und kündigte. Sein größter Wunsch ist es, eine Familie zu gründen. Dies, eine Familie zu gründen, ist sein größter Wunsch.

So, aus vollem Halse lachend, kam sie auf mich zu. So, mit dem Rucksack bepackt, standen wir vor dem Tor. So bepackt, den Rucksack auf dem Rücken, standen wir vor dem Tor.

Werden Wörter oder Wortgruppen durch ein hinweisendes Wort oder eine hinweisende Wortgruppe wieder aufgenommen, so grenzt man sie mit einfachem Komma ab:

Denn die Gärtnerin, die weiß das ganz genau. Und du und ich, wir beide wissen das genau. Wie im letzten Jahr, so hatten wir auch diesmal einen schönen Herbst.

… und den Job länger zu behalten, daran dachte sie nicht und kündigte. Eine Familie zu gründen, das ist sein größter Wunsch.

Aus vollem Halse lachend, so kam sie auf mich zu. Mit dem Rucksack bepackt, so standen wir vor dem Tor. Den Rucksack auf dem Rücken, so bepackt standen wir vor dem Tor.

Zum Gedankenstrich siehe § 84(4).

(6) nachgetragene Infinitivgruppen oder entsprechende Wortgruppen (siehe dazu auch § 78(3)):

Er, ohne den Vertrag vorher gelesen zu haben, hatte ihn sofort unterschrieben. Er, ohne jede Kenntnis des Vertragsinhalts, hatte sofort unterschrieben. Er, statt ihm zu Hilfe zu kommen, sah tatenlos zu.

(7) nachgetragene Partizip- oder Adjektivgruppen oder entsprechende Wortgruppen auch am Ende des Ganzsatzes (siehe auch § 78(3)):

Sie, aus vollem Halse lachend, kam auf mich zu. Er, außer sich vor Freude, lief auf sie zu und umarmte sie. Sie, ganz in Decken verpackt, saß auf der Terrasse. Er kam auf mich zu, aus vollem Halse lachend. Er lief auf sie zu und umarmte sie, außer sich vor Freude. Sie saß auf der Terrasse, ganz in Decken verpackt. Die Klasse, zum Ausflug bereit, war auf dem Schulhof versammelt. Wir, den Rucksack auf dem Rücken, standen vor dem Tor. Die Klasse war auf dem Schulhof versammelt, zum Ausflug bereit. Wir standen vor dem Tor, den Rucksack auf dem Rücken.

Suchen Mitarbeiter, sprachkundig und schreibgewandt. Mehrere Mitarbeiter, sprachkundig und schreibgewandt, werden gesucht. Der November, kalt und nass, löste eine Grippe aus.

E3: In einer festen Verbindung mit einem nachgestellten Adjektiv setzt man kein Komma.

Hänschen klein, Forelle blau, Whisky pur

§ 78

> Oft liegt es im Ermessen des Schreibenden, ob er etwas mit Komma als Zusatz oder Nachtrag kennzeichnen will oder nicht.

Dies betrifft

(1) Gefüge mit Präpositionen, entsprechende Wortgruppen oder Wörter:

Die Fahrtkosten(,) einschließlich D-Zug-Zuschlag(,) betragen 25,00 Mark. Die Fahrtkosten betragen 25,00 Mark(,) einschließlich D-Zug-Zuschlag. Sie hatte(,) trotz aller guten Vorsätze(,) wieder zu rauchen angefangen. Sie hatte(,) bedauerlicherweise(,) wieder zu rauchen angefangen. Der Kranke hatte(,) entgegen ärztlichem Verbot(,) das Bett verlassen. Das war(,) nach allgemeinem Urteil(,) eine Fehlleistung. Er hatte sich(,) den ganzen Tag über(,) mit diesem Problem beschäftigt. Die ganze Familie(,) samt Kindern und Enkeln(,) besuchte die Großeltern.

(2) Gefüge mit *wie* (zu *wie* in Vergleichen siehe § 74 E3):

Ihre Ausgaben(,) wie Fahrt- und Übernachtungskosten(,) werden Ihnen ersetzt.

(3) Infinitiv-, Partizip- oder Adjektivgruppen oder entsprechende Wortgruppen (siehe auch § 77(6) und (7)):

Er hatte den Vertrag(,) ohne ihn vorher gelesen zu haben(,) sofort unterschrieben. Er hatte(,) ohne jede Kenntnis des Vertragsinhalts(,) sofort unterschrieben. Er hatte den Vertrag sofort unterschrieben(,) ohne ihn vorher gelesen zu haben. Er hatte sofort unterschrieben(,) ohne jede Kenntnis des Vertragsinhalts. Er sah(,) statt ihm zu Hilfe zu kommen(,) tatenlos zu. Er sah tatenlos zu(,) statt ihm zu Hilfe zu kommen. Sie hatte(,) um nicht zu spät zu kommen(,) ein Taxi genommen. Sie hatte ein Taxi genommen(,) um nicht zu spät zu kommen. Sein Wunsch(,) eine Familie zu gründen(,) war groß. Unfähig(,) einen Kompromiss zu schließen(,) beendete er die Verhandlung.

Sie kam(,) aus vollem Halse lachend(,) auf mich zu. Er lief(,) außer sich vor Freude(,) auf sie zu und umarmte sie. Sie saß(,) ganz in Decken verpackt(,) auf der Terrasse. Die Klasse war(,) zum Ausflug bereit(,) auf dem Schulhof versammelt. Wir standen(,) den Rucksack auf dem Rücken(,) vor dem Tor. Er sah(,) den Spazierstock in der Hand(,) tatenlos zu.

(4) Eigennamen, die einem Titel, einer Berufsbezeichnung und dergleichen folgen (siehe auch § 77(2)):

Der Erfinder der Buchdruckerkunst(,) Johannes Gutenberg(,) wurde in Mainz geboren. Der Direktor der Kinderklinik(,) Professor Dr. med. Max Müller(,) war der Gesprächspartner. Der Angeklagte(,) Franz Meier(,) verweigerte die Aussage. Die Hebamme des Dorfes(,) Gertrud Patzke(,) wurde 60 Jahre alt.

§ 79

> Anreden, Ausrufe oder Ausdrücke einer Stellungnahme, die besonders hervorgehoben werden sollen, grenzt man mit Komma ab; sind sie eingeschoben, so schließt man sie mit paarigem Komma ein.

Dies betrifft

(1) Anreden:

Kinder, hört doch mal zu. Hört doch mal zu, Kinder. Hört, Kinder, doch mal zu. Du, stell dir vor, was mir passiert ist! Kommst du mit ins Kino, Klaus-Dieter? Für heute sende ich dir, liebe Ruth, die herzlichsten Grüße.

Zur Möglichkeit der Wahl zwischen Komma oder Ausrufezeichen nach der Anrede etwa in Briefen siehe § 69 E3.

(2) Ausrufe:

Oh, wie kalt das ist! Au, das tut weh! He, was machen Sie da? Was, du bist umgezogen? Du bist umgezogen, was? So ist es, ach, nun einmal. So ist es nun einmal, ach ja. Ach ja, so ist es nun einmal.

Aber ohne Hervorhebung:

Oh wenn sie doch käme! Ach lass mich doch in Ruhe!

(3) Ausdrücke einer Stellungnahme wie etwa einer Bejahung, Verneinung, Bekräftigung oder Bitte:

Ja, daran ist nicht zu zweifeln. Nein, das sollten Sie nicht tun, nein! Tatsächlich, das ist es. Das ist es, tatsächlich. Leider, das hat er gesagt. Das hat er gesagt, leider. Sie hat uns angerufen, eine gute Idee. Er hat, eine Unverschämtheit, uns auch noch angerufen.

Bitte, komm doch morgen pünktlich. Komm doch, bitte, morgen pünktlich. Komm doch morgen pünktlich, bitte. Danke, ich habe schon gegessen. Ich habe schon gegessen, danke.

Aber ohne Hervorhebung:
Bitte komm doch morgen pünktlich!

Zum Ausrufezeichen siehe § 69.

Zur Möglichkeit der Wahl zwischen Komma, Gedankenstrich oder Doppelpunkt siehe § 82.

2.2 Semikolon

§ 80

> Mit dem Semikolon kann man gleichrangige (nebengeordnete) Teilsätze oder Wortgruppen voneinander abgrenzen. Mit dem Semikolon drückt man einen höheren Grad der Abgrenzung aus als mit dem Komma und einen geringeren Grad der Abgrenzung als mit dem Punkt.

Zur Abgrenzung mit Punkt siehe § 67; zur Abgrenzung mit Komma siehe § 71.

Dies betrifft

(1) gleichrangige, vor allem auch längere Hauptsätze (mit Nebensatz):

Im Hausflur war es still; ich drückte erwartungsvoll auf die Klingel. Meine Freundin hatte den Zug versäumt; deshalb kam sie eine halbe Stunde zu spät. Steffen wünscht sich schon lange einen Hund; aber seine Eltern dulden keine Tiere in der Wohnung. Die Angelegenheit ist erledigt; darum wollen wir nicht länger streiten. Wir müssen uns überlegen, mit welchem Zug wir fahren wollen; wenn wir den früheren Zug nehmen, müssen wir uns beeilen.

Möglich sind hier auch das schwächer abgrenzende Komma oder der stärker abgrenzende Punkt:
Im Hausflur war es still, ich drückte erwartungsvoll auf die Klingel.
Im Hausflur war es still. Ich drückte erwartungsvoll auf die Klingel.

Zum hier ebenfalls möglichen Gedankenstrich siehe § 82.

(2) gleichrangige Wortgruppen gleicher Struktur in Aufzählungen:

Unser Proviant bestand aus gedörrtem Fleisch, Speck und Rauchschinken; Ei- und Milchpulver; Reis, Nudeln und Grieß.

Möglich ist hier auch das schwächer abgrenzende, nicht untergliedernde Komma:
Unser Proviant bestand aus gedörrtem Fleisch, Speck und Rauchschinken, Ei- und Milchpulver, Reis, Nudeln und Grieß.

2.3 Doppelpunkt

§ 81

> Mit dem Doppelpunkt kündigt man an, dass etwas Weiterführendes folgt.

Zur Schreibung des ersten Wortes nach Doppelpunkt siehe § 54(1) und (2).

Dies betrifft

(1) wörtlich wiedergegebene Äußerungen oder Textstellen, wenn der Begleitsatz oder ein Teil von ihm vorausgeht:

Er sagte: „Ich komme morgen." Er sagte zu ihr: „Komm bitte morgen!" Er fragte: „Kommst du morgen?" Sie sagte: „Brauchen Sie die Unterlagen?", und öffnete die Schublade. Die Zeitung schrieb, dass die Bahn erklären ließ: „Wir haben die feste Absicht die Strecke stillzulegen."

Zu den Anführungszeichen siehe § 89.

(2) Aufzählungen, spezielle Angaben, Erklärungen oder dergleichen:

Er hat schon mehrere Länder besucht: Frankreich, Spanien, Rumänien, Polen. Die Namen der Monate sind folgende: Januar, Februar, März usw. Er hatte alles verloren: seine Frau, seine Kinder und sein ganzes Vermögen.

Wir stellen ein: Maschinenschlosser
*   Reinigungskräfte*
*   Kraftfahrer*

Nächste Arbeitsberatung: 30.09.1997

Familienstand: ledig

Latein: befriedigend

Robert Musil: Der Mann ohne Eigenschaften

Gebrauchsanweisung: Man nehme jede zweite Stunde eine Tablette.

Beachten Sie bitte folgenden Hinweis: Infolge der anhaltenden Trockenheit besteht Waldbrandgefahr.

(3) Zusammenfassungen des vorher Gesagten oder Schlussfolgerungen aus diesem:

Haus und Hof, Geld und Gut: alles ist verloren.

Wer immer nur an sich selbst denkt, wer nur danach trachtet, andere zu übervorteilen, wer sich nicht in die Gemeinschaft einfügen kann: der kann von uns keine Hilfe erwarten.

Möglich ist hier auch ein Gedankenstrich:

Haus und Hof, Geld und Gut – alles ist verloren.

Zur Möglichkeit der Wahl zwischen Doppelpunkt, Gedankenstrich und Komma siehe § 82.

2.4 Gedankenstrich

§ 82

> Mit dem Gedankenstrich kündigt man an, dass etwas Weiter-
> führendes folgt oder dass man das Folgende als etwas Unerwar-
> tetes verstanden wissen will.

*Sie trat in das Zimmer und sah – ihren Mann. Im Hausflur war es still
– ich drückte erwartungsvoll auf die Klingel. Zuletzt tat er etwas,
woran niemand gedacht hatte – er beging Selbstmord. Plötzlich – ein
vielstimmiger Schreckensruf!*

Möglich sind hier teilweise auch Doppelpunkt oder Komma:
Plötzlich: ein vielstimmiger Schreckensruf!
Plötzlich, ein vielstimmiger Schreckensruf!

Zur Möglichkeit der Wahl zwischen Gedankenstrich und Doppelpunkt siehe
§ 81(3).

§ 83

> Zwischen zwei Ganzsätzen kann man zusätzlich zum Schluss-
> zeichen einen Gedankenstrich setzen, um – ohne einen neuen Ab-
> satz zu beginnen – einen Wechsel deutlich zu machen.

Dies betrifft

(1) den Wechsel des Themas oder des Gedankens:
*Wir sind nicht in der Lage diesen Wunsch zu erfüllen. – Nunmehr ist
der nächste Punkt der Tagesordnung zu besprechen.*

(2) den Wechsel des Sprechers:
Komm bitte einmal her! – Ja, ich komme sofort.

§ 84

> Mit dem Gedankenstrich grenzt man Zusätze oder Nachträge ab;
> sind sie eingeschoben, so schließt man sie mit paarigem Gedanken-
> strich ein.

Möglich sind auch Kommas (siehe § 77) oder Klammern (siehe § 86).

Dies betrifft

(1) Parenthesen:
*Eines Tages – es war mitten im Sommer – hagelte es. Eines Tages – es
war mitten im Sommer! – hagelte es. Eines Tages – war es mitten im
Sommer? – hagelte es. Dieses Bild – es ist das letzte und bekannteste
des Künstlers – wurde nach Amerika verkauft. Ihre Forderung – um
das noch einmal zu sagen – halten wir für wenig angemessen.*

Zum Komma oder zu Klammern siehe § 77(1) bzw. § 86(1).

(2) Substantivgruppen als Nachträge (Appositionen):

Mein Onkel – ein großer Tierfreund – und seine Katzen leben in einer alten Mühle. Wir gingen in die Hütte – einen kalten Raum mit kleinen Fenstern. Wir gingen in die Hütte – einen kalten Raum mit kleinen Fenstern – und zündeten ein Feuer an. Johannes Gutenberg – der Erfinder der Buchdruckerkunst – wurde in Mainz geboren.

Zum Komma oder zu Klammern siehe § 77(2) bzw. § 86(2).

(3) nachgestellte Erläuterungen, die häufig mit *also, besonders, das heißt (d. h.), das ist (d. i.), genauer, insbesondere, nämlich, und das, und zwar, vor allem, zum Beispiel (z. B.)* oder dergleichen eingeleitet werden:

Sie isst gern Obst – besonders Apfelsinen und Bananen. Obst – besonders Apfelsinen und Bananen – isst sie gern. Wir erwarten dich nächste Woche – und zwar am Dienstag. Mit einem Scheck über 2000 DM – in Worten: zweitausend Mark – hat er die Rechnung bezahlt. Er bezahlte mit einem Scheck über 2000 DM – in Worten: zweitausend Mark.

Auf der Ausstellung waren viele ausländische Maschinenhersteller – insbesondere holländische – vertreten. Auf der Ausstellung waren viele ausländische Maschinenhersteller – vor allem holländische Firmen – vertreten. Auf der Ausstellung waren viele ausländische – insbesondere holländische – Maschinenhersteller vertreten.

Zum Komma oder zu Klammern siehe § 77(4) bzw. § 86(3).

(4) Wörter oder Wortgruppen, die durch ein hinweisendes Wort oder eine hinweisende Wortgruppe angekündigt werden:

Sie – die Gärtnerin – weiß es ganz genau. Wir beide – du und ich – wissen das genau. Das – eine Familie zu gründen – ist sein größter· Wunsch.

Werden Wörter oder Wortgruppen durch ein hinweisendes Wort oder eine hinweisende Wortgruppe wieder aufgenommen, so grenzt man sie mit einfachem Gedankenstrich ab.

Denn die Gärtnerin – die weiß das ganz genau. Und du und ich – wir beide wissen das genau. Eine Familie zu gründen – das ist sein größter Wunsch.

Zum Komma siehe § 77(5).

§ 85

Ausrufe- oder Fragezeichen, die zum Zusatz oder Nachtrag im paarigen Gedankenstrich gehören, setzt man vor den abschließenden Gedankenstrich; ein Schlusspunkt wird weggelassen.

Satzzeichen, die zum einschließenden Satz gehören und daher auch bei Weglassen des Zusatzes oder Nachtrags stehen müssten, dürfen nicht weggelassen werden.

Er behauptete – so eine Frechheit! –, dass er im Kino gewesen sei. Sie hat das – erinnerst du dich nicht? – gestern gesagt.

Sie betonte – ich weiß es noch ganz genau –, dass sie für einen Erfolg nicht garantieren könne. Vgl.: *Sie betonte, dass sie für einen Erfolg nicht garantieren könne.*

2.5 Klammern

§ 86

> Mit Klammern schließt man Zusätze oder Nachträge ein.

Möglich sind auch Komma (siehe § 77) oder Gedankenstrich (siehe § 84).

Dies betrifft

(1) Parenthesen:

Eines Tages (es war mitten im Sommer) hagelte es. Eines Tages (es war mitten im Sommer!) hagelte es. Eines Tages (war es mitten im Sommer?) hagelte es. Dieses Bild (es ist das letzte und bekannteste des Künstlers) wurde nach Amerika verkauft. Ihre Forderung (um das noch einmal zu sagen) halten wir für wenig angemessen.

Zum Komma oder zum Gedankenstrich siehe § 77(1) bzw. § 84(1).

(2) Substantivgruppen als Nachträge (Appositionen):

Mein Onkel (ein großer Tierfreund) und seine Katzen leben in einer alten Mühle. Wir gingen in die Hütte (einen kalten Raum mit kleinen Fenstern). Wir gingen in die Hütte (einen kalten Raum mit kleinen Fenstern) und zündeten ein Feuer an. Johannes Gutenberg (der Erfinder der Buchdruckerkunst) wurde in Mainz geboren.

Zum Komma oder zum Gedankenstrich siehe § 77(2) bzw. § 84(2).

(3) nachgestellte Erläuterungen, die häufig mit *also, besonders, das heißt (d. h.), das ist (d. i.), genauer, insbesondere, nämlich, und das, und zwar, vor allem, zum Beispiel (z. B.)* oder dergleichen eingeleitet werden:

Sie isst gern Obst (besonders Apfelsinen und Bananen). Obst (besonders Apfelsinen und Bananen) isst sie gern. Wir erwarten dich nächste Woche (und zwar am Dienstag). Mit einem Scheck über 2000 DM (in Worten: zweitausend Mark) hat er die Rechnung bezahlt. Er bezahlte mit einem Scheck über 2000 DM (in Worten: zweitausend Mark).

Auf der Ausstellung waren viele ausländische Maschinenhersteller (insbesondere holländische) vertreten. Auf der Ausstellung waren viele ausländische Maschinenhersteller (vor allem holländische Firmen) vertreten. Auf der Ausstellung waren viele ausländische (insbesondere holländische) Maschinenhersteller vertreten.

Zum Komma oder zum Gedankenstrich siehe § 77(4) bzw. § 84(3).

(4) Worterläuterungen, geographische, systematische, chronologische, biografische Zusätze und dergleichen:

Frankenthal (Pfalz)
Grille (Insekt) – Grille (Laune)
Als Hauptwerke Matthias Grünewalds gelten die Gemälde des Isenheimer Altars (vollendet 1511 oder 1515).

§ 87

> Mit Klammern kann man neben einzelnen Ganzsätzen insbesondere auch größere Textteile einschließen und auf diese Weise als selbständige Texteinheit kennzeichnen.

Sie betonte, dass sie für den Erfolg garantieren könne. (Ich weiß es noch ganz genau, da ich mir das notiert hatte. Und ich habe ihr diese Notiz auch gezeigt.) Aber heute will sie nichts mehr davon wissen.

§ 88

> Ausrufe- oder Fragezeichen, die zum Zusatz oder Nachtrag in Klammern gehören, setzt man vor die abschließende Klammer.
>
> Ist der Zusatz oder Nachtrag in einen anderen Satz einbezogen, so lässt man seinen Schlusspunkt weg; wird er als Ganzsatz oder als selbständige Texteinheit verstanden, so setzt man den Schlusspunkt.
>
> Satzzeichen, die zum einschließenden Satz gehören und daher auch bei Weglassen des Zusatzes oder Nachtrags stehen müssten, dürfen nicht weggelassen werden.

Das geliehene Buch (du hast es schon drei Wochen!) hast du mir noch nicht zurückgegeben. Er hat das (erinnerst du dich nicht?) gestern gesagt.
Damit wäre dieses Thema vorerst erledigt (weitere Angaben siehe Seite 145).
Damit wäre dieses Thema vorerst erledigt. (Weitere Angaben siehe Seite 145.)
Er sagte (dabei senkte er seine Stimme), dass das nicht alle wissen müssten.
„Der Staat bin ich" (Ludwig der Vierzehnte).

3 Anführung von Äußerungen oder Textstellen bzw. Hervorhebung von Wörtern oder Textstellen

3.1 Anführungszeichen

§ 89

> Mit Anführungszeichen schließt man etwas wörtlich Wiedergegebenes ein.

Dies betrifft

(1) wörtlich wiedergegebene Äußerungen (direkte Rede):

„Es ist unbegreiflich, wie ich das hatte vergessen können", sagte sie.
„Immer muss ich arbeiten!", seufzte sie. „Dass ich immer arbeiten
muss!", seufzte sie. Er fragte: „Kommst du morgen?" „Kommst du
morgen?", fragte er. Er fragte: „Kommst du morgen?", und
verabschiedete sich. „Du siehst", sagte die Mutter, „recht gut aus."
„Wir haben die feste Absicht die Strecke stillzulegen", erklärte der
Vertreter der Bahn, „aber die Entscheidung der Regierung steht noch
aus."

Dies gilt auch für Beispiele wie:

„Das war also Paris!", dachte Frank. „Du hast schon Recht",
lächelte sie.

(2) wörtlich wiedergegebene Textstellen (Zitate):

Über das Ausscheidungsspiel berichtete ein Journalist: „Das Stadion
glich einem Hexenkessel. Das Publikum stürmte auf das Spielfeld und
bedrohte den Schiedsrichter."

Zum Doppelpunkt siehe § 81(1).

§ 90

> Satzzeichen, die zum wörtlich Wiedergegebenen gehören, setzt
> man vor das abschließende Anführungszeichen; Satzzeichen, die
> zum Begleitsatz gehören, setzt man nach dem abschließenden
> Anführungszeichen.

Im Einzelnen gilt:

§ 91

> Sowohl der angeführte Satz als auch der Begleitsatz behalten ihr
> Ausrufe- oder Fragezeichen.

„Du kommst jetzt!", rief sie. „Kommst du morgen?", fragte er. Du
solltest ihm sagen: „Ich kann das auf keinen Fall akzeptieren"! Hast
du gesagt: „Ich kann das auf keinen Fall akzeptieren"? Sag ihm: „Ich
habe keine Zeit!"! Fragtest du: „Wann beginnt der Film?"?

§ 92

> Beim angeführten Satz lässt man den Schlusspunkt weg, wenn er
> am Anfang oder im Innern des Ganzsatzes steht.
>
> Beim Begleitsatz lässt man den Schlusspunkt weg, wenn der ange-
> führte Satz oder ein Teil von ihm am Ende des Ganzsatzes steht.

„Ich komme morgen", versicherte sie. Sie sagte: „Ich komme gleich
wieder", und holte die Unterlagen.

Die Bahn erklärte: „Wir haben die feste Absicht die Strecke stillzule-
gen." Sie versicherte: „Ich komme morgen!" Er rief: „Du kommst

jetzt!" Er fragte: „Kommst du?" „Komm bitte", sagte er, „morgen pünktlich. "

§ 93

> Folgt nach dem angeführten Satz der Begleitsatz oder ein Teil von ihm, so setzt man nach dem abschließenden Anführungszeichen ein Komma.
>
> Ist der Begleitsatz in den angeführten Satz eingeschoben, so schließt man ihn mit paarigem Komma ein.

„Ich komme gleich wieder", versicherte sie. „Komm bald wieder!", rief sie. „Wann kommst du wieder?", rief sie. Sie sagte: „Ich komme gleich wieder", und holte die Unterlagen. Sie fragte: „Brauchen Sie die Unterlagen?", und öffnete die Schublade.

„Ich werde", versicherte sie, „bald wiederkommen." „Kommst du wirklich", fragte sie, „erst morgen Abend?"

§ 94

> Mit Anführungszeichen kann man Wörter oder Teile innerhalb eines Textes hervorheben und in bestimmten Fällen deutlich machen, dass man zu ihrer Verwendung Stellung nimmt, sich auf sie bezieht.

Dies betrifft

(1) Überschriften, Werktitel (etwa von Büchern und Theaterstücken), Namen von Zeitungen und dergleichen:

Sie las den Artikel „Chance für eine diplomatische Lösung" in der „Wochenpost". Sie liest Heinrich Bölls Roman „Wo warst du, Adam?". Kennst du den Roman „Wo warst du, Adam?"? Wir lesen gerade den „Kaukasischen Kreidekreis" von Brecht.

Zur Groß- und Kleinschreibung siehe § 53 E2.

(2) Sprichwörter, Äußerungen und dergleichen, zu denen man kommentierend Stellung nehmen will:

Das Sprichwort „Eile mit Weile" hört man oft. „Aller Anfang ist schwer" ist nicht immer ein hilfreicher Spruch.

Sein kritisches „Der Wein schmeckt nach Essig" ärgerte den Kellner. Ihr bittendes „Kommst du morgen?" stimmte mich um. Seine ständige Entschuldigung „Ich habe keine Zeit!" ist wenig glaubhaft. Mich nervt sein dauerndes „Ich kann nicht mehr!".

Textteile dieser Art werden nicht mit Komma abgegrenzt. Im Übrigen gilt § 90 bis § 92.

(3) Wörter oder Wortgruppen, über die man eine Aussage machen will:

Das Wort „fälisch" ist gebildet in Anlehnung an West„falen". Der Begriff „Existenzialismus" wird heute vielfältig verwendet. Alle seine

Freunde nannten ihn „Dickerchen". Die Präposition „ohne" verlangt den Akkusativ.

(4) Wörter oder Wortgruppen, die man anders als sonst – etwa ironisch oder übertragen – verstanden wissen will:

Und du willst ein „treuer Freund" sein? Für diesen „Liebesdienst" bedanke ich mich. Er bekam wieder einmal seine „Grippe". Sie sprang diesmal „nur" 6,60 Meter.

§ 95

> Steht in einem Text mit Anführungszeichen etwas ebenfalls Ange-führtes, so kennzeichnet man dies durch die sogenannten halben Anführungszeichen.

Die Zeitung schrieb: „Die Bahn hat bereits im Frühjahr erklärt: ‚Wir haben die feste Absicht die Strecke stillzulegen', und sie hat das auf Anfrage gestern noch einmal bestätigt." „Das war ein Satz aus Bölls ‚Wo warst du, Adam?', den viele nicht kennen", sagte er.

4 Markierung von Auslassungen

4.1 Apostroph

Mit dem Apostroph zeigt man an, dass man in einem Wort einen Buchstaben oder mehrere ausgelassen hat.

Zu unterscheiden sind:

a) Gruppen, bei denen man den Apostroph setzen muss (siehe § 96),

b) Gruppen, bei denen der Gebrauch des Apostrophs dem Schreibenden freigestellt ist (siehe § 97).

§ 96

> Man setzt den Apostroph in drei Gruppen von Fällen.

Dies betrifft

(1) Eigennamen, deren Grundform (Nominativform) auf einen s-Laut (geschrieben: -s, -ss, -ß, -tz, -z, -x, -ce) endet, bekommen im Genitiv den Apostroph, wenn sie nicht einen Artikel, ein Possessivpronomen oder dergleichen bei sich haben:

Aristoteles' Schriften, Carlos' Schwester, Ines' gute Ideen, Felix' Vorschlag, Heinz' Geburtstag, Alice' neue Wohnung

E1: Aber ohne Apostroph:
die Schriften des Aristoteles, die Schwester des Carlos, der Geburtstag unseres kleinen Heinz

E2: Der Apostroph steht auch, wenn -s, -z, -x usw. in der Grundform stumm sind:

Cannes' Filmfestspiele, Boulez' bedeutender Beitrag, Giraudoux' Werke

(2) Wörter mit Auslassungen, die ohne Kennzeichnung schwer lesbar oder missverständlich sind:

In wen'gen Augenblicken ... 's ist schade um ihn. Das Wasser rauscht', das Wasser schwoll.

(3) Wörter mit Auslassungen im Wortinneren wie:

D'dorf (= Düsseldorf), M'gladbach (= Mönchengladbach), Ku'damm (= Kurfürstendamm)

§ 97

Man kann den Apostroph setzen, wenn Wörter gesprochener Sprache mit Auslassungen bei schriftlicher Wiedergabe undurchsichtig sind.

der Käpt'n, mit'm Fahrrad
Bitte, nehmen S' (= Sie) doch Platz! Das war 'n (= ein) Bombenerfolg!

E: Von dem Apostroph als Auslassungszeichen zu unterscheiden ist der gelegentliche Gebrauch dieses Zeichens zur Verdeutlichung der Grundform eines Personennamens vor der Genitivendung *-s* oder vor dem Adjektivsuffix *-sch:*
Carlo's Taverne, Einstein'sche Relativitätstheorie
Zur Schreibung der adjektivischen Ableitungen von Personennamen auf *-sch* siehe auch § 49 und § 62.

4.2 Ergänzungsstrich

§ 98

Mit dem Ergänzungsstrich zeigt man an, dass in Zusammensetzungen oder Ableitungen einer Aufzählung ein gleicher Bestandteil ausgelassen wurde, der sinngemäß zu ergänzen ist.

Zum Bindestrich wie in *A-Dur* siehe § 40ff.

Dies betrifft

(1) den letzten Bestandteil:

Haupt- und Nebeneingang (= Haupteingang und Nebeneingang); Eisenbahn-, Straßen-, Luft- und Schiffsverkehr; vitamin- und eiweißhaltig, saft- und kraftlos, ein- und ausladen
Natur- und synthetische Gewebe, Standard- und individuelle Lösungen; zurück-, voraus- oder abwärts fahren; (in umgekehrter Abfolge:) synthetische und Naturgewebe, individuelle und Standardlösungen; abwärts, voraus- oder zurückfahren

(2) den ersten Bestandteil:

Verkehrslenkung und -überwachung (= Verkehrslenkung und Verkehrsüberwachung); Schulbücher, -hefte, -mappen und -utensilien; heranführen oder -schleppen, bergauf und -ab

Mozart-Symphonien und -Sonaten (= Mozart-Symphonien und Mozart-Sonaten)

(3) den letzten und den ersten Bestandteil:

Textilgroß- und -einzelhandel (= Textilgroßhandel und Textileinzelhandel), Eisenbahnunter- und -überführungen

Werkzeugmaschinen-Import- und -Exportgeschäfte

4.3 Auslassungspunkte

§ 99

> Mit drei Punkten (Auslassungspunkten) zeigt man an, dass in einem Wort, Satz oder Text Teile ausgelassen worden sind.

Du bist ein E...! Scher dich zum ...!

„... ihm nicht weitersagen", hörte er ihn gerade noch sagen. Der Horcher an der Wand ...

Vollständiger Text: *In einem Buch heißt es: „Die zahlreichen Übungen sind konkret auf das abgestellt, was vorher behandelt worden ist. Sie liefern in der Regel Material, mit dem selbst gearbeitet und an dem geprüft werden kann, ob das, was vorher dargestellt wurde, verstanden worden ist oder nicht. Die im Anhang zusammengestellten Lösungen machen eine unmittelbare Kontrolle der eigenen Lösungen möglich."*

Mit Auslassung: *In einem Buch heißt es: „Die ... Übungen ... liefern ... Material, mit dem selbst gearbeitet ... werden kann ... Die ... Lösungen machen eine ... Kontrolle ... möglich."*

§ 100

> Stehen die Auslassungspunkte am Ende eines Ganzsatzes, so setzt man keinen Satzschlusspunkt.

Ich habe die Nase voll und ...
Diese Szene stammt doch aus dem Film „Die Wüste lebt" ...
Mit „Es war einmal ..." beginnen viele Märchen.
Viele Märchen beginnen mit den Worten: „Es war einmal ..."
Aber: *Verflixt! Ich habe die Nase voll und ...!*

5   Kennzeichnung der Wörter bestimmter Gruppen

5.1 Punkt

§ 101

> Mit dem Punkt kennzeichnet man bestimmte Abkürzungen (abgekürzte Wörter).

Dies betrifft Fälle wie:

Tel. (= Telefon), Pf. (= Pfennig), Ztr. (= Zentner), v. (= von), Bd.
(= Band), Bde. (= Bände), Ms. (= Manuskript), Jg. (= Jahrgang), Jh.
(= Jahrhundert), Jh.s (= des Jahrhunderts), f. (= folgende Seite), ff.
(= folgende Seiten); lfd. Nr. (= laufende Nummer), z. B. (= zum
Beispiel), u. A. w. g. (= um Antwort wird gebeten); Weißenburg i. Bay.
(= Weißenburg in Bayern), Bad Homburg v. d. H. (= Bad Homburg
vor der Höhe); Reg.-Rat (= Regierungsrat), Masch.-Schr.
(= Maschinenschreiben); Abt.-Leiter (= Abteilungsleiter), Rechnungs-
Nr. (= Rechnungsnummer); Tsd. (= Tausend), Mio. (= Million(en)),
Mrd. (= Milliarde(n))

Dr. med., stud. med., stud. phil., a. D., h. c.

§ 102

> Bestimmte Abkürzungen, Kurzwörter und dergleichen stehen üb-
> licherweise ohne Punkt.

Dies betrifft

(1) Abkürzungen, die national oder international festgelegt sind, wie
etwa Abkürzungen

(1.1) für Maße in Naturwissenschaft und Technik nach dem internationalen Einheitssystem:

m (= Meter), g (= Gramm), km/h (= Kilometer pro Stunde),
s (= Sekunde), A (= Ampere), Hz (= Hertz)

(1.2) für Himmelsrichtungen:

NO (= Nordost), SSW (= Südsüdwest)

(1.3) für bestimmte Währungsbezeichnungen:

DM (= Deutsche Mark)

(2) sogenannte Initialwörter und Kürzel:

BGB (= Bürgerliches Gesetzbuch), TÜV (= Technischer Überwa-
chungsverein), Na (= Natrium; so alle chemischen Grundstoffe);

des PKW(s), die EKG(s), KFZ-Papiere, FKKler, U-Bahn

E1: Ohne Punkt stehen teilweise auch fachsprachliche Abkürzungen wie:

RücklVO (= Rücklagenverordnung), LArbA (= Landesarbeitsamt)

E2: In einigen Fällen gibt es Doppelformen.

Co./Co (ko) (= Companie), M. d. B./MdB (= Mitglied des Bundestages),
G.m.b.H./GmbH (= Gesellschaft mit beschränkter Haftung); WW/Wirk. Wort
(= Wirkendes Wort; Titel einer Zeitschrift), AA/Ausw. Amt (= Auswärtiges
Amt)

§ 103

> Am Ende eines Ganzsatzes setzt man nach Abkürzungen nur *einen* Punkt.

Sein Vater ist Regierungsrat a. D.

Aber: *Ist sein Vater Regierungsrat a. D.?*

§ 104

> Mit dem Punkt kennzeichnet man Zahlen, die in Ziffern geschrieben sind, als Ordinalzahlen.

der 2. Weltkrieg, der II. Weltkrieg; Sonntag, den 20. November; Friedrich II., König von Preußen; die Regierung Friedrich Wilhelms III. (des Dritten)

§ 105

> Am Ende eines Ganzsatzes setzt man nach Ordinalzahlen, die in Ziffern geschrieben sind, nur *einen* Punkt.

Der König von Preußen hieß Friedrich II.

Aber: *Wann regierte Friedrich II.?*

5.2 Schrägstrich

§ 106

> Mit dem Schrägstrich kennzeichnet man, dass Wörter (Namen, Abkürzungen), Zahlen oder dergleichen zusammengehören.

Dies betrifft

(1) die Angaben mehrerer (alternativer) Möglichkeiten im Sinne einer Verbindung mit *und, oder, bzw., bis* oder dergleichen:

die Schüler/Schülerinnen der Realschule, das Semikolon/der Strichpunkt als stilistisches Zeichen, Männer/Frauen/Kinder; Abfahrt vom Dienstort/Wohnort, die Rundfunkgebühren für Januar/Februar/März, Montag/Dienstag, Wien/Heidelberg 1967, September/Oktober-Heft (auch *September-Oktober-Heft;* siehe § 44)

die Koalition CDU/FDP, die SPÖ/ÖVP-Koalition

das Wintersemester 1996/97, am 9./10. Dezember 1997

(2) die Gliederung von Adressen, Telefonnummern, Aktenzeichen, Rechnungsnummern, Diktatzeichen und dergleichen:

Linzer Straße 67/II/5-6, 0621/1581-0, Az III/345/5, Re-Nr 732/24, me/la

(3) die Angabe des Verhältnisses von Zahlen oder Größen im Sinne einer Verbindung mit *je/pro:*

im Durchschnitt 80 km/h, 1000 Einwohner/km^2

F Worttrennung am Zeilenende

0 Vorbemerkungen

(1) Wörter mit mehr als einer Silbe kann man am Ende einer Zeile trennen.

(2) Steht am Zeilenende ein Bindestrich, so gilt er zugleich als Trennungsstrich.

§ 107

> Geschriebene Wörter trennt man am Zeilenende so, wie sie sich bei langsamem Sprechen in Silben zerlegen lassen.

Beispiele:

Bau-er, Ei-er, steu-ern, na-iv, Mu-se-um, in-di-vi-du-ell; eu-ro-pä-i-sche, Ru-i-ne, na-ti-o-nal, Fa-mi-li-en; Haus-tür, Be-fund, ehr-lich

E: Die Abtrennung eines einzelnen Vokals am Ende ist überflüssig, da der Trennungsstrich den gleichen Raum in Anspruch nimmt, zum Beispiel: *Kleie, laue* (nicht: *Klei-e, lau-e*)

Dabei gilt im Einzelnen:

§ 108

> Steht in einfachen Wörtern zwischen Vokalbuchstaben ein einzelner Konsonantenbuchstabe, so kommt er bei der Trennung auf die neue Zeile. Stehen mehrere Konsonantenbuchstaben dazwischen, so kommt nur der letzte auf die neue Zeile.

Beispiele:

Au-ge, A-bend, Bre-zel, He-xe, bei-ßen, Rei-he, Wei-mar; Trai-ning, ba-nal, trau-rig, nei-disch, Hei-mat

El-tern, Gar-be, Hop-fen, Lud-wig, ros-ten, leug-nen, sin-gen, sin-ken, sit-zen, Städ-te; Bag-ger, Wel-le, Kom-ma, ren-nen, Pap-pe, müs-sen, beis-sen (wenn *ss* statt *ß*, vgl. § 25 E2 und E3), *Drit-tel; zän-kisch, Ach-tel, Rech-ner, ber-gig, wid-rig, Ar-mut, freund-lich, frucht-bar, ernst-lich, sechs-te; imp-fen, Karp-fen, kühns-te, knusp-rig, dunk-le*

§ 109

> Stehen Buchstabenverbindungen wie *ch, sch; ph, rh, sh* oder *th* für *einen* Konsonanten, so trennt man sie nicht. Dasselbe gilt für *ck.*

Beispiele:

la-chen, wa-schen, Deut-sche; Sa-phir, Ste-phan, Myr-rhe, Bu-shel, Zi-ther, Goe-the; bli-cken, Zu-cker

§ 110

> In Fremdwörtern können die Verbindungen aus Buchstaben für einen Konsonanten + *l*, *n* oder *r* entweder entsprechend § 108 getrennt werden, oder sie kommen ungetrennt auf die neue Zeile.

Beispiele:

nob-le/no-ble, Zyk-lus/Zy-klus, Mag-net/Ma-gnet, Feb-ruar/Fe-bruar, Hyd-rant/Hy-drant, Arth-ritis/Ar-thritis

§ 111

> Zusammensetzungen und Wörter mit Präfix trennt man zwischen den einzelnen Bestandteilen.

Beispiele:

Heim-weg, Schul-hof, Week-end; Ent-wurf, Er-trag, Ver-lust, synchron, Pro-gramm, At-traktion, kom-plett, In-stanz

E1: Die Bestandteile selbst trennt man entsprechend § 108 bis § 110 wie einfache Wörter, zum Beispiel:

Papp-pla-kat, Schwimm-meis-ter, Po-ly-tech-nik, Kon-zert-di-rek-tor, Ludwigs-ha-fen, ab-fah-ren, be-rich-ten, emp-fan-gen, a-ty-pisch, Des-il-lu-si-on, in-of-fi-zi-ell, ir-re-al

E2: Irreführende Trennungen sollte man vermeiden, zum Beispiel:

Altbau-erhaltung (nicht *Altbauer-haltung*)
Sprech-erziehung (nicht *Sprecher-ziehung*)
See-ufer (nicht *Seeu-fer*)

Zum Bindestrich zur Vermeidung von Missverständnissen siehe § 45(3).

§ 112

> Wörter, die sprachhistorisch oder von der Herkunftssprache her gesehen Zusammensetzungen sind, aber oft nicht mehr als solche empfunden oder erkannt werden, kann man entweder nach § 108 bis § 110 oder nach § 111 trennen.

Beispiele:

hi-nauf/hin-auf, he-ran/her-an, da-rum/dar-um, wa-rum/war-um

ei-nan-der/ein-an-der, vol-len-den/voll-en-den, Klei-nod/Klein-od, Lie-be-nau/Lie-ben-au

Chry-san-the-me/Chrys-an-the-me, Hek-tar/Hekt-ar, He-li-kop-ter/He-li-ko-pter, in-te-res-sant/in-ter-es-sant, Li-no-le-um/Lin-ole-um, Pä-da-go-gik/Päd-a-go-gik

Teil II
Wörterverzeichnis

Zeichenerklärung

*	Ein Sternchen kennzeichnet eine Änderung gegenüber der alten Schreibung, z. B. **überschwänglich***. Es steht in der Regel nur beim Stichwort.
(*)	Ein Sternchen in Klammern bedeutet, dass eine analoge Schreibung bereits vorhanden war, z. B. **Diktafon**(*) *s.* Diktaphon (da bereits **Megafon**).
§	Mit dem Paragraphenzeichen (und Absatz bzw. *E*, z. B *§ 37(1)* oder *§ 34 E*) wird auf den Regelteil verwiesen. *E* verweist dabei auf eine Erläuterung.
╪	Dieses Zeichen macht aufmerksam auf ein • lautgleiches, aber anders geschriebenes Wort, z. B. **Saite** *(beim Musikinstrument)* ╪ Seite; • ähnlich geschriebenes Wort, mit dem die Gefahr der Verwechslung besteht, z. B. **Action** *(spannende Handlung)* ╪ Aktion.
‿	Der Bogen gibt in Verbindung mit drei nachgestellten Punkten an, dass noch weitere Wörter an Stelle des genannten angeschlossen werden können, z. B. **ab‿**beißen ...
...	Drei Punkte unmittelbar vor einem Wort ersetzen das Stichwort, z. B. **High‿**life, ...light, ...riser, ...society. Drei nachgestellte Punkte zeigen an, dass weitere Bildungen möglich sind.
[ ]	In eckigen Klammern stehen Ergänzungen zum Stichwort, z. B. **Furcht** [einflößen], **Fox**[trott].
( )	In runden Klammern stehen vor allem Identifikationsangaben, z. B. **Gang** *(Bande)*, **Gang** (*zu* gehen), und andere erläuternde Angaben.
/	Der Schrägstrich steht, wenn bei einer Ergänzung zwei Formen oder Wörter möglich sind, z. B. **auswendig** [lernen/gelernt], das/alles Menschenmögliche [tun ...].

auch	Mit *auch* wird auf eine weitere mögliche Schreibung verwiesen - bei Fremdwörtern auf die Nebenform, z. B. **Kalligraphie**, *auch* Kalligrafie.
E	Ein *E* verweist innerhalb einer Paragraphenangabe auf eine Erläuterung im Regelteil (*§ 34 E*).
fachspr.	Mit *fachspr.* (*fachsprachlich*) wird eine fachsprachliche Schreibung gekennzeichnet, z. B. **Kalzit**, *fachspr.* Calcit.
Pl.	*Pl.* (*Plural*) steht vor orthographisch relevanten Pluralangaben, z. B. **Aas** *Pl.* (*für Tierleiche*) Aase, (*als Schimpfwort*) Äser.
s.	Mit *s.* (*siehe*) wird bei Variantenschreibungen auf die Hauptform (Vorzugsvariante) verwiesen, z. B. **Kalligrafie** *s.* Kalligraphie.
vgl.	Mit *vgl.* (*vergleiche*) werden Querverweise gegeben.
(Wz)	Mit *(Wz)* sind eingetragene Warenzeichen gekennzeichnet, z. B. **Perlon** *(Wz)*.

Folgende gleich oder ähnlich gelagerte Fälle werden stellvertretend unter einem Stichwort abgehandelt:

Farben	vgl. **blau**
Sprachen	vgl. **deutsch**
Tageszeiten	vgl. **Abend**
Wochentage	vgl. **Dienstag**
Zahlen	vgl. **acht**

Bei Verben werden nur die sich orthographisch verändernden Stammformen aufgeführt.

Der **Fettdruck** der streng alphabetisch geordneten Stichwörter einschließlich ihrer lexikalischen Varianten dient nur als Lesehilfe und bringt keine Wertung gegenüber den zugeordneten orthographischen Varianten zum Ausdruck.

Gleichberechtigte Varianten stehen ohne Verweis (nur durch Komma getrennt) nebeneinander.

A

a‿moralisch ...
A‿symmetrie ...
Aal
Aar *(Adler)* ≠ Ar
1. **Aas** *Pl. (für Tierleiche)* Aase, *(als Schimpfwort)* Äser *§ 9 E2*
ab
ab‿beißen ... *§ 34(1),* ...artig ... *§ 36(2)*
Ab‿wasser ...
Abbé
Abbruch [tun *§ 55(4)*]
Abc, Abece
abclich *§ 41 E*
Abc-Schütze *§ 40(2)*
ABC-Waffen *§ 40(2), § 102(2)*
Abend; eines Abends *§ 55(4);* am Abend; heute Abend* *§ 55(6)* (vgl. Dienstagabend)
Abend-Make-up *§ 44*
abends *§ 56(3);* dienstags abends, dienstagabends* *§ 56(3)*
Abenteuer
aber; sein ständiges Aber *§ 57(5)*
aber‿hundert, ...tausend(*), *auch* Aber‿hundert, ...tausend* *§ 58 E5*
aber‿hunderte, ...tausende(*), *auch* Aber‿hunderte, ...tausende* *§ 58 E5*
Aber‿glaube, ...witz ...
abfinden fand ab, abgefunden
abgefeimt
abgemergelt
abhanden [kommen *§ 34 E3(2),* gekommen *§ 36 E1(1.2)*]; das Abhandenkommen *§ 37(2)*
Abitur
Abiturient
Ablativ
ablehnen
abnorm
abnormal

Abnormität
Abonnement
Abonnent
Abort
Abrakadabra
Abruf; auf Abruf *§ 55(4)*
abrupt
Abscheu
abschotten
abschreckend [hässlich ... *§ 36 E1(3)*]
abschüssig
abseits [stehen ... *§ 34 E3(2)*]
absent
Absenz
Absinth
absolut
Absolution
Absolvent
absorbieren
Absorption
abspenstig
Abstand [nehmen ... *§ 55(4)*]
abstatten
abstinent
Abstinenz
Abstract
abstrahieren
abstrakt
abstrus
absurd
Abszess*
Abszisse
Abt
abträglich
abtrünnig
abwägen
abwärts [gehen ...(*) *§ 34 E3(2)*]
abwesend
Abwesenheit
abwiegeln

A-cappella-Chor § 55(1), § 55(3)

Accessoire

Acetat s. Azetat

ach; mit Ach und Krach § 57(5)

Achat

Achilles∪ferse ...

Achlaut* § 37(1), auch Ach-Laut § 45(1)

Achse

Achsel

acht § 58(6), auch 8; die ersten acht, um acht § 58(6); die Zahl Acht, die Acht § 57(4)

Acht (Aufmerksamkeit) § 55(4) [geben*, haben* § 34 E3(5)]; sich in Acht nehmen*, außer Acht lassen*, außer aller Acht lassen § 55(4)

acht∪seitig, ...prozentig, ...jährig, ...mal (bei besonderer Betonung auch acht Mal) ..., auch 8-seitig, ...-prozentig, ...-jährig, ...-mal (bei besonderer Betonung auch 8 Mal) ...* § 40(3), 8%ig § 41 E

Acht∪tonner, ...zylinder, der, die ...jährige ..., auch 8-Tonner, ...-Zylinder, der, die ...-Jährige ...* § 40(3)

achte; der, die, das Achte(*) § 57(1); (in Eigennamen wie) Heinrich der Achte § 60(1); (in Fügungen wie) das achte Weltwunder § 63

achtel § 56(6); das/ein achtel Kilogramm, ... Liter ... § 37 E2, § 56(6); das/ein Achtelkilogramm, ...liter... § 37(1)

Achtel § 56(6); ein Achtel Kuchen, in drei Achtel aller Fälle § 56 E3; das/ein Achtelkilogramm § 56(6.1), ...liter § 37(1)

achten

Achter

Achter∪pack ...

achtern

achtfach, auch 8fach § 41; das Achtfache, auch das 8fache, um das Achtfache [größer] § 57(1)

achtzig; achtzig [Jahre alt] werden, im Jahre achtzig, mit achtzig [Jahren](*), mit achtzig [Stundenkilometern] fahren, auf achtzig bringen, Mitte der achtzig(*), der Mensch über achtzig(*), in die achtzig kommen* § 58(6); die [Zahl] Achtzig § 57(4)

Achtziger (Person oder Gegenstand des Typs 80) § 57(1)

Achtziger∪jahre(*) § 37(1), auch achtziger Jahre(*), 80er-Jahre(*), 80er Jahre(*) § 42

ächzen

Acker

Acryl

Action (spannende Handlung) ≠ Aktion

ad∪justieren, ...nominal ...

Adagio

Adaptation, Adaption

Adapter

Adaption, Adaptation

adäquat

Addition

ade; Ade sagen* § 57(5), auch ade sagen

Adel

Ader

Ad-hoc-∪Bildung, ...Entscheidung § 44, § 55(1), § 55(2)

adieu; Adieu sagen* § 57(5), auch adieu sagen

Adjektiv

Adjunkt

Adjutant

Adler

Administration

Admiral

Adonis

Adoption

Adresse

adrett

A-Dur, aber a-Moll § 40(1)

A-Dur-Tonleiter, aber a-Moll-Tonleiter § 44, § 55(1), § 55(2)

Advantage

Advent

Adverb

Advokat

aero∪statisch ...
Aero∪dynamik ...
Aerobic
Affäre
Affe
Affekt
Affinität
Affix
affizieren
Affront
afroamerikanisch(*) § 36(2)
Afrolook* § 37(1)
After
Aftershave*; Aftershavelotion* § 37(1),
   auch After-Shave-Lotion* § 45(2)
Agave
Agenda
Agent
Agglomeration
Aggregat
Aggression
Ägide
agieren
agil
Agitation
agnoszieren
Agonie
Agraffe
Agrarier
Agreement (zwischenstaatl. formlose
   Übereinkunft) ≠ Agrément
Agrément (Zustimmung zu einer
   Ernennung) ≠ Agreement
Agri∪kultur ... § 37(1)
agro∪technisch ... § 36(2)
Agro∪biologie ... § 37(1)
ah; ein [vielstimmiges] Ah § 57(5)
Ahasver Pl.-s oder -e, Ahasverus Pl.
   Ahasverusse
Ahle
Ahn, Ahne
ahnden
Ahne, Ahn
ahnen

ähnlich; Ähnliches* (solches); etwas
   Ähnliches, und Ähnliches* (abgekürzt:
   u. Ä.) § 57(1)
ahoi
Ahorn
Ähre
Aids
Air∪bag, ...bus, ...conditioner* § 37(1)
Aitel
Ajatollah
Akademie
Akazie
Akelei
Akklamation
Akkord
Akkordeon
akkreditieren
Akkubehälter § 40(2)
Akkumulator
akkurat
Akkusativ
Akne
akquirieren
Akribie
Akrobatik
Akt (Handlung usw.)
Akt, Akte (Unterlage)
Aktie
Aktion ≠ Action
aktiv
Aktualität
aktuell
Akupunktur
Akustik
akut
Akzent
Akzeptanz
Akzidens (Zufälliges) Pl. ...denzien oder
   ...dentia ≠ Akzidenz
akzidentell, akzidentiell (zu Akzidens)
Akzidenz (Druckwesen) Pl. -en
   ≠ Akzidens
Alabaster
Aland (Fisch)

Alant *(Pflanze)*
Alarm [schlagen *§ 34 E3(5)*]
Alaun
Alb(*) *(Elfe; gespenstisches Wesen)*
  ∔ Alp
Alb∪traum* ..., Alp∪traum ...
Albatros, *Pl.* Albatrosse
albern
Albino
Album
Alchemie
Älchen *(zu* Aal) *§ 9 E2*
Ale
alert
Alge
Algebra
alias
Alibi
Alimente
alkalisch
Alkohol
Alkoven
all
all∪jährlich, ...seits, ...zeit ... *§ 39(1)*
Allah
alldieweil *§ 39(1)*
alle *§ 58(4)* [beide]
alle∪samt; ...weil, ...zeit ... *§ 39(1)*
Allee
Allegorie
Allegro
allein [stehen/stehend ...(*) *§ 34 E3(2),
  § 36 E1(1.2)*)]; die allein Stehenden*,
  auch die Alleinstehenden
allenfalls *§ 39(1)*
allenthalben
aller∪dings, ...hand, ...orten, ...orts,
  ...seits ... *§ 39(1);* ...beste, der, die, das
  Allerbeste(*), es ist das Allerbeste*
  [, was/wenn/dass ...] *§ 57(1);* am aller-
  besten *§ 58(2);* ...letzte, der, die, das Al-
  lerletzte(*) *§ 57(1)*
Allergie
allerlei *§ 58(4)*

alles *§ 58(4);* mein Ein und Alles *§ 57(3)*
allfällig
allgemein [bildend, verständlich ...(*)
  § 36 E1(1.2)]; im Allgemeinen(*)
  § 57(1)
Allianz
Alligator
allmählich
Allotria
Alltag
Allüren
allzu *§ 39(1)* [bald ...]
Alm
Alma Mater* *§ 55(3)*
Almanach
Almenrausch
Almosen
Aloe
Alp, Alpe *(Bergweide)* ∔ Alb
Alp∪traum ..., Alb∪traum ...
Alpaka
Alpha∪strahlen ...
Alphabet
alpin
Alraun, Alraune
als; als ob; das Als-ob *§ 57 E4;* Als-ob-
  Philosophie *§ 44*
also
alt; der, die, das Alte, [ganz] der Alte
  sein* *§ 57(1);* beim Alten bleiben*, am
  Alten hängen*, es beim Alten [bleiben]
  lassen* *§ 57(1);* Alte und Junge, Alt und
  Jung(*) *§ 57(1), § 58 E2*
Alt
alt∪bekannt ...
Altan
Altar
Alter
alternieren
alters; seit alters, von alters her *§ 56(3)*
altersschwach *§ 36(1)*
Aluminium
Amalgam
Amarelle

Amaryllis
Amateur
Amazone
Amber, Ambra
Ambiente
Ambition
ambivalent
Ambivalenz
Amboss*
Ambra, Amber
ambulant
Ambulanz
Ameise
amen; das Amen § 57(5), Ja und Amen
   sagen* § 57(5), ja und amen sagen
Amethyst
Ammann
Amme
Ammer
Ammoniak
Ammonshorn
Amnestie
Amöbe
Amok
a-Moll, *aber* A-Dur § 40(1)
a-Moll-Tonleiter § 44, § 55(1)
Amor
amorph
Amortisation
amourös
Ampel
Ampere
Ampfer
Amphibie
Amphitheater
Amphora, Amphore
Ampulle
Amputation
Amsel
Amt
Amulett
amüsant
Amüsement
an; an [Eides ...] statt*, *aber* anstatt

an∪brennen ... § 34(1)
an∪organisch ...
Anachronismus
anal
analog
Analyse
analytisch
Ananas
Anarchie
Anatomie
anbei
anberaumen
Anbetracht; in Anbetracht § 55(4)
anbiedern
Anbot
Anchovis *s.* Anschovis
Andacht
Andante
ander∪seits ...
andere; der, die, das andere, alles andere, anderes § 58(5); etwas anderes/An-
   deres* § 58 E4
and[e]ren∪falls, *auch* andernfalls ...
   § 39(1)
and[e]ren∪orts, *auch* anderorts ...
   § 39(1)
and[e]rer∪seits, *auch* anderseits § 39(1)
ändern
anders [denken/denkend ... (*) § 34
   E3(2), § 36 E1(1.2); sein § 35]
anders∪wo ...
anderthalb
aneinander [denken, grenzen, legen
   ...(*) § 34 E3(2)]
Anekdote
Anemone
anfachen
Anfang [Januar, nächsten Jahres ...]
anfangen fing an
anfangs § 56(3)
Angel
angenehm; Angenehmes § 57(1)
Anger

Angesicht; im Angesicht *(angesichts)*
  § 55(4)
angesichts [von; dessen/deren ...] *§ 56(3)*
Angestellte *§ 57 E1*
Angina
anglikanisch
Anglistik
Angloamerikaner(*) *§ 37(1)*
Angora‿kaninchen ...
Angriff; in Angriff nehmen *§ 55(4)*
angst [und bange] sein ... *§ 35, § 56(1)*
Angst [haben *§ 34 E3(5)*]; jemandem
  Angst [und Bange] machen* *§ 55(4)*
angsterfüllt *§ 36(1)*
anhand [von; dessen/deren ...] *§ 39(3)*
anheim [fallen, geben, stellen ...*
  § 34 E3(2)]
anheischig [machen *§ 34 E3(3)*]
animalisch
Animation
Animosität
Anis
Anker
anlehnungsbedürftig *§ 36(1)*
anmaßen
Anmut
anmuten
Annalen
annektieren
Annexion
anno
Annonce
annullieren
Anode
anomal
anonym
Anorak
anormal
Anrainer
anraten; auf Anraten *§ 55(4);* das
  Anraten *§ 57(2)*
anrüchig
ans
ansässig

anschlagen schlug an
Anschovis, *auch* Anchovis
Anstalt
Anstalten
Anstand
anstandshalber *§ 39(1)*
anstatt [dass/zu *§ 39(2);* des/der *§ 39(3)*],
  aber an ... statt *(vgl.* an)
anstehen stand an
anstelle, *auch* an Stelle *§ 39 E3(3),*
  § 55(4), § 56
anstiften
ansträngen *(zu* Strang)
anstrengen *(bemühen)*
Anteil [nehmen *§ 34 E3(5), § 55(4)*]
Antenne
Anthologie
Anthrazit
anti‿septisch ...
Anti‿these ...
Antibabypille *§ 37(1)*
Antibiotikum
antichambrieren
antik
Antilope
Antimon
Antipathie
Antipode
Antiquariat
Antiquität
Antlitz
Antwort
Anwalt
anwesend
Anwesenheit
anwidern
anzetteln
Äonen
Aorta
apart
Apartheid *(Rassentrennung)*
Apartheit *(zu* apart)
Apartment *(kleine Wohnung)*
  ≠ Appartement

Apathie
aper
Aperitif
Apfel
Apfelsine
Aphorismus
Aphrodisiakum
Aphthe
apodiktisch
Apokalypse
apokalyptisch
Apokryphen
Apoll, Apollo
Apologie
Apostel
apostolisch
Apostroph
Apotheke
Apotheose
Apparat
Apparatschik
Appartement *(Zimmerflucht im Hotel)*
 ≠ Apartment
Appell
Appendix *Pl.* -e *oder* ...dices
Appetit
applaudieren
Applaus
Applikation
applizieren
apportieren
Appretur
Aprikose
April
apropos
Apsis
Aquädukt
Aquamarin
Aquaplaning
Aquarell
Aquarium
Äquator
Aquavit
Äquilibrist

äquivalent
Äquivalenz
Ar, Are *(Flächenmaß)* ≠ Aar
Ära
Arabeske
arabisch, Arabisch (*vgl.* deutsch,
 Deutsch)
Aralie
Aranzini
Arbeit
Archaikum
Archäologie
Arche
Archipel
Architektur
Archiv
Are, Ar *(Flächenmaß)* ≠ Aar
Areal
Arena
arg; das Arge, im Argen liegen*,
 Arges/das Ärgste [befürchten] *§ 57(1)*
Argument
Argusaugen
Argwohn
Arie
Aristokratie
Arithmetik
Arkade
arm; der, die Arme; Arm und Reich(*)
 § 57(1), § 58 E2; Arme und Reiche
 § 57(1)
Arm
arm‿stark ... *§ 36(1)*
Armatur
Armee
Armut
Arnika
Aroma
Aronsstab, Aronstab
Arpeggio
Arrak
Arrangement
Arrest
Arrestant

111

arretieren
arriviert
arrogant
Arroganz
Arsch
Arsen
Arsenal
Art
Artdirector* § 37(1)
Artefakt
Arterie
artesisch
artifiziell
artig
Artikel
Artikulation
Artillerie
Artischocke
Artistik
Artothek
Arznei
Arzt
Arzt-Patient-Verhältnis § 44
Asbest
Asche
Äsche (Fisch) ≠ Esche
Aschenbrödel
Aschenputtel
Aschermittwoch
aschgrau usw. (vgl. blau usw.); Asch-
   graues; bis ins Aschgraue [reden]
   § 57(1)
Ascorbinsäure s. Askorbinsäure
äsen
Askese
Asketik
Askorbinsäure, fachspr. Ascorbinsäure
Äskulap∪stab ...
Aspekt
Asphalt
Aspik
Aspirant
Aspiration
Aspirin (Wz)

Ass*
assanieren
Assel
Assessor
Assimilation
Assistent
Assistenz
Assoziation
Ast
Aster
Ästhetik
Asthma
ästimieren
astral
Astral∪leib ...
astro∪physikalisch ...
Astro∪nautik ...
Astrologie
Astronomie
Asyl
Asylant
Atavismus
Atelier
Atem; außer Atem [sein ...] § 55(4)
atemberaubend § 36(1)
Äthan, fachspr. Ethan
Atheismus
Äther (Himmel)
Äther, fachspr. Ether (chem. Verbindung)
ätherisch
Athlet
Äthyl, fachspr. Ethyl
Atlas
atmen
Atmosphäre
Atoll
Atom
Attacke
Attentat
Attest
Attitüde
Attraktion
Attrappe
Attribut

ätzen
Au, Aue
Aubergine
auch
Audienz
Aue, Au
Auer‿hahn ...
auf *§ 39(2);* auf dass *§ 39 E2(2.2);* auf und
ab; das Auf und Ab *§ 57(5)*
auf‿bauen ...; auf- und abspringen ...
§ 34(1)
aufbäumen
aufeinander [achten, hören, stapeln,
treffen ...(*) *§ 34 E3(2)]*
Aufenthalt
aufgekratzt
aufgrund, *auch* auf Grund [dessen, von]
§ 39 E3(3), § 55(4)
aufhören
auflehnen
aufrecht *(gerade)* [gehen, sitzen ...
§ 34 E3(3); das Aufrechtgehen *§ 37(2)]*
aufrechterhalten *§ 34(2.2)*
aufrichtig
Aufruhr
aufs
aufsässig
Aufsehen [erregen/erregend ...(*) *§ 34
E3(5), § 36 E1(1.2), § 55(4)];* etwas Aufsehen Erregendes *§ 57(1)*
aufseiten*, *auch* auf Seiten(*)
§ 39 E3(3), § 55(4)
Aufsicht [führen/führend *§ 34 E3(5),
§ 36 E1(1.2)]*
Aufwand
aufwändig*, aufwendig
aufwärts [fahren, streben ...(*)
§ 34 E3(2)]
aufwenden wandte *oder* wendete auf,
aufgewandt *oder* aufgewendet
aufwendig, aufwändig
aufwiegeln
Auge
August
Auktion

Aula
Aupair‿mädchen ...*, *auch* Au-pair-
Mädchen *§ 37(1), § 55(1)*
Aura
Aurikel
Aurum
aus; das Aus, im Aus *§ 57(5)*
aus‿fallen ...; aus- und eingehen ...
§ 34(1)
ausbedingen bedang aus, ausbedungen
Ausbund
auseinander [gehen, laufen/laufend,
setzen ...(*) *§ 34 E3(2), § 36 E1(1.2)]*
ausfindig [machen *§ 34 E3(3)]*
ausgefeimt
ausgemergelt
ausgepicht
ausgiebig
ausixen
Auskunft
ausmerzen
ausrasten
ausrenken
ausrotten
Aussatz
ausschlaggebend; Ausschlaggebendes,
das Ausschlaggebende *§ 57(1)*
Ausschuss*
außen
außer [Acht lassen(*)]; außer Atem sein,
außer Landes sein; außer aller Acht lassen *§ 55(4);* außer dass *§ 39 E2(2.2)*
außer‿gewöhnlich ...
äußere; das Äußere *§ 57(1)*
äußern
äußerst; aufs äußerste, Äußerste *(äußerst)(*) § 58 E1;* [es] aufs Äußerste [an-
kommen lassen], aufs Äußerste gefasst
sein *§ 57(1), § 58 E1;* bis zum Äußersten
[gehen ...], das Äußerste [befürchten ...]
§ 57(1)
außerstand, *auch* außer Stand [setzen
...(*)]; außerstande, *auch* außer Stande
[sein(*)] *§ 39 E3(3), § 55(4)*
außertourlich

113

aussöhnen

ausstatten

Auster

Austro‿marxismus ... *§ 37(1)*

auswärtig

auswärts [gehen ...(*) *§ 34 E3(2)*]

ausweiden

auswendig [lernen/gelernt ... *§ 34 E3(3)*, *§ 36 E1(1.2)*]

autark

authentisch

Autismus

Auto [fahren *§ 34 E3(5)*, *§ 55(4)*, *aber* das Autofahren]

auto‿didaktisch ...

Auto‿hypnose ...

autochthon

Autodafé

Autodrom

Autofahren *§ 37(2)*, *aber* Auto fahren *§ 34 E3(5)*

autogen; das autogene Training *§ 63*

Autogramm

Automat

Automobil

autonom

Autopsie

Autor

Autreverse

Autorität

Avancen

Avantgarde

Ave

Ave-Maria

Aventurin

Avenue

Aversion

Avis, Aviso

Avocado

axial

Axiom

Axt

Azalee, Azalie

Azetat, *fachspr.* Acetat

Azur

Baby
Bacchant
Bach
Backbord
backbords
Backe
backen backte *oder* buk, gebacken
Background *§ 37(1)*
Bad
baden [gehen *§ 34 E3(6)*]
Badminton
Bagage
Bagatelle
Bagger
Baguette
bähen
Bahn [fahren *§ 34 E3(5), § 55(4)*]
bahnbrechend, *aber* sich [eine] Bahn
  brechend *§ 36(1)*
Bahre
Bai *(Meeresbucht)* ≠ Bei, Bey
Baiser
Baisse
Bajazzo
Bajonett
Bake
Bakelit *(Wz)*
Bakschisch
Bakterie
Balalaika
Balance
balbieren, barbieren
bald
Baldachin
Bälde; in Bälde *§ 55(4)*
Baldrian
Balg
Balken
Balkon
Ball

Ballade
Ballast
ballen
Ballen
Ballerina
Ballett; Balletttänzer* *§ 45(4)*
Ballistik
Ballon
Balsam
Balustrade
Balz
Bambus
banal
Banane
Banause
Band *(zu* binden)
Band *(Musikgruppe);* Bandleader *§ 37(1)*
Bandage
Bande
Bandel, Bändel
Bändel*, Bandel
Banderole
bändigen
Bandit
bang, bange
bange; [angst und] bange sein ... *§ 35,*
  § 56(1)
Bange; jemandem [Angst und] Bange
  machen* *§ 55(4)*
Banjo
Bank
Bänkel∪lied ...
Banker, Bänkler
Bankett *(Festmahl)*
Bankett, Bankette *(unbefestigter*
  Straßenrand)
Bankier
Bänkler, Banker
bankrott [werden; sein *§ 35*] *(ein*
  bankrottes Geschäft)

115

Bankrott [machen, gehen(*) *(in den Bankrott gehen)* § 55(4)]
Bann
Banner
Bantam‿gewicht ...
Baptist
bar; in bar, gegen bar [bezahlen] *§ 58(3)*
Bar
Bär
Baracke
Barbar
Barbe
Barbecue
barbieren, balbieren
Barchent
Barde
Barett
barfuß [gehen, laufen ... *§ 34 E3(2)*]
Bariton
Barium
Barkarole
Barkasse
Barke
Bärlapp
barmherzig
barock; das, der Barock
Barometer
Baron
Barren
Barriere
Barrikade
barsch
Barsch
Bart
Bartwisch
Baryt
Basalt
Basar, Bazar
Base
Basilika
Basilikum
Basis
Basketball
bass* [erstaunt]

Bass*; Bassstimme* *§ 45(4)*
Bassena
Bassin
Bast
Bastard
Bastei
basteln
Bastille
Bastion
Bataillon
Batik
Batist
Batterie
Batzen
Bau
Bauch
bauchreden *§ 33(1)*
Bauer
Baum
Bausch
bausparen *§ 33(1)*
Bauxit
Bazar, Basar
Bazillus
Beat; Beatgeneration* *§ 37(1)*
Beatle
Beatnik
Beautyfarm
Bébé
beben
Becher
becircen *s.* bezirzen
Becken
beckmessern
Becquerel
bedächtig
Bedarf
bedeuten
bedeutend; das Bedeutende, [nichts] Bedeutendes, um ein Bedeutendes größer* *§ 57(1)*
bedingen
bedürfen bedarf, bedurfte
Beefsteak

Beelzebub
Beere
Beet
Beete s. Bete
befehlen befiehlt, befahl, befohlen
Beffchen
befinden befand, befunden
beflissen
befugt
befürworten
begabt
begeben begibt, begab
begehren
begeistern
Begier, Begierde
Begine
beginnen begann, begonnen
begleiten
begnügen
Begonie
begreifen begriff
Begriff
behäbig
behagen
Behälter
behände*
behaupten
behelligen
Behörde
Behuf
behufs *§ 56(3)*
bei
Bei, Bey *(türkischer Titel)* ✦ Bai
bei∪leibe, ...nahe, ...sammen, ...zeiten
    § 39(1)
bei∪stehen ... *§ 34(1)*
Beichte
beide; beides *§ 58(4);* die beiden *(die
    zwei) § 58(4), § 58(6)*
beieinander [bleiben, stehen ...(*)
    § 34 E3(2); sein(*) *§ 35*]
Beifall
beige *usw. (vgl.* blau *usw.)*
Beige *(Stapel)*

Beil
beileibe *§ 39(1)* [nicht], *aber* nicht gut bei
    Leibe sein *§ 55(4) (vgl.* Leib)
Beileid
Bein
beinah[e] *§ 39(1)*
Beinwell
beisammen [sein(*) *§ 35;* gewesen(*)
    § 36 E1(1.1)]
beisammen∪stehen ... *§ 34(1)*
beiseite [legen, treten ... *§ 34 E3(2),
    § 55(4)*]
Beispiel
beißen biss*
Beitel
Beiz
Beize
beizeiten *§ 39(1), § 55(4)*
bejahen
bekannt [geben, machen ...(*) *§ 34
    E3(3);* sein *§ 35;* das Bekanntmachen
    § 37(2)]
bekannterweise, *aber* in bekannter
    Weise *§ 39(1), § 39 E2(1)*
Bekassine
beklommen
bekommen bekam
bekömmlich
belämmert*
Belang; von Belang sein *§ 55(4)*
Belcanto s. Belkanto
beleidigen
beleumdet, beleumundet
belfern
Belieben; nach Belieben *§ 55(4)*
beliebig; jeder Beliebige* *§ 57(1)*
Belkanto, *auch* Belcanto
bellen
Belletristik
Bellevue
Belt
Belvedere
Benefiz∪konzert ...

117

benehmen benimmt, benahm,
benommen

benommen

Benzin

bequem

Berberitze

beredsam

beredt

Bereich

bereit [erklären ...; sein § 35]

bereit∪halten, ...stehen ...
§ 34(2.2)

Berg; zu Berge stehen § 55(4)

berg∪ab, ...auf, ...abwärts, ...aufwärts
[fahren ...] § 39(1), aber den Berg aufwärts § 39 E2(1)

bergen birgt, barg, geborgen

bergsteigen § 33(1)

Berg-und-Tal-Bahn § 44, § 55(2)

Bericht

Bernhardiner

Bernstein

Berserker

bersten birst, barst, geborsten

berüchtigt

Beruf

Beryll

beschäftigen

Bescheid [geben ... § 34 E3(5),
§ 55(4)]

bescheiden [sein § 35]

bescheiden beschied

bescheren

Beschlag

beschlagen [sein § 35]

beschlagen beschlug

beschränken

Beschwerde [führen ... § 34 E3(5),
§ 55(4)]

beschweren

beschwichtigen

Besen

besessen

besitzen besaß, besessen

besondere [Umstände ...]; das Besondere, im Besonderen(*), Besonderes
§ 57(1)

besonders § 58(4)

Besorgnis [erregen/erregend ...(*)
§ 34 E3(5)]

besser (zu gut) [gehen ...(*) § 34 E3(3)];
das Bessere, Bessre*; Besseres, Bessres*; eines Besseren, Bessren* belehren; sich eines Besseren, Bessren* besinnen; eine Wendung zum Besseren,
Bessren* § 57(1)

best∪gehasst ... § 36(2)

bestallen

bestätigen

bestatten

beste (zu gut); das Beste [sein*]; der, die,
das [erste] Beste(*), zum Besten [geben*, haben*, halten*, kehren, stehen*,
wenden], Bestes, sein Bestes tun
§ 57(1); am besten [sein, machen]
§ 58(2); auf das/aufs beste, Beste* (sehr
gut) § 58 E1; aufs Beste [angewiesen
sein] § 57(1), § 58 E1

bestechen besticht, bestach, bestochen

Besteck

bestehen [bleiben, lassen ...(*)
§ 34 E3(6)] bestand

bestellen

Bestie

bestimmen

bestirnt

Bestseller § 37(1)

besuchen

Beta∪blocker ..., ...strahlen ..., auch
β-Strahlen § 40(1)

Bete; Rote Bete, auch Rote Beete

beten

beteuern

Beton

betonen

betören

Betracht; in Betracht [kommen, ziehen]
§ 55(4)

betrachten

beträchtlich; Beträchtliches, um ein Beträchtliches* [größer ...] § 57(1)
betragen betrug (ausmachen)
betragen betrug (benehmen)
Betreff; des Betreffs
betreffs § 56(3)
betreten betrat
betreuen
Bett; Betttuch* § 45(4) ✢ Bettuch (zu beten)
betteln
betulich
Beugel
beugen
Beule
Beuschel
Beute
Beutel
beuteln
bevor
bevor⌣stehen § 34(1)
bewähren
bewältigen
Bewandtnis
bewegen bewegte (Lage ändern)
bewegen bewog (veranlassen)
bewenden
bewerkstelligen
bewusst* [machen, werden ...(*) § 34 E3(3)]
Bey, Bei (türkischer Titel) ✢ Bai
bezichtigen
Bezirk
bezirzen, auch becircen
Bezug [nehmen § 55(4)]; im/in/mit Bezug [auf](*) § 55(4)
Bhagvan, Bhagwan
bi⌣konkav ...
Biathlon
bibbern
Bibel
Biber
Bibliografie(*), auch Bibliographie
Bibliographie s. Bibliografie

Bibliothek
Bickbeere
Bidet
bieder
biegen bog; auf Biegen und Brechen § 55(4), § 57(2)
Biene
Biennale
Bier
Biese (Ziersaum) ✢ Bise
Biest
bieten bot
Bifokal⌣brille ...
Bigamie
Bigband* § 37(1), auch Big Band § 37 E1, § 55(3)
Bigbusiness* § 37(1), auch Big Business § 37 E1, § 55(3)
bigott
Bijou
Bijouterie
Bikini
Bilanz
bilateral
Bilch
Bild
bilden
Billard
Billett
Billiarde
billig
billigen
Billion § 55(5)
Bilsenkraut
Bimsstein
bin
binar, binär, binarisch
binden band, gebunden
Bingelkraut
Bingo
binnen
Binokel
binomisch
Binse

bio∪genetisch ...
Bio∪chemie ...
Biografie(*), *auch* Biographie
Biographie *s.* Biografie
Biologie
Biotop
Birett
Birke
Birne
bis
Bisam
Bischof
Bise *(Wind)* + Biese
bisherig; das Bisherige, Bisheriges, beim Bisherigen [bleiben], im Bisherigen* *§ 57(1)*
Biskotte
Biskuit
Bismut
Bison
Biss*
bisschen*; ein bisschen, dieses kleine bisschen *§ 56(5)*
Bisschen* *(zu* Biss)
bist
Bistro
Bistum
bisweilen *§ 39(1)*
Bit
bitten bat, gebeten
bitter
bitter∪böse ... *§ 36(5)*
Bitumen
bituminös
Biwak
bizarr
Bizeps
Blache, Blahe, Plache
Blackbox *§ 37(1), auch* Black Box* *§ 37 E1*
Black-out* *§ 43, auch* Blackout *§ 37(1)*
Blackpower* *§ 37(1), auch* Black Power *§ 37 E1*

blaffen, bläffen
Blahe, Blache, Plache
blähen
Blamage
blanchieren
blank [polieren/poliert ...(*)] *§ 34 E3(3), § 36 E1(1.2)*
blanko
blankziehen *§ 34(2.2)*
Blase
blasen blies
blasiert
Blasphemie
blass*
Blässe *(Blassheit)* + Blesse
Blässhuhn*, Blesshuhn
Blatt
Blattern
blau [färben, gestreift ...(*) *§ 34 E3(3), § 36 E1(1.2);* sein *§ 35*]; das Blau/Blaue; ins Blaue [reden, fahren], eine Fahrt ins Blaue *§ 57(1);* in Blau *§ 57(1), § 58(3);* blau in blau *§ 58(3); (in Eigennamen wie)* der Blaue Nil *§ 60(2.4);* der Blaue Planet* *(die Erde) § 60(5);* das Blaue Band des Ozeans *(ein Orden) § 60(3.4); (in Fügungen wie)* der blaue Brief, die blaue Blume [der Romantik], sein blaues Wunder erleben *§ 63;* der Blaue Eisenhut *§ 64(2)*
blauäugig *§ 36(2)*
bläuen
blaugrau(*) *§ 36(4)*
bläulich [grün ...*] *§ 36 E1(2)*
blaurot(*) *§ 36(4)*
Blazer
Blech
blecken
Blei
bleiben blieb; bleiben lassen* *§ 34 E3(6)*
bleich
Blende
blenden
blendend [weiß ...(*) *§ 36 E1(3)*]

Blesse *(weißer Stirnfleck; Tier)*
 ＋ Blässe
Blesshuhn*, Blässhuhn
Blessur
bleu
Blick
blind
blinken
blinzeln
Blitz
Blizzard
Bloch
Block
Blockade
blöd, blöde
Blödian
blöken
blond [gelockt ...(*) *§ 36 E1(1.2)*]
bloß *(nur)* [liegen ... *§ 34 E3(2)*]
 ＋ bloßliegen
bloß‿liegen *(unbedeckt)* ... *§ 34(2.2)*
 ＋ bloß liegen
Blouson
Blow-up *§ 43, § 55(3)*
blubbern
Bluejeans *§ 37(1),* auch Blue Jeans*
 § 37 E1, § 55(3)
Blues
Bluff
blühen
Blume
blümerant
Bluse
Blust
Blut
blut‿reinigend, ...stillend ..., *aber* das
 Blut reinigend *§ 36(1), § 36 E1(4)*
Blüte
blutrünstig
Bö, Böe
Boa
Boatpeople* *§ 37(1)*
Bob
Bobby

Boccia
Bock [springen *§ 34 E3(5), § 55(4)*]
Bock‿bier ...
bockbeinig *§ 36(2)*
bocken
Bocks‿horn ...
Bodden
Bodega
Boden
Body
Body‿building, ...check, ...guard, ...suit
 § 37(1)
Böe, Bö
Bofist, Bovist
Bogen
Boheme
Bohemien
Bohle *(Brett)* ＋ Bowle
Bohne
bohnern
bohren
Boiler
Boje
Bolero
Böller
Bollette
Bollwerk
Bolzen
Bombardement
Bombast
Bombe
Bommel
Bon
Bonbon
Bonboniere* *s.* Bonbonniere
Bonbonniere, *auch* Bonboniere
bongen
Bonmot
Bonus
Bonze
Boogie-Woogie *§ 43, § 55(1), § 55(3)*
Boom
Boot [fahren *§ 34 E3(5)*], *aber* Bötchen
 § 9 E2

Bor
Borax
Bord
Bordcase *§ 37(1)*
Börde
bordeaux‿farben ... *§ 36(2)*
Bordell
bördeln
Bordüre
Boreas
Borg
borgen
Borke
Born
borniert
Borretsch
Börse
Borste
Borte
bös, böse; im Bösen [wie im Guten]
Böschung
böse, bös; im Bösen [wie im Guten]
Boss*
bosseln
Botanik
Bötchen (*zu* Boot) *§ 9 E2*
Bote
Bötlein (*zu* Boot) *§ 9 E2*
botmäßig
Bottich
Bottleparty* *§ 37(1)*
Bouclé, *auch* Buklee
Boudoir
Bouillabaisse
Bouillon
Boule
Boulevard
Bouquet, Bukett
bourgeois
Bouteille
Boutique, Butike
Bovist, Bofist
Bowle *(Getränk)* ≠ Bohle
Bowling

Box
Boxcalf *s.* Boxkalf
boxen
Boxkalf, *auch* Boxcalf
Boy
Boykott
brabbeln
brach‿liegen *§ 34(2.2)*, ...liegend *§ 36(3)*
Brachialgewalt
Brachse, Brachsen
brackig
Braindrain*
Brainstorming
Branche
Brand
brand‿aktuell, ...neu *§ 36(5)*
Brand‿sohle ...
branden
brandmarken ... *§ 33(1)*
Brandy
Brannt‿wein ...
Brasse
braten briet
Bratsche
Brauch
brauchen
Braue
brauen
braun *usw.* (*vgl.* blau *usw.*)
Braunelle *(Vogel)*
Braunelle, Brunelle *(Pflanze)*
Braus; in Saus und Braus [leben] *§ 55(4)*
brausen
Braut
Bräutigam
brav
bravo; Bravo rufen* *§ 57(5)*, *auch* bravo
   rufen
Bravour, *auch* Bravur
Bravur* *s.* Bravour
break
Breakdance *§ 37(1)*
brechen bricht, brach, gebrochen; auf
   Biegen und Brechen *§ 55(4)*, *§ 57(2)*

122

Bredouille

Brei

breit [gefächert ...(*) § 36 E1(1.2)]; des Langen und Breiten* § 58(3)

breit∪schlagen ... § 34(2.2)

Bremse

Brenn∪nessel* ... § 45(4)

brennen brannte oder brennte, gebrannt

brenzlich

Bresche

Brett

Bretzel (schweiz.), Brezel

Brevier

Brezel, Bretzel (schweiz.)

Bridge

Brief

Bries

Brieschen, Bröschen

Brigade

Brigadier

Brigg

Brikett

brillant

Brillanz

Brille

bringen brachte

brisant

Brisanz

Brise

Broccoli s. Brokkoli

Brocken

brodeln

Brodem

Broiler

Brokat

Brokkoli, auch Broccoli

Brombeere

Bronchie

Bronchitis Pl. ...tiden

Bronze

Brosche

Bröschen, Brieschen

Broschüre

Brösel

Brot

Bruch

bruch∪landen, ...rechnen § 33(1)

Brücke

Bruder

Brühe

Brühl

brüllen

brummen

Brunch

Brunelle, Braunelle

brünett

Brunnen

Brunst

brüsk

Brust

brustschwimmen § 33(1)

Brut

brutal

brütend [heiß(*) § 36 E1(3)]

brutto

brutzeln

Bub, Bube

Buch

Buche

Buchs[baum]

Buchse

Büchse

Buchstabe

Bucht

Buchtel

Buckel

bücken

Bücking, Bückling (Fisch)

Bückling (Verbeugung)

Buddel, Buttel

buddeln

Buddhismus

Bude

Budget

Büfett, Buffet (österr., schweiz.)

Büfettier

Büffel

Buffet *(österr., schweiz.),* Büfett
Bug
Bügel
bügeln
Buggy
bugsieren
buhen
buhlen
Buhne
Bühne
Bukett, Bouquet
Buklee* *s.* Bouclé
Bulette
Bullauge
Bulldog *(Wz)*
Bulldogge
Bulldozer
Bulle
bullern
Bulletin
Bumerang
bummeln
Buna *(Wz)*
Bund
Bungalow
Bunker
Bunsenbrenner
bunt [färben, gestreift ...(*) *§ 34 E3(3),*
    § 36 E1(1.2)]
Bürde
Burg
Bürge
Bürger

Bürgermeister; der Erste Bürgermeis-
ter, der Regierende Bürgermeister
    § 64(1)
Burgunder
burlesk
Burnus
Büro
Bursch, Bursche
Bürste
Bürzel
Bus *Pl.* Busse
Busch
Busen
Business*
Bussard
Buße
Busserl
Büste
Butan
Butike, Boutique
Butler
Butt
Butte, Bütte
Buttel, Buddel
Büttel
Bütten
Butter
butterweich *§ 36(1)*
Button
Butzenscheibe
bye-bye
Bypass; Bypassoperation *§ 37(1)*
Byte

C

Cabrio[let], Kabrio[lett]
Caesium *s.* Zäsium
Café, *aber* Kaffee
Cafeteria
Calcit *s.* Kalzit
Calcium *s.* Kalzium
Callboy
Callgirl
Calvinismus, Kalvinismus
Calypso
Camembert
Camp
Campagne *s.* Kampagne
Camping
Canaille *s. Kanaille*
Canasta
Cancan
Cañon
Canossagang*, Kanossagang
Cape
Cappuccino
Capriccio
Car‿port ...
Caravan
Caravaning
Carbid *s.* Karbid
Carbonat *s.* Karbonat
Cargo *s.* Kargo
Caritas, *aber* karitativ
Cartoon
Casanova
cash
Cashewnuss* § 37(1)
Cashflow* § 37(1)
Cäsium *s.* Zäsium
catchen
Cayennepfeffer
CD-‿Player, ...Spieler ... § 40(2)
Cedille
Cello

Cellophan *s.* Zellophan
Celluloid *s.* Zelluloid
Cellulose *s.* Zellulose
Celsius
Cembalo
Cent
Center
Centrecourt* § 37(1), *auch*
    Centre-Court* § 37 E1
Cerberus *s.* Zerberus
Cervelat *(schweiz.), auch* Servela
    (schweiz.), Zervelatwurst, *auch* Serve-
    latwurst
Cevapcici*, Čevapčiči
Cha-Cha-Cha § 43
Chaconne
Chaise[longue]
Chalet
Chalzedon
Chamäleon
Champagner
Champignon
Champion
Chan, Khan
Chance
changieren
Chanson
Chansonette *s.* Chansonnette
Chansonier* *s.* Chansonnier
Chansonnette, *auch* Chansonette
Chansonnier, *auch* Chansonier
Chaos
chaotisch
Charakter
Charge
Charisma
Charleston
charmant, *auch* scharmant
Charme, *auch* Scharm
Charta

Charter‿flug ... *§ 37(1)*
chartern
Charts
Chassis
Chateau*, Château
Chauffeur
Chaussee
Chauvinismus
Check *s.* Scheck, Cheque
Check‿liste ... *§ 37(1)*
checken
cheerio
Cheeseburger *§ 37(1)*
Chef
Chemie
Chemo‿therapie ...
Cheque *(schweiz.),* Scheck, *auch* Check
Cherub, Kerub
Chester[käse *§ 37(1)*]
Chewinggum* *§ 37(1)*
Chianti
chic *(nur unflektiert) s.* schick
Chicorée, *auch* Schikoree
Chiffon
Chiffre
Chimäre *s.* Schimäre
Chinchilla
chinesisch, Chinesisch *(vgl.* deutsch, Deutsch)
Chinin
Chip
Chippendale
Chirurg
Chitin
Chlor
Chlorid *(chemische Verbindung)* ≠ Chlorit
Chlorit *(Mineral; ein Salz)* ≠ Chlorid
Chloroform
Chlorophyll
Choke, Choker
Cholera
cholerisch
Cholesterin

Chor
Choreografie(*), *auch* Choreographie
Choreographie *s.* Choreografie
Chose, *auch* Schose
Chow-Chow *§ 43*
Christ
Chrom
Chromosom
Chronik
chronisch
chronologisch
Chrysantheme
Chutney
ciao, tschau
Cidre, Zider
Cineast
Cinemascope
circa *s.* zirka
Circus *s.* Zirkus
Citrat *s.* Zitrat
City
Clan, Klan
Claqueur
clean
Clearing; Clearingverkehr *§ 37(1)*
clever
Cleverness*
Clinch
Clip *s.* Klipp, Klips, Videoclip
Clique
Clivia, Klivie
Clou
Clown
Club *s.* Klub
Cluster
Coach
Coca-Cola *(Wz)*
Cockpit
Cocktail; Cocktailparty *§ 37(1)*
Coda *s.* Koda
Code *s.* Kode
Codein *s.* Kodein
Codex *s.* Kodex
codieren *s.* kodieren

Cœur
Coffein, Koffein
Cognac *(Wz), sonst* Kognak
Coitus *s.* Koitus
Cola
Collage
College *(Schule)* ≠ Kollege
Collie
Collier *s.* Kollier
Color‿film ...
Colt
Combo
Come-back* *§ 43, auch* Comeback
 § 37(2)
Comic; Comicstrip* *§ 37(1)*
Coming-out *§ 43, § 55(3)*
Commonsense* *§ 37(1), auch* Common
 Sense* *§ 37 E1*
Commonwealth
Compactdisc* *§ 37(1), auch* Compact
 Disc *§ 37 E1*
Compiler
Composer
Computer
Concierge
Conférencier, *aber* Konferenz
Confiserie *s.* Konfiserie
Container
contra *s.* kontra
cool
Cooljazz* *§ 37(1), auch* Cool Jazz
 § 37 E1
Copyright *§ 37(1), aber* Kopie
Cord, *auch* Kord
Cordon bleu *§ 55(3)*
Cornedbeef* *§ 37(1), auch* Corned Beef*
 § 37 E1; Cornedbeefbüchse *§ 37(1),*
 auch Corned-Beef-Büchse* *§ 45(2)*
Corner
Cornflakes *§ 37(1)*
Corps *s.* Korps

Cortison *s.* Kortison
Cotton
Couch
Couleur
Count-down* *§ 43, auch* Countdown
 § 37(2)
Country‿man, ...music, ...song(*)
 § 37(1)
Coup
Coupé, *auch* Kupee
Couplet
Coupon *s.* Kupon
Courage
Cousin
Cousine *s.* Kusine
Cover
Cowboy *§ 37(1)*
Coyote *s.* Kojote
Crack
Cracker
Crash
Crawl *s.* Kraul
crawlen *(auf eine besondere Art*
 schwimmen) s. kraulen
Cream, *aber* Creme
Credo *s.* Kredo
creme
Creme, *auch* Krem, Kreme*
Crêpe *s.* Krepp
Crescendo
Crevette *s.* Krevette
Crew
Croupier
Crux, Krux
Csardas*, Csárdás
Cup
Curry
Cursor
Cut
cutten, cuttern

D

da [sein(*) § 35]; das Dasein § 37(2)

da∪bleiben ... § 34(1)

dabei [sitzen ... *(bei der genannten Tätigkeit sitzen)* § 34 E1 ≠ dabeisitzen; sein(*) § 35]

dabei∪sitzen ... § 34(1)
≠ dabei sitzen

Dach

Dachs

Dackel

Dadaismus

Daddy

dafür [halten *(für jemanden/etwas halten)* § 34 E1 ≠ dafürhalten; sein § 35]

dafür∪halten *(meinen)* ... § 34(1)
≠ dafür halten ...

dagegen [halten *(gegen die bezeichnete Sache halten)* § 34 E1 ≠ dagegenhalten; sein § 35]

dagegen∪halten ... *(vorhalten, erwidern)* § 34(1) ≠ dagegen halten

daheim [bleiben ... § 34 E3(2)]

daher [kommen ... *(aus dem bezeichneten Grund kommen)* § 34 E1 ≠ daherkommen]

daher∪kommen ... § 34(1)
≠ daher kommen

dahin [gehen *(an den genannten Ort gehen)* § 34 E1 ≠ dahingehen; sein § 35]

dahin∪gehen ... § 34(1)
≠ dahin gehen

dahinter [kommen, stehen ... § 34 E1]

Dahlie

Dam∪hirsch ...

Damast

Dame

damit

dämlich

Damm

dämmern

Dämon

Dampf

danach; das Danach § 57(5)

Dancing

Dandy

daneben [sein § 35; fallen, gehen, greifen, liegen, schießen ... § 34 E1; stehen *(neben dem bezeichneten Ort stehen)* ... § 34 E1 ≠ danebenstehen]

daneben∪benehmen, ...gehen, ...greifen, ...schießen, ...stehen *(sich nicht hineinversetzen können)* ... § 34(1) ≠ daneben stehen

dänisch, Dänisch
(vgl. deutsch, Deutsch)

dank [ihrer Fürsorge] § 56(4)

Dank [sagen *(ich sage Dank)* § 34 E3(5), auch danksagen § 33 E1]; Gott sei Dank

danksagen *(ich danksage)* § 33(1), auch Dank sagen § 33 E1

dann

dar∪bieten ... § 34(1)

d[a]ran [glauben ... *(an die bezeichnete Sache glauben)* § 34 E1 ≠ darangehen]

d[a]ran∪gehen ... § 34(1)
≠ daran gehen

darauf [ausgehen, gehen, eingehen, kommen § 34 E1], *aber* drauf∪legen ...

daraus

darben

d[a]rein∪setzen ... § 34(1) ≠ darein setzen

darin [sitzen... § 34 E1, *aber* drinsitzen ... § 34(1)]

Darlehen, Darlehn

Darling

Darm

Da[r]nieder∪liegen ... § 34(1)

Darts

d[a]rüber [fahren ... § 34 E1, aber drüberfahren ... § 34(1)]; darüber hinaus § 39 E2(2.1)

darum [kommen § 34 E1 ≠ darumkommen]

darum‿kommen ... § 34(1) ≠ darum kommen

darunter [stellen ... § § 34 E1, aber drunterstellen ... § 34(1)]

das (Artikel, Pronomen) § 58(4) ≠ dass*

dasjenige § 58(4)

dass* (Konjunktion) § 2, § 4 E2 ≠ das; Dasssatz* § 45(4), auch dass-Satz* § 45(1), § 55(1)

Dassel‿beule ...

dasselbe § 58(4)

Date

Dativ-e § 40(1)

Datscha, Datsche

Dattel

Datum

Daube

Dauer

dauern

Daumen

Daune

Daus

davon [kommen § 34 E1 ≠ davonkommen]

davon‿kommen ... § 34(1) ≠ davon kommen

davor [stellen ... § 34 E1]

dawider [reden § 34 E1 ≠ dawiderreden; sein § 35]

dawider‿reden § 34(1) ≠ dawider reden

dazu [gehören ... § 34 E1 ≠ dazugehören]

dazu‿gehören § 34(1) ≠ dazu gehören

dazulernen § 34(1); das Dazulernen § 57(2)

dazwischen [rufen § 34 E1 ≠ dazwischenrufen]

dazwischen‿rufen ... § 34(1) ≠ dazwischen rufen

de‿chiffrieren ...

De‿konzentration ...

Deadline

Deal

Debakel

Debatte

debil

Debüt

Debütant

Dechant

Deck

Decke

decken

Decoder

De-facto-Anerkennung § 44, § 55(1)

Defätismus

defekt

defensiv

Defilee

Definition

Defizit

Defloration

Defroster

deftig

Degen

Degeneration

dehnen, aber denen

Dehnungs-h § 40(1), § 55(1)

Deich

Deichsel

dein(*) (Personalpronomen) (zu du)

dein(*) (Possessivpronomen) § 58(1), § 58(4); Mein und Dein [nicht] unterscheiden*, ein Streit über Mein und Dein* § 57(3); die Deinen, deinen* (die Deinigen, deinigen*), das Deine, deine* (das Deinige, deinige*) § 58 E3

deiner(*) (zu du)

deiner‿halben, ...seits § 39(1)

deines‿gleichen, ...teils § 39(1)

deinet‿wegen, ...willen § 39(1)

Deismus

Dejeuner
Deka∪gramm ...
Dekade
dekadent
Dekadenz
Dekan
Deklamation
Deklaration
deklassieren
Deklination
Deko∪stoff ...
Dekolleté *s.* Dekolletee
Dekolletee*, *auch* Dekolleté
Dekor
Dekret
Delegation
delektieren
Delfin* *s.* Delphin
delikat
Delikt
Delinquent
Delirium
deliziös
Delle
delogieren
Delphin, *auch* Delfin
delphisch
Delta
dem
dem∪gegenüber ...
Demagogie
Demarkation
Dementi
Demission
Demokratie
demonstrieren
Demoskopie
Demut
den
denen, *aber* dehnen
denken dachte
denkfaul *§ 36(1)*
denn
dennoch *§ 4(8)*

Dentist
Denunziant
Deo∪roller ...
Deodorant, Desodorant
Departement
Dependance *(Zweigstelle)* ≠ Dependenz
Dependenz *(Abhängigkeit)*
  ≠ Dependance
Depesche
Deponie
Deportation
Depositen
Depot
Depression
deprimieren
Deputat
der
der∪art, ...artig, ...einst, ...gestalt, ...glei-
  chen, ...maßen, ...weil[en], ...zeit *§ 39(1)*
Derartiges*; etwas Derartiges *§ 57(1)*
derb
Derby
dergleichen *§ 58(4)*
derjenige *§ 58(4)*
dermaßen *§ 39(1)*
Dermatologie
derselbe *§ 58(4)*
derweil[en] *§ 39(1)*
Derwisch
des, *aber* dessen
des∪aktivieren ...
Des∪interesse ...
Desaster
desertieren
desgleichen *§ 58(4)*
deshalb
Design
designieren
desillusionieren
Deskription
Desktoppublishing* *§ 37(1), § 55(3),*
  auch Desktop-Publishing* *§ 45(2)*
Desodorant, Deodorant
desolat

despektierlich
Desperado
desperat
Despot
dessen [ungeachtet*], *aber* des
dessent∪wegen ... *§ 39(1)*
Dessert
Dessin
Dessous
destillieren
desto [mehr ...], *aber* nichtsdestoweniger
  § 39(1)
Destruktion
deswegen *§ 39(1)*
Detail
detailliert
Detektiv
Detektor
Determination
Detonation
detto
deuten
Deuterium
deutlich [machen ... *§ 34 E3(3)*]
deutsch, Deutsch; deutsch sprechen *(in
  deutscher Sprache sprechen),* deutsch
  unterrichten *(in deutscher Sprache un-
  terrichten) § 57 E2;* das Deutsch, ein gut
  verständliches Deutsch, das Deutsche,
  im Deutschen *§ 57(1);* in Deutsch(*),
  auf [gut] Deutsch* *§ 57(1), § 58 E2;*
  Deutsch sprechen *(die deutsche Sprache
  sprechen),* Deutsch unterrichten *(das
  Fach Deutsch unterrichten) § 57 E2;* der
  Deutsche Schäferhund* *§ 64(2);* der
  Deutsch-Französische Krieg *§ 64(4)*
Devise
Devon
devot
Devotionalien
Dezember
dezent
Dezernent
Dezi∪gramm ...
Dezibel

dezidiert
Dezimal∪system ...
Dezime
dezimieren
DGB-eigen *§ 40(2)*
di∪chromatisch ...
Di∪jambus ...
Dia
Dia∪system ...
Diabetes
diabolisch
Diadem
Diagnose
diagonal
Diagramm
Diakon
Dialekt
Dialektik
Dialog
Dialyse
Diamant
diametral
Diapositiv
Diarrhö
Diaskop
Diaspora
Diät [halten, leben ...(*) *§ 34 E3(5),
  § 55(4)*]
Diäten
dich(*) *(zu* du)
dicht [behaart ...* *§ 36 E1(4);* halten
  § 34 E3(3) ✢ dichthalten]
dicht∪halten ... *§ 34(2.2)*
  ✢ dicht halten
dichten
dick; durch dick und dünn *§ 58(3)*
Didaktik
die *§ 58(4)*
Dieb
diejenige *§ 58(4)*
Diele
dienen
Dienst
dienst∪beflissen ... *§ 36(1)*

Dienstag; am Dienstag, eines Dienstags
§ 55(4)

Dienstagabend; am Dienstagabend*;
an diesem, jedem Dienstagabend*; diesen, jeden Dienstagabend*; eines
Dienstagabends § 37(1), § 55(4)

dienstagabends*, auch dienstags abends
§ 56(3)

dienstags; dienstags abends s.
dienstagabends

dies, diese, dieser, dieses § 58(4)

Diesel

dieselbe § 58(4)

diesig

diesmal § 39(1), aber dies eine Mal,
§ 39 E2(1), § 55(4)

diesseits [liegen ... § 34(E3(2)]; das
Diesseits, im Diesseits § 57(5)

Dietrich

Diffamie

differential s. differenzial

differentiell s. differenziell

Differenz

differenzial*, auch differential

differenziell*, auch differentiell

diffizil

diffus

digital

Diktafon(*) s. Diktaphon

Diktaphon, auch Diktafon

Diktat

Diktatur

Dilemma

Dilettant

Dill, Dille

Dimension

Diminutiv

Dimmer

Diner (Festmahl) ≠ Dinner

Ding (Gegenstand)

Ding, Thing (germanische Versammlung)

dingfest [machen § 34 E3(2)]

Dingo

dinieren

Diningroom* § 37(1)

Dinkel

Dinner (Hauptmahlzeit) ≠ Diner

Dinosaurier, Dinosaurus

dionysisch

Dioptrie

Diorama

Dioxid, auch Dioxyd

Dioxin

Dioxyd s. Dioxid

Diözese

Diphtherie

Diphthong

Diplom

Diplomand

Diplomatie

dir(*) (zu du)

direkt

Direktion

Direktor

Direktrice

Dirigent

Dirigismus

dirimieren

Dirndl

Dirne

dis‿kontinuierlich ...

Dis‿proportion ...

Discjockey s. Diskjockey § 37(1)

Disco s. Disko

Discount

Diskant

Diskette

Diskjockey, auch Discjockey § 37(1)

Disko, auch Disco

Diskordanz

Diskothek

diskreditieren

Diskrepanz

diskret

diskriminieren

Diskurs

Diskus

Diskussion

disparat
Dispatcher
Dispens
dispers
Display
Disponent
Disposition
Disput
Disputant
Dissens
Dissident
dissonant
Dissonanz
Distanz
Distel
distinguiert
distinkt
Distrikt
Disziplin
dito
Diva
divergent
Divergenz
divers
Divertimento
Dividend
Dividende
Division
Diwan
Dixie[land]
Döbel
Dobermann
doch
Docht
Dock
Docke *(Garnstrang)* ≠ Dogge
Doge
Dogge *(Hund)* ≠ Docke
Dogma
Dohle *(Vogel)* ≠ Dole
Do-it-yourself-Bewegung § 44
doktern
Doktor
Doktorand

Doktrin
Dokument
Dolby
Dolch
Dolde
Dole *(Abzugsgraben)* ≠ Dohle
Dollar
Dolmetsch, Dolmetscher
Dolomit
Dom
Domäne
domestizieren
dominant
Dominanz
Domino
Domizil
Dompfaff
Dompteur
Don Juan
Döner[kebab]
Donner
Donnerstag *usw. (vgl.* Dienstag *usw.)*
Donnerstagabend *usw.*
   (vgl. Dienstagabend *usw.)*
donnerstags *usw. (vgl.* dienstags *usw.)*
doof
Doping
Doppel
doppelt [so viel, wirken/wirkend ...(*)
   § 34 E3(3), § 36 E1(1.2)]
Dorado, Eldorado
Dorf
Dorn
dorren
Dorsch
dort [bleiben ... *§ 34 E3(2);* sein *§ 35*]
dort⌣her ...
dortzulande *§ 39(1), auch* dort zu
   Lande* *§ 39 E2(2.1) (zu* zu Lande)
Dose
dösen
Dosis
Dossier
dotieren

Dotter
doubeln
Double
Doublé *s.* Dublee
Douglasie
down [sein *§ 35*]
Doyen
Dozent
Drache, Drachen
Dragee, *auch* Dragée
Dragée *s. Dragee*
Dragoner
Draht
Drainage *s.* Dränage
Draisine
drakonisch
drall
Drall
Dralon *(Wz)*
Drama
dran [sein *§ 35*]
dran∪bleiben ... *§ 34(1)* (*vgl.* daran)
Dränage, *auch* Drainage
Drang
Drapé, *auch* Drapee
Drapee* *s.* Drapé
Draperie
drapieren
drastisch
dräuen
drauf; drauf und dran
drauf∪legen ... *§ 34(1)* (*vgl.* darauf)
drauflos∪reden ... *§ 34(1)*
draußen
drechseln
Dreck
drehen
drei *usw.* (*vgl.* acht *usw.*); drei viertel
    [acht] *§ 56(6)*, drei Viertel *§ 56 E4*
drei∪eckig ...
dreifach (*vgl.* achtfach) *§ 36(2)*, 3fach
drein∪blicken ... *§ 34(1)*
dreißig *usw.* (*vgl.* achtzig *usw.*)
dreist

Dreiviertelliterflasche *§ 37(1)*
Dreiviertelstunde (*vgl.* viertel, Viertel)
dreizehn *usw.* (*vgl.* acht *usw.*)
Dreizimmerwohnung, *auch*
    3-Zimmer-Wohnung *§ 44*
dreschen drischt, drosch
Dress*
Dressing
Dressman
Dressur
dribbeln *(beim Fußfall)* ≠ trippeln
Drift *(Strömung, Treibgut), auch* Trift
Drilch, Drillich
Drill
Drillich, Drilch
Drilling
drin
drin∪sitzen *§ 34(1)* (*vgl.* drin)
dringen drang, gedrungen
Drink, *aber* trinken
drinnen
dritte; der, die, das Dritte(*) *§ 57(1)*;
    Ludwig der Dritte *§ 60(1)*; die Dritte
    Welt* *§ 60(5)*; das Dritte Reich
    § 60(2.1), *§ 60(5)*; der dritte Stand
drittel *usw.* (*vgl.* achtel *usw.*)
drittletzte (*vgl.* letzte)
Drive
droben
Droge
Drogerie
drohen
Drohne
dröhnen
drollig
Dromedar
Drop-out *§ 42*, *§ 55(3)*
Drops
Droschke
dröseln
Drossel
drosseln
drüben; hüben und drüben
drüber

drüber‿fahren ... § 34(1) (vgl. darüber)
Druck
drucken
drücken
drucksen
Drude
Drugstore
Drummer
Drums
drunten
drunter
drunter‿stellen ... § 34(1)
  (vgl. darunter)
Drusch (zu dreschen)
Druse
Drüse
dry
Dschungel
Dschunke
du(*) § 58(4), § 66; dein, dir, dich(*)
  § 58(4); auf Du und Du* § 55(4),
  § 57(3); das Du anbieten § 57(3)
dual
Dübel
dubios, dubiös
Dublee, auch Doublé
ducken
Duckmäuser
dudeln
Duell
Duellant
Duett
Dufflecoat
Duft
Dukaten
Duktus
dulden
Dumdumgeschoss*,
  Dumdumgeschoß (österr., auch
  schweiz.)
dumm
dummdreist § 36(4)
Dummerian, Dummerjan, Dummian,
  Dummrian

Dummy
dümpeln
dumpf
Dumping
Düne
Dung
düngen (zu Dung)
dunkel [färben/gefärbt § 34 E3(3), § 36
  E1(1.2)] ✝ dunkel‿blau ...]; das Dunkel; im Dunkeln tappen(*) § 57(1)
dunkel‿blau ... § 36(5) ✝ dunkel
  färben/gefärbt
Dünkel
dünken (zu Dünkel)
dünn [besiedelt* § 36 E1(4)]; durch dick
  und dünn § 58(3)
Dunst
Dünung
Duo
Duodez‿fürst ...
düpieren
Duplikat
duplizieren
Dur (A-Dur usw., aber a-Moll usw.)
durabel
durch
durch‿atmen ... § 34(1)
durchbrechen durchbricht,
  durchbrochen § 33(3)
durcheinander [bringen, reden ...(*)
  § 34 E3(2)]; das Durcheinander § 57(5)
Durchlaucht
durchtrieben
durchweg, durchwegs
dürfen darf, durfte
dürftig
Duro‿plast ...
dürr
Durst
durstlöschend § 36(1)
Dusche
Düse
duster, düster
Dutt

135

Dutyfreeshop* § 37(1), auch
Duty-free-Shop § 45(2)

Dutzend § 55(5), § 58(6); Dutzende,
dutzende* § 58 E5

duzen

Dynamik

dynamisch

Dynamit

Dynamo

Dynastie

dys∪**peptisch** ...

Dys∪**funktion** ...

Dystonie

Dystrophie

E

Easyrider* *§ 37(1)*
Eau de Cologne
Ebbe
eben
eben∪da ...
ebenbürtig
Ebenholz
ebenso [gut ...(*) *§ 39(1)*]
Eber
Eberesche ...
ebnen
echauffieren
Echo
Echse
echt∪golden ..., *auch* echt golden
  § 36 E2
Eck, Ecke
Ecker
Eclair
Economy∪class, ...klasse *§ 37(1)*
edel
Edelmut
Edikt
Edition
Efeu
Effeff; aus dem Effeff
Effekt
Effet
effizient
Effizienz
egal
Egel
Egerling
Egge
Ego
Egoismus
eh, ehe; eher, ehest, am ehesten *§ 58(2)*
Ehe
ehebrechen, *aber* die Ehe brechen
  § 33(1)

ehern
ehr∪geizig ... *§ 36(1)*
Ehre; ihm zu Ehren *§ 55(4)*
ehren∪amtlich ...
ehrenhalber *§ 39(1), aber* der Ehre
  halber *§ 39 E2(1)*
Ei
Eibe
Eibisch
Eiche
eichen
Eid; an Eides statt*
Eidechse
eidesstattlich, *aber* an Eides statt*
Eifer
eigen; jemandem eigen sein; das Eigene,
  etwas Eigenes *§ 57(1)*
Eigen; das Eigen, mein Eigen, des Volkes
  Eigen; etwas sein Eigen nennen*, zu
  Eigen machen*, zu Eigen geben*
  § 55(4)
eigen∪mächtig ...
Eigenbrötelei
eigentlich
eignen
Eiland
Eile
eilends
eilfertig
Eimer
ein *(Indefinitpronomen);* so etwas ärgert
  einen, wenn einer eine Reise tut ...
  § 58(4)
ein *(Kardinalzahl)* usw. (*vgl.* acht *usw.*)
ein *(unbestimmtes Zahladjektiv);* die
  einen und die anderen *§ 58(5)*
ein∪atmen ...; ein- und ausatmen *§ 34(1)*
Ein∪topf ...
einander
Einback
einbläuen*

Einbrenn, Einbrenne
Einer *(Sportboot)*
einerseits *§ 39(1)*
einesteils *§ 39(1)*
einfach *§ 36(2);* es ist das Einfachste(*)
  [, was/wenn/dass ...] *§ 57(1);* etwas auf
  das/aufs einfachste, Einfachste* lösen
  § 58 E1
Einfalt
Eingang
eingangs *§ 56(3)*
Eingeweide
Einhalt [gebieten *§ 34 E3(5)*]
einheimsen
einhellig
einher‿gehen ... *§ 34(1)*
einig [gehen *§ 34 E3(3);* sein *§ 35*]
einige; einiges *§ 58(4)*
einigermaßen *§ 39(1)*
einmal *§ 39(1), § 55(4)*
Einmaleins
einmütig
einrasten
einrenken
eins [sein *§ 35*]
einsam
einschränken
einseitig
Einser
einst
Eintracht
einwärts [biegen ...(*) *§ 34 E3(2)*]
einzeilig, *auch* 1-zeilig* *§ 40(3)*
einzeln [stehend* *§ 36 E1(1.2)*]; der, die,
  das Einzelne*, als Einzelner*, jeder
  Einzelne*, bis ins Einzelne*, im Einzelnen* *§ 57(1)*
einzig; der, die, das Einzige*, als
  Einziges* *§ 57(1)*
einzig‿artig ... *§ 36(2)*
Eis [laufen* *§ 34 E3(5), § 55(4)*]
Eisbein
Eisen [verarbeiten/verarbeitend(*)
  § 34 E3(5), § 36 E1(1.2)]

eisern; *(in Eigennamen wie)* die Eiserne
  Krone *(lombardische Königskrone),* das
  Eiserne Kreuz *(ein Orden),* das Eiserne
  Tor *(Durchbruch der Donau)* *§ 60(2.3);*
  der Eiserne Vorhang *(zwischen Ost und
  West in der Zeit nach dem Zweiten Welt-
  krieg)* *§ 64(4); (in Fügungen wie)* die
  eiserne Lunge, die eiserne Ration, der
  eiserne Vorhang *(im Theater),* ein eiser-
  ner Wille *§ 63*
eisig [kalt(*) *§ 36 E1(2)*]
eiskalt *§ 36(1)*
eitel
Eiter
Ejakulation
Ekel
Eklat
eklatant
Ekstase
ekstatisch
Ekzem
Elaborat
Elan
Elast, Elastik
elastisch
Elch
Eldorado, Dorado
Elefant
elegant
Eleganz
Elegie
elektrisch
elektro‿magnetisch ...
Elektro‿herd ...
Elektrode
Elektrolyse
Elektrolyt
Elektron
Elektronik
Element
Elen
elend; mir ist elend
Elend; im Elend sein *§ 55(4)*
Eleve
elf *usw. (vgl.* acht *usw.)*

Elf *(z. B. Fußballmannschaft)* § 57(4)
Elf, Elfe *(Märchengeist)*
Elfenbein
elftel *usw.* (*vgl.* achtel *usw.*)
eliminieren
Elite
Elixier
Ellbogen, Ellenbogen
Elle
Ellenbogen, Ellbogen
Ellipse
elliptisch
eloquent
Eloquenz
Eloxal *(Wz)*
eloxieren
Elritze
Elster
Eltern
elysäisch, elysisch
Email, Emaille
Emanzipation
Embargo
Emblem
Embolie
Embryo
Emigrant
eminent
Eminenz
Emir
Emotion
empfangen empfing
empfehlen empfiehlt, empfahl,
  empfohlen
empfinden empfand, empfunden
Emphase
emphatisch
Empire *(Kunststil)*
Empire *(früheres brit. Weltreich)*
Empirie
empor
empor⌣ragen ... § 34(1)
Empore
empören

emsig
Emu
emulgieren
Emulsion
Ende; das Ende, Ende Januar, Ende
  nächsten Jahres; zu Ende § 55(4); ein
  Mann Ende achtzig* § 58(6)
Endivie
endlich
Energie
eng/enger [befreundet(*) § 36 E1(1.2)]
Engagement
Engel
Engerling
englisch, Englisch
  (*vgl.* deutsch, Deutsch)
Enkel
Enklave
enorm
Ensemble
entäußern
entbehren
entdecken
Ente
enteisen enteist *(von Eis befreien)*
  ⧧ enteisenen
enteisenen enteisent *(Eisen entziehen)*
  ⧧ enteisen
Entente
entern
Entertainer
entfachen
entfernt; nicht im Entferntesten* § 57(1)
Entfroster
entgegen
entgegen⌣kommen ... § 34(1)
entgegnen
Entgelt
entgelten entgilt, entgalt, entgolten
enthalten enthielt
Enthusiasmus
entlang
entlang⌣gehen ... § 34(1)
entlehnen

entloben
entraten entriet
Entree
entrichten
entrümpeln
entrüsten
entscheiden entschied
entschließen entschloss*
Entschluss*
entsetzen
entstehen entstand
entweder; entweder ... oder, das
   Entweder-oder* § 43, § 57 E4
entwerfen entwirft, entwarf, entworfen
entwickeln
entwischen
entwöhnen
Entwurf
entzücken
entzwei [sein § 35]
entzwei‿brechen ... § 34(1)
Environment
Enzian
Enzyklika
Enzyklopädie
Enzym
Epidemie
Epigone
Epigramm
Epik
Epilepsie
epileptisch
Epilog
Episode
Epistel
Epitaph
Epizentrum
Epoche
Epos
Eprouvette
Equalizer
Equipe
er § 58(4); ein Er § 57(3)
erbarmen

Erbe
erbosen
Erbse
Erdapfel
Erde
ereignen
Erektion
Eremit
erfahren erfuhr
Erfolg
ergattern
ergeben [sein § 35]
ergeben ergibt, ergab
ergiebig
ergo
ergötzen
erhaben
erhalten erhielt
erheblich
erholen
erigieren
Erika
erinnern
Erker
erklecklich; um ein Erkleckliches
   [größer] § 57(1)
erlangen
erlauben
erlaucht
erläutern
Erle
erledigen
ermitteln
ernst [nehmen, meinen/gemeint, werden
   § 34 E3(3), § 36 E1(1.2); sein § 35 (die
   Lage ist ernst, das ist mir [sehr] ernst)],
   [eine Sache] ernst nehmen; ernst zu
   nehmend(*)
Ernst [machen § 34 E3(5), § 55(4)]; es ist
   mir [völliger] Ernst damit; aus dem
   Spiel wurde Ernst
Ernte
erobern
erogen

erörtern
Eros
Erosion
Erotik
Erpel
erpicht
erquicken
erschrecken erschrickt/erschreckt, erschrak/erschreckte, erschrocken/erschreckt
erschüttern
erst
erst∪beste ...
erstatten
erste; der, die, das Erste(*); der, die, das erste Beste*, fürs Erste*, als Erstes*, am Ersten [des Monats] § 57(1), die Ersten [werden die Letzten] sein; (in Eigennamen wie) Erstes Deutsches Fernsehen § 60(4); (in Fügungen wie) die erste Hilfe* § 63
erstehen erstand
Erste-Hilfe-Lehrgang § 44
erstere; der, die, das Erstere*, Ersteres* § 57(1)
erstmals § 39(1), aber das erste Mal § 39 E2(1)
ertappen
Ertrag
Eruption
erwägen erwog
erwähnen
erwerben erwirbt, erwarb, erworben
erwidern
erwischen
erz∪konservativ ... § 36(5)
Erz∪bischof, ...feind ...
erzählen
es § 58(4); 's § 54(6); ein Es § 57(3)
Esche (Baum) ≠ Äsche
Esel
Eskalation
Eskapade
Eskimo
Eskorte

Esoterik
Espe
Esperanto
Esplanade
Espresso
Esprit
Essay
essen isst*, aß, gegessen
essentiell s. essenziell
Essenz
essenziell*, auch essentiell
Essig
Establishment
Ester
Estrade
Estragon
Estrich
Etablissement
Etage
Etappe
Etat
etepetete
Eternit (Wz)
Ethan s. Äthan
Ether s. Äther
Ethik
Ethnografie(*) s. Ethnographie
Ethnographie, auch Ethnografie
Ethos
Ethyl s. Äthyl
Etikett, Etikette (Waren-, Preisschild)
Etikette (feine Sitte)
etliche, etliches § 58(4)
Etüde
Etui
etwa
etwas § 58(4); ein gewisses Etwas § 57(3)
etwelche, etwelches § 58(4)
Etymologie
euch(*) (Personalpronomen) (zu ihr)
Eucharistie
euer(*) (Personalpronomen) (zu ihr)
euer(*) (Personalpronomen) § 58(1), § 58(4), § 66; die Euren, euren* (die

Eurigen, eurigen*), das Eure, eure*
(das Eurige, eurige*) *§ 58 E3*
euerseits *§ 39(1)*
euersgleichen *§ 39(1)*
euert‿halben, ...wegen, ...willen *§ 39(1)*
Eukalyptus
Eule
Eulenspiegelei
Eunuch
Euphemismus
Euphorie
euresgleichen *§ 39(1)*
euret‿halben, ..wegen, ...willen *§ 39(1)*
Eurhythmie, *auch* Eurythmie
Eurocheque
Eurythmie* *s.* Eurhythmie
Euter
Euthanasie
evakuieren
Evaluation
evangelisch
Evangelium
Eventual‿fall ...
eventuell
Evergreen
evident
Evidenz
Evolution
ewig
ex
Ex‿kaiser ...
exakt
exaltiert
Examen
Examinand
Exegese
Exekution
Exekutive
Exempel
Exequien
exerzieren
Exerzitien
Exhaustor
Exhibitionismus

exhumieren
Exil
existent
Existential‿philosophie ...
  s. Existenzial‿...
Existentialismus *s.* Existenzialismus
existentiell *s.* existenziell
Existenz
Existenzial*‿philosophie ...,
  auch Existential‿...
Existenzialismus*, *auch*
  Existentialismus
existenziell*, *auch* existentiell
Exitus
Exklave
exklusiv
Exkrement
Exkurs
Exlibris
exmatrikulieren
Exodus
exorbitant
Exorzismus
Exotik
Expander
Expansion
Expedient
Expedition
Experiment
Experte
Explikation
explizieren
explodieren
Explosion
Exponat
Exponent
Export
Exposé *s.* Exposee
Exposee*, *auch* Exposé
Exposition
express*
expressiv
exquisit
extensiv

extern
extra
extra∪hart ... *§ 36(5)*
Extra∪profit ...
extrahieren
Extraktion
extravagant
Extravaganz
extravertiert, extrovertiert

extrem
extrovertiert, extravertiert
exzellent
Exzellenz
Exzentrik
exzeptionell
Exzerption
Exzess*
Eyeliner *§ 37(1)*

F

Fabel
Fabrik
fabrizieren
fabulieren
Facette, *auch* Fassette
Fach
fächeln
Fächer
fachsimpeln *§ 33(1)*
Fackel
Fact ≠ Fakt, Faktum
fad, fade
Faden
fadenscheinig
Fading
Fagott
fähig
fahl
fahnden
Fahne
fahren [lernen *§ 34 E3(6)*] fuhr; Auto, Bahn, Rad ... fahren(*) *§ 34 E3(5), § 55(4)*
fahrig
Fahrrad [fahren *§ 34 E3(5), § 55(4)*] ≠ Farad
Fährte
Faible
fair
Fairness*
Fairplay* *§ 37(1)*, *auch* Fair Play* *§ 37 E1*
fäkal
Fakir
Fakt, Faktum ≠ Fact
Faktor
Faktotum
Faktum, Fakt ≠ Fact
Faktura
Fakultät

falb
Falbel
Falke
Fall
Falle
fallen fiel
fallen [lassen(*) *§ 34 E3(6)*]
Fall-out* *§ 43, auch* Fallout *§ 37(2)*
Fallreep
falls *§ 56(3)*
falsch [schreiben ...(*) *§ 34 E3(3)*]
falsch; [es ist] kein Falsch [an ihm], ohne Falsch *§ 57(1)*
Falsett
Falsifikat
falten
Falter
Falz
Fama
Familie
famos
Fan
Fanal
fanatisch
Fanfare
fangen fing
Fango
Fantasie *(Musikstück nur so), auch* Phantasie
fantastisch, *auch* phantastisch
Farad *(Maßeinheit)* ≠ Fahrrad
Farbe
Farce
Farm
Farn
Färse *(junge Kuh)* ≠ Ferse
Fasan
Fasche
faschieren
Fasching

Faschismus
faseln
Faser
Fashion
Fasnacht, Fastnacht
Fass*
Fassade
fassen
Fassette* s. Facette
Fasson
fast
fasten
Fastfood* § 37(1), auch Fast Food*
    § 37 E1
Fastnacht, Fasnacht
Faszination
fatal
Fata-Morgana-ähnlich § 44
fauchen, pfauchen
faul *(faul sein)* ≠ foul
faulen *(verderben)* ≠ foulen
faulenzen
Faun
Fauna
Faust
Fauteuil
Fauxpas
Favorit
Fax
Faxe
Fayence
Fazit
Feature
Feber
Februar
fechten ficht, focht
Feder
Fee *(Märchengestalt)* ≠ Feh
Feed-back* § 43, auch Feedback § 37(2)
Feeling
Fegefeuer
fegen
Feh *(Eichhörnchen)* ≠ Fee
Fehde

fehl
Fehl; ohne Fehl [und Tadel] § 55(4)
fehl‿gehen, ...schlagen § 34(2.1), § 56(2)
fehlen
Feier
Feiertag
feiertags § 56(3)
feig, feige
Feige
feil
feilbieten § 34(2.1)
Feile
feilschen
fein [mahlen/gemahlen § 34 E3(3),
    § 36 E1(1.2)]
Feind [bleiben, sein, werden(*) § 55(4)]
feinfühlig § 36(2)
feist
feixen
Felbel
Felchen
Feld
feldaus
feldein
Feldwebel
Felge
Fell
Fellache
Fels, Felsen
Feme
feminin
Feminismus
Fench, Fennich
Fenchel
Fennich, Fench
Fenster
Fenz
Ferial‿arbeit ...
Ferien
Ferkel
Ferment
fern/ferner [liegen/liegend ...(*) § 34
    E3(3), § 36 E1(1.2)]; von [nah und] fern
    § 58(3)

145

fern‿sehen, ...bleiben *§ 34(2.2)*;
das/euer Fernbleiben *§ 57(2)*
Ferne; aus der Ferne *§ 55(4)*
fernsehmüde *§ 36(1)*
Ferse *(Teil des Fußes)* ≠ Färse
fertig [bekommen, stellen(*) ...
§ 34 E3(3); sein *§ 35*]
Fes, Fez
fesch
Fessel
fest/fester [binden, halten ... *§ 34 E3(3)*]
Fest
fest‿binden *(anbinden),* ...halten *(schrift-
lich fixieren),* ...nehmen *(verhaften)* ...
§ 34(2.2)
Festival
Fete
Fetisch
fett [drucken/gedruckt ...(*) *§ 34 E3(3)*,
§ 36 E1(1.2)]
Fetus, Fötus
Fetzen
feucht
feuchtwarm *§ 36(4)*
feudal
Feuer [fangen, speien/speiend ...(*)
§ 34 E3(5), § 36 E1(1.2), § 55(4)]
feuer‿fest ... *§ 36(1)*
Feuilleton
Fex
Fez, Fes
Fiaker
Fiasko
Fibel
Fiber *(Faser)* ≠ Fieber
Fiche
Fichte
fidel
Fidel *(volkstümliches Streichinstrument)*
≠ Fiedel
Fidibus
Fieber *(Krankheit)* ≠ Fiber
Fiedel *(Geige)* ≠ Fidel
fiepen

fies
Fiesta
fifty-fifty
Fight
Figur
Fiktion
File
Filet
Filiale
Filigran
Filius
Film
Filou
Filter
Filz
Fimmel
final
Financier *s.* Finanzier
finanziell
Finanzier, *auch* Financier
Findel‿kind ...
finden fand, gefunden
Finesse
Finger
finger‿breit ... *§ 36(1), aber* einen Finger
breit *§ 36 E1(4)*
fingieren
Finish
finit
Fink
Finne
finnisch, Finnisch
(vgl. deutsch, Deutsch)
finster; das Finstere, im Finstern
tappen(*) *§ 57(1)*
Finte
Firlefanz
firm
Firma
Firmament
firmen
Firn
Firnis
First

Fisch
Fisimatenten
Fiskus
Fisole
Fistelstimme
fit
Fitness*
Fittich
fix
fixen
fixieren
Fjord
flach [atmen ... *§ 34 E3(3)*]
Flachs
Flachse, Flechse
flackern
Fladen
Flageolett
Flagge
Flair
Flakon
flambieren
Flamenco
Flamingo
flämisch, Flämisch
 (*vgl.* deutsch, Deutsch)
Flamme
Flanell
flanieren
Flanke
Flansch
Flasche
flattern
flau
Flaum
Flausch
Flausen
Flaute
Flechse, Flachse
Flechte
flechten flicht, flocht
Fleck, Flecken
fleddern
Fleder∪maus ...

Flegel
flehen
flehentlich
Fleisch [fressen/fressend ...(*)
 § 34 E3(5), § 36 E1(1.2))]
Fleiß
flektieren
fletschen
flexibel
Flexion
flicken
Flieder
Fliege
fliegen flog
fliehen floh
Fliese
fließen floss*
Flimmer
flink
Flinte
Flip
Flipper
flirren
Flirt
Flittchen
Flitter
flitzen
floaten
Flocke
Floh
Flom, Flomen
Flop
Floppydisk* *§ 37(1)*, auch Floppy Disk*
 § 37 E1
Flor
Flora
Florett
florieren
Floskel
Floß
Flosse
Flöte [spielen]
flöten *(Flöte spielen)*
flöten [gehen* *(verloren gehen)*]

flott *(schnell)* [machen § 34 E3(3)
 ⧺ flottmachen]
Flotte
flottmachen § 34(2.2) ⧺ flott machen
Flöz
Fluch
Flucht
Flug
flügge
flugs § 56(3)
Fluidum
Fluktuation
Flunder
flunkern
Flunsch
Fluor
Fluorid *(ein Salz)* ⧺ Fluorit
Fluorit *(Mineral)* ⧺ Fluorid
Flur
Fluse
Fluss*; Flusssand* § 45(4)
fluss*‿ab, ...auf, ...abwärts, ...aufwärts
 [fahren ...] § 39(1), aber den Fluss auf-
 wärts § 39 E2(1)
flüssig [machen ...(*) § 34 E3(3)]
flüstern
Flut
Fly-over § 43, § 55(3)
Fock
föderal
Fogosch
Fohlen
Föhn(*) *(Fallwind, Haartrockner),* aber
 Fön *(Wz)*
Föhre
Fokus
Folge [leisten ... § 34 E3(5), § 55(4)];
 infolge, zufolge § 39(3)
folgen
folgend; das Folgende(*), Folgendes(*),
 im Folgenden, in Folgendem(*) § 57(1)
folgender‿maßen ... § 39(1)
folgerichtig § 36(1)
folgern

Foliant
Folie
Folk *(Musik)* ⧺ Volk
Folklore
Folter
foltern
Fon* *s.* Phon
Fön *(Wz), sonst* Föhn *(Haartrockner)*
Fond *(Rücksitz)*
Fonds *(Geldanlage, Geldmittel)*
Fondue
fono‿grafisch ...(*) *s.* phono‿...
Fono‿technik ...(*) *s.* Phono‿...
Fontäne
Football § 37(1)
foppen
forcieren
Förde
fordern
fördern
Forelle
Forke
Form; in Form [kommen, sein ... § 55(4)]
form‿schön ... § 36(1)
Formel
Formular
forsch
forschen
Forst
Forsythie
fort [sein § 35]
Fort
fort‿dauern ... § 34(1)
forte
Fortuna
Forum
fossil
Foto
foto‿elektrisch ..., *auch* photo‿...
Foto‿synthese ..., *auch* Photo‿...
fotogen, *auch* photogen
Fotografie, *auch* Photographie
fotografieren
Fotometrie, *auch* Photometrie

Fötus, Fetus
foul *(regelwidrig)* ≠ faul
foulen *(sich regelwidrig verhalten)*
  ≠ faulen
Fox[terrier]
Fox[trott]
Foyer
Fracht
Frack
Frage; in Frage, infrage* [stellen ...
  § 39 E3(1)] *§ 55(4)*
Frage-und-Antwort-Spiel *§ 43, § 55(2)*
fragil
Fragment
Fraisen
Fraktion
Fraktur
frank
frankieren
franko∪kanadisch ...
Franko∪kanadier ...
Franse
Franz∪branntwein ...
französisch, Französisch
  (vgl. deutsch, Deutsch)
frappant
Frappé *s.* Frappee
Frappee*, *auch* Frappé
frappieren
Fräse
Fraß
Fratze
Frau
Freak
frech
Freejazz* *§ 37(1), auch* Free Jazz *§ 37 E1*
Freesie
Fregatte
frei *(ohne Manuskript)* [sprechen ... *§ 34
  E3(3)* ≠ freisprechen]; im Freien
  § 57(1)
frei∪sprechen *(für nicht schuldig
  erklären ...) § 34(2.2)* ≠ frei sprechen
Freier

Freimut
Freitag *usw. (vgl.* Dienstag *usw.)*
Freitagabend *usw.*
  (vgl. Dienstagabend *usw.)*
freitags *usw. (vgl.* dienstags *usw.)*
freizügig
fremd
frenetisch
frequentieren
Frequenz
Freske, Fresko
fressen frisst*, fraß
Frettchen
fretten
Freude
freudestrahlend *§ 36(1)*
freuen
Freund [bleiben, sein, werden(*) *§ 55(4)*]
freundlich [grüßen ... *§ 34 E3(3)*]
Frevel
freventlich
Friede, Frieden
frieren fror
Fries
Friesel
frigid, frigide
Frigidaire *(Wz), sonst auch* Frigidär
Frigidär* *s.* Frigidaire
  (Wz nur Frigidaire)
Frikadelle
Frikassee
frisch; von frischem *(von neuem) § 58(3)*
frisch [streichen/gestrichen ...(*)
  § 34 E3(3), § 36 E1(1.2)]
Friseur, *auch* Frisör
Frist
Fritfliege
Frittate
fritten
frittieren*
Frittüre*
frivol
froh
frohlocken *§ 33(2)*

Fromage
fromm
Fron
frönen
Fronleichnam
Front
Frosch
Frost
Frotté *s.* Frottee
Frottee, *auch* Frotté
frotzeln
Frucht
Fructose *s.* Fruktose
frugal
früh [verstorben ...* *§ 36 E1(1.2)*]; am
    Montag früh, von früh auf, von früher
    her, von früh bis spät
    § 58(3)
Frühe; in der Frühe *§ 55(4)*
Frühling
frühmorgens
frühneuhochdeutsch
Frühstück
Fruktose, *auch* Fructose
Frustration
Fuchs
fuchsen
Fuchsie
fuchteln
Fuder
Fug
Fuge
fügen
Fugen-s *§ 40(1)*
fühlen
Fuhre
führen
füllen, *aber* voll
Füllen
Fulltimejob* *§ 37(1), auch*
    Full-Time-Job* *§ 45(2)*

fummeln
Fund
Fundament
Fundus
fünf *usw.* (*vgl.* acht *usw.*)
Fünfkampf *§ 37(1)*
fünftel *usw.* (*vgl.* achtel *usw.*)
fünfzig *usw.* (*vgl.* achtzig *usw.*)
fungieren
Fungizid
Funk
Funke, Funken
Funkie
Funktion
Funsel *s.* Funzel
Funzel, *auch* Funsel
für; das Für und Wider *§ 57(5)*
fürbass*
Furche
Furcht [einflößen/einflößend ...
    § 34 E3(5), § 55(4)]
füreinander [einstehen ... *§ 34 E3(2)*]
Furie
furios
fürlieb [nehmen* *§ 34 E3(2)*]
Furnier
Furore
fürs
Fürst
Furt
Furunkel
Fusel
Fusion
Fuß [fassen *§ 34 E3(5), § 55(4)*]; zu Fuß
    § 39 E2(2.1), zu Füßen [liegen ...
    § 55(4)]
Fußball-WM *§ 40(2)*
Fussel, Fuzel
Futter
Futteral
Fuzel, Fussel

G

Gabardine
Gabe
gäbe; gang und gäbe
Gabel
gackern
gaffen
Gag
Gage
gähnen
Gala
galaktisch
galant
Galaxis
Galeere
Galeone, Galione
Galerie
Galgen
Galione, Galeone
Galle
Gallert, Gallerte
Gallone
Galopp
galt
galvanisch
Gamasche
Gambe
Gamma∪strahlen ...
gammeln
Gams
Gämse*
gang; gang und gäbe
Gang *(Bande)*
Gang *(zu* gehen); in Gang [setzen ...], im Gange [sein] *§ 55(4)*
gängeln
Gangster
Gangway
Ganove
Gans
Ganter

ganz [groß ...]; ganz und gar; das Ganze, aufs Ganze [gehen ...], ums Ganze gehen, als Ganzes, im Ganzen*, im großen Ganzen*, im Großen und Ganzen* *§ 57(1)*
ganz∪leinen ... *§ 36(5)*
gar [kein, nicht, nichts, sehr, wohl *§ 39 E2(2.5)*]
gar [kochen/gekocht ... *§ 34 E3(3), § 36 E1(1.2); sein § 35*](*)
Garage
Garantie
Garaus
Garbe
Garçonnière
Garde
Garderobe
Gardine
garen
gären gor *oder* gärte
Garn
Garnele
garnieren
Garnison
Garnitur
garstig
Garten
Gärtner
Gas
Gässchen*
Gasse
Gast; zu Gast sein *§ 55(4)*
Gastritis *Pl.* ...itiden
Gastronomie
Gatte
Gatter
Gattung
Gau
GAU
Gaube, Gaupe
Gaucho

Gaudi, Gaudium
gaukeln
Gaul
Gaumen
Gauner
Gaupe, Gaube
gautschen
Gavotte
Gaze
Gazelle
Gazette
Gebärde
gebären gebar, geboren
Gebäude
geben gibt, gab
Gebiet
gebieten gebot
Gebirge
Gebrechen
Gebühr
gebühren
Geburt
Geck
Gecko
Gedanke, Gedanken
Gedeih; auf Gedeih und Verderb
    § 55(4)
gedeihen gedieh
gediegen
gedrungen
gedunsen
Geest
Gefahr [laufen, bringen/bringend*,
    drohend* ... § 34 E3(5), § 55(4)]
gefährden
Gefährte
gefallen gefiel
gefangen [nehmen/genommen ...*
    § 34 E3(4), § 36 E1(1.2)]
Gefäß
Gefieder
Gefilde
gefinkelt
geflissentlich

Gefreite
gegeben; es ist das Gegebene [, wenn/
    dass ...] § 57(1)
gegen
gegen‿lesen ...
Gegend
gegeneinander [kämpfen, stellen ...(*)
    § 34 E3(2)]
gegenüber [aufstellen ... § 34 E1]
gegenüber‿stellen ... § 34(1)
Gegner
Gehalt
geheim [bleiben, halten ...(*) § 34 E3(3)];
    das Geheime, im Geheimen* § 57(1)
geheim‿sprachlich
Geheiß
gehen ging, gegangen; [lassen(*)
    § 34 E3(6)]
geheuer
Gehöft
gehorchen
gehören
gehörig
gehorsam
Geier
Geifer
Geige
geil
Geisel; eine Geisel nehmen
    ≠ Geißel
Geiser, Geysir
Geisha
Geiß
Geißel (Peitsche, Plage) ≠ Geisel
Geist
Geiz
Gekröse
Gelage
Geländer
gelangen
Gelass*
gelassen
Gelatine

gelb *usw.* *(vgl.* blau *usw.)*; *(in Eigennamen wie)* der Gelbe Fluss *§ 60(2.4); (in Fügungen wie)* das gelbe Fieber, die gelbe Karte *(im Fußball) § 63*

gelbgrün(*) *§ 36(4)*

Geld

Gelee

gelegen

gelegentlich

Geleise, Gleis

Gelenk

Gelichter

gelinde

gelingen gelang, gelungen

gellen

geloben

Gelse

gelten gilt, galt, gegolten

Gelübde

gemach

Gemach

Gemahl

Gemälde

gemäß

gemein; die Gemeine Stubenfliege *§ 64(2)*

gemein∪sprachlich ...

Gemeinde

Gemetzel

Gemme

Gemüse

Gemüt

Gen

genannt *(zu* nennen) ╪ genant

genant *(zu* genieren) ╪ genannt

genau [nehmen/genommen ...(*) *§ 34 E3(3)*, *§ 36 E1(1.2)*]; des Genaueren* *§ 57(1);* auf das/aufs genaueste, Genaueste* *(ganz genau) § 58 E1*

genauso [gut ...(*)] *§ 39(1)*

Gendarm

Genealogie

genehm

genehmigen

General

General∪angriff ...

generalüberholen *§ 33*

Generation

generell

generieren

generös

Genese

genesen genas

Genetik

genial

Genick

Genie

genieren

genießen genoss*

genital

Genitiv

Genius

Genosse

Genre

Gentleman

gentlemanlike

genug

genügend

genuin

Genus *(Gattung)*

Genuss* *(zu* genießen)

geo∪physikalisch ...

Geo∪botanik ...

Geografie(*) *s.* Geographie

Geographie, *auch* Geografie

Geologie

Geometrie

Gepard

gerade, grade *(aufrecht)* [hinlegen, sitzen, stehen ...(*) *§ 34 E3(3)*] ╪ geradestehen

geradeso [gut ...(*) *§ 39(1)*]

geradestehen *(für etwas aufkommen)* *§ 34(2.2)* ╪ gerade stehen

gerade∪wegs, ...zu *§ 39(1)*

Geranie

Gerant

Gerät

geraten geriet

Geratewohl; aufs Geratewohl

geraum

gerben

Gerbera

gerecht

Gericht

gering [achten(*) ... *§ 34 E3(3)*]; das
Geringste*, es entgeht ihm nicht das
Geringste, es geht ihn nicht das Ge-
ringste an*, sich um ein Geringes ver-
schätzen, kein Geringerer als, nicht im
Geringsten* *§ 57(1)*

geringfügig

gerissen

Germ

germanisch

Germanistik

gern[e] [sehen/gesehen ...(*) *§ 34 E3(3),
§ 36 E1(1.2)*]

Geröll

Gerste

Gerte

Geruch

Gerücht

Gerüst

gesamt; das Gesamte, im Gesamten(*)
§ 57(1)

Gesang

Gesäß

Geschäft

geschehen geschieht, geschah

gescheit

geschenkt [bekommen ...]
§ 34 E3(4)

Geschichte

Geschick

geschickt

Geschirr; Geschirrreiniger*
§ 45(4)

Geschlecht

geschlechtsreif *§ 36(1)*

Geschmack

Geschmeide

geschmeidig

Geschmeiß

Geschöpf

Geschoss*, Geschoß *(österr., auch
schweiz.)*

Geschütz

Geschwader

geschweige

geschwind

Geschwister

Geschwür

Geselle

Gesellschaft

Gesetz

Gesicht

Gesinde

Gesindel

Gesinnung

Gespenst

Gespinst

Gestade

Gestalt

gestalten

Gestank

gestatten

Geste

gestehen gestand

gestern [Abend ...* *§ 55(6)*]

Gestik

Gestirn

Gestöber

gestochen [scharf] *§ 36 E1(3)*

Gestrüpp

Gestüt

gesund [bleiben ... *§ 34 E3(3);* sein *§ 35*];
für gesund [erklären ... *§ 58(3)*
≠ gesundbeten]

gesund⌣beten, ...schreiben ... *§ 34(2.2)*
≠ gesund bleiben

Getreide

getrennt [leben/lebend, schreiben ...(*)
§ 34 E3(4), § 36 E1 (1.2)]

Getto, *auch* Ghetto

gewahr [werden]

Gewähr [leisten *(ich leiste Gewähr)* § 34
E3(5), *auch* gewährleisten § 33 E1]
≠ Gewehr

gewahren

gewähren

gewährleisten § 33(1) *(ich gewährleiste),*
auch Gewähr leisten § 33 E1

Gewahrsam

Gewalt

Gewand

gewandt

gewärtig

Gewehr *(Waffe)* ≠ Gewähr

Geweih

Gewerbe

Gewerkschaft

Gewicht

gewieft

gewiegt

gewillt

Gewinn [bringen/bringend*, *auch* ge-
winnbringend, *aber* sehr gewinnbrin-
gend, großen Gewinn bringend § 34
E5(5), § 36(1), § 36 E1(4)]

gewinnen gewann, gewonnen

gewiss*

Gewissen

Gewitter

gewitzt

gewogen

gewöhnen

gewohnt

Geysir, Geiser

Ghetto *s.* Getto

Ghostwriter § 37(1)

Gicht

Giebel

Gier

gießen goss*

Gift

Gig

Giga∪meter ...

Gigant

Gigolo

gilben

Gilde

Gilet

Gimpel

Gin

Ginkgo, *auch* Ginko*

Ginseng

Ginster

Gipfel

Gips

Giraffe

Girl

Girlande

Girlitz

Giro

Gischt

Gitarre

Gitter

Glace *(Zuckerglasur, Eis)* ≠ Glacé

Glacé *(Gewebe), auch* Glacee ≠ Glace

Glacee* *s.* Glacé

glacieren *(mit Glace überziehen, zum*
Gefrieren bringen) ≠ glasieren

Gladiator

Gladiole

Glamour

Glanz

glänzend [schwarz ... § 36 E1(3)]

Glas

glasieren *(mit Glasur versehen)*
≠ glacieren

Glasnost

Glasur

glatt [hobeln ...(*) § 34 E3(3)]

glatt∪züngig § 36(2)

Glatze

Glaube, Glauben

glazial

gleich *(in gleicher Weise, sofort)* [groß,
gültig, gut; lauten, kommen ... § 34
E3(3) ≠ gleichgültig, ...kommen]; das
Gleiche*, Gleiches mit Gleichem vergelten, ein Gleiches tun, auf das Gleiche hinauskommen*, ins Gleiche brin-

gen* *(in Ordnung bringen),* Gleich und Gleich* § 57(1)

gleich‿gültig; ...kommen ... § 34(2.2)
 ≠ gleich gültig, ... kommen

gleichen glich

gleicher‿maßen ... § 39(1)

Gleichmut

Gleis, Geleise

gleisnerisch

gleißen

gleiten glitt

Glencheck

Gletscher

Glied

gliedern

Gliedmaße

glimmen glomm *oder* glimmte

Glimmer

glimpflich

Glissando

glitschen

glitzern

global

Globetrotter

Globus

Glocke

Gloria

glorios

Glossar

glotzen

Gloxinie

Glück

Glucke

gluckern

glucksen

Glucose *s.* Glukose

glühen

glühend [heiß ...(*) § 36 E1(3)]

Glukose, *fachspr.* Glucose

Glut

Glutamat

Glycerin *s.* Glyzerin

Glysantin *(Wz)*

Glyzerin, *fachspr.* Glycerin

Gnade

Gneis

Gnom

Gnostik

Gnu

Go

Goal

Goali, Goalie

Gobelin

Go-go-Girl § 44, § 55(1), § 55(3)

Goi *Pl.* Gojim

Go-in § 43

Gold

golden *usw.* (*vgl.* blau *usw.*); *(in Eigennamen wie)* das Goldene Kalb § 60(3.3); die Goldene Stadt *(Prag)* § 60(5); *(in Fügungen wie)* das goldene Zeitalter*, die goldene Hochzeit § 63; der Goldene Sonntag § 64(3)

Golem

Golf

Goliath

Göller

Gondel

Gondoliere

Gong

gönnen

Goodwill

Goodwill‿reise, ...tour § 37(1)

Gör, Göre

Gorgonzola

Gorilla

Gospelsong

Gosse

Gott; Gott sei Dank

Gotte

Götti

Götze

Gouda

Gourmand

Gourmet

goutieren

Gouverneur

Grab; zu Grabe tragen
  § 55(4)
graben grub
Gracht
Grad *(Maß)* ≠ Grat
grade, gerade
graduell
Graecum
Graf
Graffito *Pl.* Graffiti
Grafie(*) *s.* Graphie
Grafik, *auch* Graphik
grafisch, *auch* graphisch
Grafit(*) *s.* Graphit
Grafologe(*) *s.* Graphologe
Gral
gram [sein § 35, § 56(1)]
Gram
Gramm
Grammatik
Grammel
Grammofon(*) *s.* Grammophon
Grammophon, *auch* Grammofon
Gran, Grän
Granat
Granate
Grand
Grand ouvert
Grand Prix
Grandezza
grandios
Grandseigneur
Grandslam* § 37(1), *auch* Grand Slam
  § 37 E1
Granit
Granne
grantig
Granulat
Grapefruit
Graphie, *auch* Grafie
Graphik *s.* Grafik
graphisch *s.* grafisch
Graphit, *auch* Grafit
Graphologe, *auch* Grafologe

Gras
grassieren
grässlich*
Grat *(Bergkamm)* ≠ Grad
Gräte
Gratifikation
gratis
Grätsche
Gratulant
gratulieren
grau *usw. (vgl.* blau *usw.); (in Eigennamen wie)* die Grauen Panther, die Grau-
en Schwestern *(kath. Kongregation)*
§ 60(4.2); *(in Fügungen wie)* eine graue
Eminenz § 63
graublau § 36(4)
Gräuel* (*zu* Grauen)
grauen *(hell, fahl werden)*
grauen *(Angst empfinden)*
Grauen [erregen/erregend(*), *auch* grauenerregend, sehr grauenerregend, *aber*
großes Grauen erregen § 34 E3(5),
  § 36(1), § 36 E1(4)]
graulen
graulich (*zu* grau), *auch* gräulich
gräulich (*zu* grau), *auch* graulich
gräulich* (*zu* Grauen)
Graupe
Graupel
Graus
grausam
grausen
Grauwacke
Grave
gravieren
gravierend
Gravitation
gravitätisch
Grazie
grazil
graziös
Greenhorn
greifen griff
Greis

Greißler

grell [beleuchten/beleuchtet ...(*)
   § 34 E3(3), § 36 E1(1.2)]

Gremium

Grenadier

Grenze

grenzenlos; sich ins Grenzenlose
   steigern § 57(1)

Griebe

griechisch, Griechisch
   (vgl. deutsch, Deutsch)

Griesgram

Grieß

Griff

Griffel

Grill

Grille

grillen, grillieren

Grimasse

Grimm

Grimmen

Grind

grinsen

Grippe

Grislibär*, auch Grizzlybär

Grizzlybär s. Grislibär

grob; das Grobe, aus dem Groben arbeiten*, das Gröbste; aus dem Gröbsten
   heraus sein § 57(1); am gröbsten, auf
   das/aufs gröbste, Gröbste* § 58 E1

Grog

groggy

grölen

Groll

Gros (zwölf Dutzend) § 55(5)

Gros (überwiegender Teil)

Groschen

groß [(in großer Weise) anlegen/angelegt,
   schreiben/geschrieben (in großer Schrift
   schreiben, besonders schätzen) ...* § 34
   E3(3), § 36 E1(1.2) ≠ großschreiben];
   das Große, im Großen(*), im großen
   Ganzen(*), im Großen und Ganzen*
   § 57(1); Groß und Klein* § 57(1), § 58
   E2; (in Eigennamen wie) die Große

Strafkammer § 60(2.1), der Große
Teich* (Atlantik) § 60(5); (in Fügungen
wie) das große Einmaleins, die große
Kreisstadt § 63

groß‿schreiben* § 34(2.2) (mit großem
   Anfangsbuchstaben schreiben) ≠ groß
   schreiben; ...spurig ... § 36(2); ...artig;
   das Großartige § 57(1)

großenteils § 39(1)

Grossist

grotesk

Grotte

Grube

grübeln

Grude

Gruft

Grummet, Grumt

grün usw. (vgl. blau usw.); (in Eigennamen wie) das Grüne Gewölbe (in Dresden) § 60(3.2); die Grüne Insel (Irland)
   § 60(5); (in Fügungen wie) die grüne
   Grenze, die grüne Hochzeit, die grüne
   Lunge § 63

grünblau(*) § 36(4)

Grund; im Grunde; auf Grund, aufgrund; zu Grunde*, zugrunde § 39
   E3(3), § 55(4)

grund‿falsch ... § 36(5)

gründlich [säubern ...
   § 34 E3(3)]

Grünspan

grunzen

Gruppe

Grus (Gestein) ≠ Gruß

gruseln

Gruß (zu grüßen) ≠ Grus

grüßen

Grütze

Guano

gucken, kucken

Guerilla

Gugelhupf

Gugge

Guillotine

Gulasch, (österr. auch) Gulyás

Gulden
Gülle
Gully
gültig
Gulyás s. Gulasch
Gummi
Gunst; zu Gunsten*, zugunsten; zu [seinen ...] Gunsten § 39 E3(3), § 55(4)
günstig
Guppy
Gurgel
Gurke
gurren
Gurt
Guru
Guss*
Güster

gustieren
Gusto
gut (*vgl.* besser, beste) [gehen, meinen/gemeint ...(*) § 34 E3(3); sein § 35; (*lesbar, verständlich*) schreiben § 34 E3(3) ≠ gutschreiben]; das Gute, alles Gute, des Guten zu viel[1]) tun, im Guten [wie im Bösen]*, zum Guten [lenken ...] § 57(1); jenseits von gut und böse* § 58(3); Guten Tag sagen*, *auch* guten Tag sagen
gut‿schreiben *(anrechnen)* § 34(2.2) ≠ gut schreiben
gutmütig § 36(2)
Gymnasium
Gymnastik
Gynäkologie
Gyros

---

[1]) Das amtliche Wörterverzeichnis schreibt *zuviel*. Nach § 39, E2 (2.4) ist jedoch Getrenntschreibung anzusetzen.

Haar, *aber* Härchen, hären *§ 9 E2*
haben hat, hatte
Habicht
Habilitand
Habit
Habitus
Hachse, Haxe
Hacke *(Gerät)*
Hacke, Hacken *(Ferse)*
Hackepeter
Häcksel
hadern
Hades
Hafen
Hafer
Haferl, Häferl
Haff
Haft
haften [bleiben* *§ 34 E3(6)*]
Hag
Hage∪buche ...
Hagebutte
Hagel
hager
Hagestolz
Häher
Hahn
Hahnrei
Hai
Hain
Hairstylist* *§ 37(1)*
häkeln
haken
Haken
halb; etwas Halbes, ein Halbes, eine[n] Halbe[n] trinken *§ 57(1)*; um halb acht *§ 56(6)*; der Zeiger steht auf halb *§ 58(3)*
halb∪amtlich ... *§ 36(5)* ≠ halb amtlich
halbmast; [eine Flagge] halbmast [hissen]; [auf] halbmast [setzen] *§ 58(3)*

Halde
Hälfte
Halfter
Hall
Halle
halleluja
Hallimasch
hallo
Halluzination
Halm
Halogen∪lampe ...
Hals
halt; ein lautes Halt rufen, laut Halt rufen *§ 57(5)*, *auch* laut halt rufen*
Halt [finden, machen ...(*) *§ 34 E3(5)*, *§ 55(4)*]
halten hielt
Halunke
Hämatom
Häme
Hammel
Hammer
Hammondorgel
Hämorrhoiden, *auch* Hämorriden
Hämorriden* *s.* Hämorrhoiden
hampeln
Hamster
Hand; [eine] Hand voll* [Heu] *§ 39 E2(1)*; zu Händen; zuhanden, anhand [von; dessen/deren...] *§ 39(3)*; Hand-in-Hand-Arbeiten *§ 43*, *§ 55(2)*, *§ 57(2)*
hand∪fest ...
Handel [treiben/treibend ...(*) *§ 34 E3(5)*, *§ 36 E1(1.2)*]
Händel
handhaben *§ 33(1)*
Handikap, *auch* Handicap
Hand-out* *§ 43*, *auch* Handout *§ 37(2)*
hanebüchen
Hanf
Hang

Hangar
hangen hing, gehangen
hängen [bleiben, lassen ...(*) § 34 E3(6)]
  hängte
hänseln
Hantel
hantieren
hantig
hapern
Happen
Happening
happy
Happyend* § 37(1), auch Happy End*
  § 37 E1
Harakiri
Harass*
Härchen (zu Haar) § 9 E2
Hardcover* § 37(1), auch Hard Cover*
  § 37 E1, Hardcovereinband*
Hardliner § 37(1)
Hardrock* § 37(1), auch Hard Rock
  § 37 E1
Hardware § 37(1)
Harem
hären (zu Haar) § 9 E2
Häresie
häretisch
Harfe
Harke
Härlein (zu Haar) § 9 E2
Harlekin
härmen
harmlos
Harmonie
Harn
Harnisch
Harpune
harren
harsch
Harsch
hart [gekocht, gesotten ...(*)
  § 36 E1(1.2)]
hart∪leibig ... § 36(2)
Harz

Hasard
Haschee
haschen
Häscher
Haschisch
Hase
Hasel
Haspel
Hass*
hässlich*
Hast
hätscheln
hatschen
Hattrick
Hatz
Haube
Haubitze
Hauch
hauch∪dünn ... § 36(1)
hauen haute oder hieb, gehauen
Hauer, Häuer (zu hauen) + Heuer
Haufen
häufig
Haupt
Häuptel
Haus [halten* (ich halte Haus §34 E3(5)),
  auch haushalten § 33 E1]; nach Hause,
  zu Hause, von Hause aus, von zu Hause
  § 39 E2(2.1), (österr., schweiz. auch)
  nachhause*, zuhause*, von zuhause*
  § 55(4); das Zuhause § 57(5)
hausen
Hausen
haushalten (ich haushalte) § 33(1), auch
  Haus halten § 33 E1
Hausse
Haut
haut∪eng ...
Hautevolee
Hautgout
Havarie
Haxe, Hachse
Hazienda
Headhunter

Headline
Hearing
Hebamme
Hebel
heben hob
hecheln
Hecht
Heck
Hecke
Hederich
Heer
Hefe
heften
heftig
Hegemonie
hegen
Hehl *(kein[en] Hehl aus etwas machen)* ≠ Hel
hehr *(erhaben, heilig)* ≠ her
Heide
Heidelbeere
Heidschnucke
heikel
heil
Heiland
Heilbutt
heilig [sprechen ...(*) *§ 34 E3(3);* sein *§ 35*]; der, die Heilige *§ 57(1); (in Eigennamen wie)* die Heiligen Drei Könige, der Heilige Geist *§ 60(1);* das Heilige Grab *§ 60(3.2);* das Heilige Land *(Palästina) § 60(5);* der Heilige Vater *(Papst) § 64(1); (in Fügungen wie)* die heilige Theresa, das heilige Abendmahl, der heilige Krieg [des Islam] *§ 63;* die Heilige Nacht *(Weihnachten) § 64(3)*
Heim
heim∪bringen, ...gehen, ...fahren, ...führen, ...leuchten, ...reisen, ...suchen, ...zahlen ... *§ 34(3), § 56(2)*
Heimat
heimlich [tun ...(*) *§ 34 E3(3)*]
Heimtücke
Heinzelmännchen
Heirat

heischen
heiser
heiß [ersehnt ...(*) *§ 36 E1(1.2)*]; ein heißes Eisen, heiße Höschen *§ 63*
heiß∪blütig ... *§ 36(2)*
heißen *(hissen)*
heißen hieß *(nennen, genannt werden, befehlen)*
heiter
heizen
Hektar, Hektare
Hektik
Hekto∪liter ...
Hel *(Unterwelt)* ≠ Hehl
Held
helfen hilft, half, geholfen
Helikopter
helio∪tropisch ...
Helio∪gravüre ...
Helium
hell [strahlen/strahlend(*) ... *§ 34 E3(3), § 36 E1(1.2)* ≠ hellsehen]
hell∪blau, ...licht*, ...wach *§ 36(5)*
hell∪sehen *§ 34(2.2)* ≠ hell strahlen ...
Hellebarde
Heller
Helm
Hemd
Hemisphäre
Hemlocktanne
hemmen
Hengst
Henkel
Henker
Henna
Henne
Hepatitis *Pl.* ...tiden
her; hin und her; das Hin und Her *§ 57(5)* ≠ hehr
her∪kommen ... *§ 34(1)*
herab
herab∪fallen ... *§ 34(1)*
Heraldik
heran

heran∪fahren ... § 34(1)
herauf
herauf∪gehen ... § 34(1)
heraus
heraus∪finden ... § 34(1)
heraußen
herb
Herbarium
herbei
herbei∪eilen ... § 34(1)
Herberge
Herbizid
Herbst
Herd
Herde
herein
herein∪holen ... § 34(1)
Hering
herinnen
Herkules
Herlitze
Hermelin
hermetisch
hernach
hernieder
hernieder∪gehen ... § 34(1)
heroben
Heroe
Heroin *(Rauschgift)*
Heroin, Heroine *(zu* Heros)
Herold
Heros
Herpes
Herr; einer Sache Herr werden § 55(4)
herrlich
Hertz *(Maßeinheit)* ✢ Herz
herüber
herüber∪winken ... § 34(1)
herum
herum∪laufen ... § 34(1)
herunten
herunter
herunter∪rennen ... § 34(1)
hervor

hervor∪brechen ... § 34(1)
Herz *(Organ);* zu Herzen nehmen, von
    Herzen § 55(4) ✢ Hertz
herz∪erfrischend; ...allerliebst ...
    § 36(1)
herzlich; auf das/aufs herzlichste,
    Herzlichste(*) *(herzlichst)* § 58 E1
Herzog
herzu
herzu∪kommen ... § 34(1)
Hetäre
hetero∪sexuell ...
Hetero∪sphäre ...
heterogen
Hetze
Heu
heucheln
heuer
Heuer *(Lohn eines Seemanns usw.)*
    ✢ Häuer
heulen
heurig
Heuschreck, Heuschrecke
heute *usw.* (*vgl.* gestern *usw.*)
heutzutage § 39(1)
Hexa∪gramm ...
Hexe
Hibiskus
hie∪bei ...
Hieb
hier [bleiben ...(*) § 34 E3(2); sein § 35];
    hier und jetzt; das Hier und Jetzt
    § 57(5)
hier∪an ...
Hierarchie
Hieroglyphe
hierzu § 39(1)
hierzulande § 39(1), *auch* hier zu Lande
    § 39 E2(2.1) (*zu* zu Lande)
hiesig
hieven
Hi-Fi
Hifthorn

High∪life, ...light, ...riser, ...society,
...tech, ...way ...(*) § 37(1)

Hijacker

Hilfe [suchen/suchend ...(*) § 34 E3(5),
§ 36 E1(1.2)]; mit Hilfe, mithilfe* § 39
E3(3); zu Hilfe [kommen] § 55(4)

Hillbillymusic*, *auch* Hillbillimusik*
§ 37(1)

Himbeere

Himmel

himmelwärts § 39(1)

hin [und her]; das Hin und Her § 57(5)

hin∪fallen ...; hin- und hergehen ...
§ 34(1)

hinab

hinab∪gehen ... § 34(1)

hinan

hinan∪gehen ... § 34(1)

hinauf

hinauf∪ziehen ... § 34(1)

hinaus

hinaus∪schieben ... § 34(1)

hindern

Hinduismus

hindurch

hindurch∪zwängen ... § 34(1)

hinein

hinein∪bringen ... § 34(1)

hingegen

hinken

Hinkunft; in Hinkunft

hinnen; von hinnen

Hinsicht; in Hinsicht auf § 55(4)

hintanstellen § 34(1)

hinten

hinten∪an, ...über ...

hintenüber∪fallen ... § 34(1)

hinter

hinter∪gehen § 33(3), ...listig, ...rücks ...
§ 36(2)

hintereinander [hergehen, schreiben
...(*) § 34 E3(2)]

hinterher [sein § 35]

hinterher∪hinken ... § 34(1)

hinters

hinüber

hinüber∪gehen ... § 34(1)

hinunter

hinunter∪blicken ... § 34(1)

hinweg

hinweg∪fegen ... § 34(1)

Hinz; Hinz und Kunz

hinzu

hinzu∪kommen ... § 34(1)

Hiobsbotschaft

Hippe

Hippie

Hirn

Hirsch

Hirse

Hirt, Hirte

hissen

Historie

Hit

Hitze

hitzebeständig § 36(1)

Hobby

Hobel

hoch/höher [fliegen, springen ...(*)
§ 34 E3(3) ≠ hochspringen]

hoch (hohe, höher, höchste); die Hohen
und die Niederen/Niedrigen § 57(1);
Hoch und Nieder*/Niedrig* § 57(1),
§ 58 E2; (in Eigennamen wie) die Hohen
Tauern *(in Österreich)* § 60(2.3); das
Hohe Lied*, der Hohe Priester*
§ 60(3.3); (in Fügungen wie) das höchste
der Gefühle § 58(1); das hohe C, das
hohe Haus *(Parlament),* die höhere
Schule *(Oberschule),* die hohe Schule
[des Reitens] § 63

Hoch § 57 E

hoch∪gemut § 36(2); ...giftig ... § 36(5);
...springen ... § 34(2.2)
≠ hoch springen

höchst [selten ...] (zu hoch)

höchst∪wahrscheinlich ... § 36(2)

Hochzeit

Hocke

Höcker
Hockey
Hode, Hoden
Hof [halten, hält Hof* § 34 E3(5),
  § 55(4)]
Hoffart
hoffen
hoffentlich
Hoffnung
höflich
hohe (*zu* hoch)
Hoheit
hohl
Höhle
Hohn [lachen *(ich lache Hohn)** § 55(4)
  ≠ hohnlachen; sprechen *(ich spreche
  Hohn)** § 55(4) ≠ hohnsprechen]
hohn∪lachen *§ 33(1) (ich hohnlache)*
  ≠ Hohn lachen
Hokuspokus
hold
Holder, Holler, Holunder
Holding[gesellschaft] *§ 37(1)*
Holdrio
holen
Holle
Hölle
Holler, Holder, Holunder
Hollywoodschaukel *§ 37(1)*
Holm
holo∪kristallin ...
Holo∪gramm ...
Holocaust
Holozän
holpern
Holster
Holunder, Holder, Holler; der
  Schwarze Holunder *§ 64(2)*
Holz
Homeland
Hometrainer *§ 37(1)*
Homo
homo∪sexuell ...
Homo∪erotik ...

homofon* *s.* homophon
homogen
Homöopathie
homophon, *auch* homofon
Homunkulus
Honig
Honneurs
Honorar
Honoratioren
Hooligan
Hopfen
hoppeln
hopsen
horchen
Horde
hören
Horizont
Hormon
Horn
Hornisse
Horoskop
horrend
Horror
Horsd'œuvre
Horst
Hort
Hortensie
hosanna *s.* hosianna; das Hosanna
Hose
hosianna, *auch* hosanna; das Hosianna
Hospital
Hospitant
Hospiz
Hostess*
Hostie
Hot
Hotdog* *§ 37(1), auch* Hot Dog* *§ 37 E1*
Hotel
Hotelier
Hotellerie
Hotjazz* *§ 37(1), auch* Hot Jazz *§ 37 E1*
Hotpants* *§ 37(1), auch* Hot Pants*
  § 37 E1
Hovawart

Hub
Hube
hüben; hüben und drüben
hübsch
Huchen
huckepack [nehmen, tragen ...
  § 34 E3(2)]
hudeln
Huf
Hüfte
Hügel
Huhn
hui; der Hui § 57(5), in einem Hui
  § 55(4), § 57(5)
Hula-Hoop, Hula-Hopp
Huld
Hülle
Hülse
human
Humbug
Hummel
Hummer
Humor
humos
humpeln
Humpen
Humus
Hund
hundert, Hundert(*) § 55(5), § 58(6),
  § 58 E5; hunderte*, Hunderte § 58 E5
hundert‿fach [größer ...] ...; das Hundertfache, um das Hundertfache [grö-
  ßer] § 57(1); ...prozentig, auch 100-pro-
  zentig* § 40(3), 100%ig § 41 E
Hunderter; der Hunderterpack
Hundertmeterlauf, auch Hundert-Me-
  ter-Lauf, 100-Meter-Lauf, 100-m-Lauf
  § 55(1), § 55(2)
hundertste; der, die, das Hundertste(*),
  vom Hundertsten ins Tausendste kommen § 57(1)
hundertstel § 56(6) [Sekunde § 37 E2,
  auch   Hundertstelsekunde   § 37(1),
  100stel Sekunde* § 42; die/eine hun-

dertstel   Sekunde/Hundertstelsekunde
  § 56(6)]
Hundertstel[sekunde] § 37(1), § 56(6),
  auch hundertstel Sekunde § 37 E2,
  100stel-Sekunde § 42; die/eine Hun-
  dertstelsekunde/hundertstel   Sekunde
  § 56(6)
Hüne
Hunger
hungers*; hungers sterben § 56(3)
Hupe
hüpfen
Hürde
Hure
hurra; Hurra schreien* § 57(5), auch
  hurra schreien
Hurrikan
hurtig
Husar
huschen
Husky
hussen
Husten
Hut
hüten
Hutsche
Hütte
hutzelig, hutzlig
Hyäne
Hyazinthe
hybrid
Hybris
Hydrant
Hydrat
Hydraulik
hydro‿dynamisch ...
Hydro‿therapie ...
Hydrolyse
Hydroxyd
Hygiene
Hygroskop
Hymen
Hymne
hyper‿kritisch ... § 36(5)

Hyper⌣funktion ...   Hypotenuse
Hyperbel   Hypothek
Hypnose   Hysterie
hypnotisch H_2O-gesättigt *§ 40(2)*
Hypochonder

iahen
iberoamerikanisch(*) *§ 36(2)*
ich; das Ich *§ 57(3); (vgl.* mein, mir,
  mich)
Ich∪form, ...laut, ...sucht ...(*) *§ 37(1)*
Idee
Identität
Ideologie
Idiom
Idiot
Idol
Idyll, Idylle
I-förmig (*in der Form des
  Großbuchstabens* I) *§ 40(1)*
Igel
Ignorant
Ignoranz
Ihle
ihm (*zu* er)
ihn (*zu* er)
ihnen (*zu* sie *Pl.*)
Ihnen (*zu* Sie)
ihr (*zu* sie *Sg.*)
ihr(*) *(Personalpronomen)*
  (*vgl.* euer(*), euch(*)) *§ 66*
ihr *(Possessivpronomen) § 58(1);* die Ihren, die ihren* (die Ihrigen, die ihri-
  gen*); das Ihre, das ihre* (das Ihrige,
  das ihrige*) *§ 58 E3*
Ihr *(Possessivpronomen, höfliche Anrede);*
  das Ihre/Ihrige, die Ihren/Ihrigen *§ 65*
ihrer *(Personalpronomen) (zu* sie)
Ihrer *(Personalpronomen) (zu* Sie)
ihrerseits *§ 39(1) (vgl.* sie)
Ihrerseits *(höfliche Anrede) § 65*
  (*vgl.* Sie)
ihres∪gleichen, ...teils *§ 39(1) (vgl.* sie)
Ihresgleichen *(höfliche Anrede) § 65*
  (*vgl.* Sie)
ihret∪halben, ...wegen, ...willen *§ 39(1)*
Ikebana

Ikone
il∪legal ...
Il∪liberalität ...
Ilex
Illumination
Illusion
Illustration
Iltis
im
im∪mobil ...
Im∪moralität ...
Image
Imagination
Imam
Imbiss*
Imitation
Imker
immanent
Immanenz
immatrikulieren
Imme
immens
immer [wieder ...]
immer∪dar, ...hin, ...fort, ...zu
  § 39(1)
Immigrant
Immission
Immobilien
immun
Imperativ
Imperfekt
Imperium
impertinent
Impertinenz
Impetus
impfen
Implantation
Implikation
implizieren
implodieren

Implosion
imponieren
Import
imposant
imprägnieren
Impresario
Impression
Impressum
Imprimatur
Impromptu
Improvisation
Impuls
imstande [sein *§ 35*], *auch* im Stande
  [sein](*), *§ 39 E3(1), § 55(4)*
in [Anbetracht, Bezug*] *§ 55(4)*
in‿aktiv, ...finit ...
In‿effizienz ...
indem *§ 39(2)*
indessen *§ 39(1)*
Index *Pl.* -e *oder* ...dizes, *auch*
  ...dices*
indigniert
Indigo
Indikation
Indikativ
Individuum
Indiz
indizieren
indo‿europäisch ...
Indo‿germanistik ...
indoktrinieren
Induktion
induktiv
Industrie
induzieren
ineinander [fließen, verlieben ...(*)
  § 34 E3(2)]
infam
Infanterie
infantil
Infarkt
Infektion
Inferno
Infiltration

Infinitiv
infizieren
Inflation
Influenz
infolge *§ 39(3)*
infolgedessen *§ 39(1)*
Informand *(der zu Informierende)*
Informant *(der Informierende)*
Informatik
Information
informell
infra‿rot ...
Infra‿struktur ...
infrage*, *auch* in Frage [stellen ...(*)
  § 39 E3(1), § 55(4), das Infragestellen
  § 37(2)]
Infusion
Ingenieur
Ingrediens *Pl.* ...enzien, Ingredienz
  Pl. -en
Ingwer
Inhalation
Inhalt
inhärent
Inhärenz
Initiale
Initiative
initiieren
Injektion
injizieren
Injurie
Inkasso
inklusive
inkognito
inkriminieren
Inkubation
Inlay
Inlett
inmitten *§ 39(3)*
inne [sein* *§ 35*]
inne‿haben, ...werden ... *§ 34(1),*
  § 34 E2
innen

innere; das Innere, das Innerste, im Innern, im Innersten § 57(1), die innere Medizin, die inneren Angelegenheiten § 63

innerorts

innert

innig

Innovation

Innung

Input

Inquisition

ins

Insasse

Insekt

Insel

Inserat

Insider

Insignien

inskribieren

Inskription

insolvent

Insolvenz

Inspektion

Inspiration

Inspizient

Installation

instand, *auch* in Stand [setzen/gesetzt ...(*) § 39 E3(1), § 55(4)]

inständig

instant

Instanz

Instinkt

Institution

instruieren

Instruktion

Instrument

insuffizient

Insuffizienz

Insulaner

Insulin

inszenieren

intakt [bleiben ... § 34 E3(2)]

Intarsia, Intarsie

integer

integral

Integration

Intellekt

intelligent

Intelligenz

Intendant

Intendanz

intendieren

Intension *(Anspannung; Eifer)* ✢ Intention

Intensität

intensiv

Intention *(Absicht)* ✢ Intension

inter⌣disziplinär ...

Inter⌣sexualität ...

Intercity

interessant

Interessent

Interferenz

Interieur

Interim

Interjektion

Intermezzo

intern

international; der Internationale Frauentag § 64(3)

internieren

Internist

Interpolation

Interpretation

interpungieren, interpunktieren

Interpunktion

Interrail⌣ticket ...

Interregio

Interregnum

interrogativ

Interruption

Intervall

Intervenient

intervenieren

Intervention

Interview

Inthronisation

intim
Intonation
intra∪molekular ...
Intrada, Intrade
Intrigant
Introduktion
Introitus
introvertiert
Intuition
intus
invalid, invalide
Invasion
Inventar
Investition
Investment
involvieren
inwendig
inwiefern § 39(2)
Inzest
Ion
Iota s. Jota
i-Punkt* § 40(1), § 55(1)
ir∪real ...
Ir∪regularität ...
irdisch

irgend∪ein § 39(4), *aber* irgend so ein
§ 39 E2(1); ...einmal, ...etwas(*), *aber*
irgend so etwas, ...jemand(*), ...wann,
...was, ...welcher, ...wer, ...wie, ...wo,
...wohin § 39(1), § 39(4), § 58(4)
Iris
Ironie
irr[e] [sein § 35]
irre∪führen/irregeführt [werden] § 34(3),
§ 36(3)
Irritation
Irrwisch
Ischias
Isegrim
Islam
iso∪chromatisch ...
Iso∪glosse ...
Isolation
Isotop
isotrop
isst* (*zu* essen) + ist
ist (*zu* sein) + isst
italienisch, Italienisch
(*vgl.* deutsch, Deutsch)
Italowestern
i-Tüpfelchen* § 40(1), § 55(1)

J

ja; das Ja § 57(5), ein Ja aussprechen, Ja
   sagen*, *auch* ja sagen; [mit] Ja stimmen
   § 55(4), § 57(5)
Jacht, Yacht
Jacke
Jackett
Jackpot
Jade
Jagd
jagen
Jaguar
jäh
Jähheit*
Jahr
jahrelang, *aber* mehrere Jahre lang
   § 36(1), § 36 E1(4)
Jak, Yak
Jalousie
Jam
Jambe, Jambus
Jammer
Jamsession*
Jamswurzel
Janker
Jänner
Januar
japanisch, Japanisch
   (*vgl.* deutsch, Deutsch)
Jargon
Jasmin
Jaspis
Jass*
jäten
Jauche
jauchzen, juchzen
jaulen
Jause
jausen, jausnen
jawohl
Jazz

je
Jeans
jeder, jede, jedes; ein jeder, ein jedes,
   eine jede § 58(4)
jedermann
jederzeit §39(1), *aber* zu jeder Zeit
   § 39 E2(1)
jedoch
Jeep
jemand § 58(4)
jene, jener, jenes § 58(4)
jenseits [liegen ... § 34 E3(2)]; das
   Jenseits, im Jenseits § 57(5)
Jerez, Sherry
Jersey
Jet, *aber* jetten
Jetliner
Jeton
jetten, *aber* Jet
jetzig
jetzt; jetzt und hier; das Jetzt und Hier
   § 57(5)
jeweils
Jiu-Jitsu
Job, *aber* jobben
jobben, *aber* Job
Jobsharing* § 37(1)
Joch
Jockei, *auch* Jockey
Jod
jodeln
Joga, Yoga
joggen
Jogging
Joghurt, *auch* Jogurt
Jogurt* *s.* Joghurt
johlen
Joint
Jointventure* § 37(1), *auch* Joint
   Venture* § 37 E1
Jo-Jo, Yo-Yo

Joker
Jolle
Jongleur
Joppe
Jota, *auch* Iota
Joule
Journalist
jovial
Joystick *§ 37(1)*
Jubel
Jubiläum
Juchten
juchzen, jauchzen
jucken
Judo
Jugend
Juice
Jukebox *§ 37(1)*
Julei, Juli
Jumbo
Jumper
jung; die Jungen, Junge und Alte, unsere Jüngste *§ 57(1);* Jung und Alt(*) *§ 57(1), § 58 E2;* das Jüngste Gericht *§ 64(4)*
Jungfer

Jungfern‿fahrt ...
Juni
junior
Junker
Junkie
Junktim
Junta
Jupe
Jura
juridisch
Jurist
Juror
Jurte
Jury
Jus
justieren
justitiabel, justiziabel
Justitiar, Justiziar
Justiz
justiziabel*, justitiabel
Justiziar*, Justitiar
Jute
Juwel
Juwelier
Jux

K

Kabale
Kabarett
kabbeln
Kabel
Kabeljau
Kabine
Kabinett
Kabrio[lett], Cabrio[let]
Kachel
Kadaver
Kadenz
Kader
Kadett
Kadi
Käfer
Kaff
Kaffee; Kaffeeersatz* § 45(4)
Kaffer
Käfig
Kaftan
kahl [bleiben, scheren ...(*) § 34 E3(3); sein § 35]
Kahn
Kai, Quai
Kaiman
Kaiser
Kajak
Kajüte
Kakadu
Kakao
Kakerlak
Kaki, auch Khaki
Kaktee, Kaktus
Kalabreser
Kalamität
Kalaschnikow
Kalauer
Kalb
Kalebasse
Kaleidoskop

Kalender
Kalesche
Kali
Kaliber
Kalif
Kalk
Kalkül
Kalligrafie(*) s. Kalligraphie
Kalligraphie, auch Kalligrafie
Kalmar
Kalmus
Kalorie
kalt [bleiben, lassen, stellen ...(*) § 34 E3(3) ≠ kaltstellen]; (in Fügungen wie) auf kalt und warm reagieren § 58(3); kalte Ente (ein Getränk); eine kalte Fährte; ein kalter Krieg; die kalte Miete (Miete ohne Heizung) § 63; der Kalte Krieg* (zwischen Ost und West nach dem Zweiten Weltkrieg) § 64(4)
kalt⌣schnäuzig ... § 36(2); ...stellen ≠ kalt stellen
Kälte
Kalvarienberg
Kalvinismus, Calvinismus
Kalzit, fachspr. Calcit
Kalzium, fachspr. Calcium
Kamarilla
Kambrium
Kamee
Kamel
Kamelie
Kamera
Kamerad
Kamikaze
Kamille
Kamin
Kamm
Kammer
Kampagne, auch Campagne
Kampanile

Kampf
Kampfer
kampieren
Kanadier
Kanaille, *auch* Canaille
Kanal
Kanapee
Kanarienvogel
Kandare
Kandelaber
Kandidat
Kandis
Kanditen
Känguru*
Kaninchen
Kanister
Kanker
Kanne
Kännel *(Dachrinne)* ≠ Kennel
Kannibale
Kanon
Kanone
Kanossagang, Canossagang
Kantate
Kante
Kanten
Kanter
Kantilene
Kantine
Kanton
Kantor
Kanu
Kanüle
Kanzel
kanzerogen
Kanzlei
Kanzone
Kaolin
Kap
Kapaun
Kapazität
Kapelle
Kaper
kapern

kapieren
Kapillare
Kapital
Kapitäl, Kapitell
Kapitän
Kapitel
Kapitell, Kapitäl
Kapitulant
Kaplan
Kapo
Kappe
kappen
Kaprice, Kaprize *(österr.)*
Kapriole
Kaprize *(österr.),* Kaprice
kapriziös
Kapsel
Kaput
kaputt
kaputt‿gehen § 34(2.2)
Kapuze
Kapuziner‿affe ...
Kar
Kar‿woche ...
Karabiner
Karaffe
Karakul‿schaf ...
Karambolage
Karamell*
Karamelle
Karat
Karate
Karausche
Karavelle
Karawane
Karbid, *fachspr.* Carbid
Karbol
Karbon
Karbonat, *fachspr.* Carbonat
Kardamom
Kardan‿antrieb ...
Kardätsche *(Pferdebürste)* ≠ Kartätsche
Karde
Kardinalzahl

Karenz
Karette
Karfiol
Karfunkel
karg
Kargo, auch Cargo
kariert
Karies
Karikatur
karitativ, aber Caritas
karmesinrot
karminrot
Karneol
Karneval
Karnickel
Karniese, Karnische
Karo
Karosse
Karosserie
Karotin
Karotte
Karpfen
Karre, Karren
Karree
Karren, Karre
Karriere
Karst
Kartätsche (Artilleriegeschoss)
　✛ Kardätsche
Kartause
Karte; Karten spielen § 34 E3(5), § 55(4)
Kartell
Kartoffel
Kartografie(*) s. Kartographie
Kartographie, auch Kartografie
Karton
Kartothek
Kartusche
Karussell
Karzer
Kasach, Kasak (Teppich) ✛ Kasack
Kasack (Bluse) ✛ Kasak
Kasak, Kasach (Teppich) ✛ Kasack
Kaschemme

kaschen
Käscher s. Kescher
kaschieren
Kaschmir‿schal ...
Käse
Kasel
Kasematte
Kaserne
Kasino
Kaskade
Kasko
Kasper, Kasperl
Kassa
Kassandraruf
Kasse
Kasserolle
Kassette
Kassiber
Kassier, Kassierer
Kastagnette
Kastanie
Kaste
kasteien
Kastell
Kasten
Kastration
Kasuistik
Kasus
Katafalk
Katakombe
Katalog
Katalysator
katalytisch
Katamaran
Katapult
Katarakt
Katarr* s. Katarrh
Katarrh, auch Katarr
Kataster
Katastral‿gemeinde ...
Katastrophe
Kate, Katen
Katechismus
Kategorie

Kater

Katheder *(Rednerpult)* ╪ Katheter

Kathedrale

Kathete

Katheter *(medizin. Instrument)*
  ╪ Katheder

Kathode, *auch* Katode

katholisch

Katode *s.* Kathode

Kattun

Katze

Kauderwelsch

kauen

kauern

Kauf; in Kauf nehmen *§ 55(4)*

Kaulquappe

kaum

Kauri[muschel]

kausal

Kaution

Kautschuk

Kauz

Kavalier

Kavallerie

Kavatine

Kaverne

Kaviar

Kebab

keck

keckern

Keeper

Keepsmiling* *§ 37(1)*

Kees

Kefe

Kefir

Kegel [schieben ...(*) *§ 34 E3(5), § 55(4)*]

Kehle

kehren

kehrt⌣machen *§ 34(2.1)*

keifen

Keil

Keim

keiner, keine, keines *§ 58(4)*

keines⌣falls, ...wegs *§ 39(1), aber*
  in keinem Fall *§ 39 E2(1)*

keinmal *§ 39(1)*

Keks

Kelch

Kelim

Kelle

Keller

Kellner

Kelter

Kelvin

Kemenate

Kenn⌣nummer* ... *§ 45(4)*

Kennel *(Hundezwinger)* ╪ Kännel

kennen kannte; kennen [lernen/gelernt*]
  § 34 E3(6), § 36 E1(1.2)

kenntlich

Kentaur, Zentaur

kentern

keppeln

Keramik

Kerbe

Kerbel

Kerf

Kerker

Kerl

Kern

Kerner

Keroplastik, Zeroplastik

Kerosin

Kerub, Cherub

Kerze

Kescher, *auch* Käscher

kess*

Kessel

Ketchup *s.* Ketschup

Ketschup*, *auch* Ketchup

Kette

Ketzer

keuchen

Keule

keusch

Keusche

Keyboard *§ 37(1)*

Kfz-Schlosser § 40(2)
Khaki s. Kaki
Khan, Chan
Khedive
Kibbuz
kichern
Kick
Kick-down* § 43, auch Kickdown
    § 37(2)
Kick-off § 43, auch Kickoff*
    § 37(2)
Kid
kidnappen
kiebig
Kiebitz
Kiefer
Kiel
kielholen
kieloben § 39(1) [treiben ... § 34 E3(2)]
Kieme
Kien
Kies
Kiez
killen
Kilo
Kilo‿meter ...
Kilt
Kimme
Kimono
Kind; an Kindes statt* (vgl. an)
Kingsize* § 37(1)
Kinn
Kino
Kiosk
Kipfel, Kipferl
Kippe
Kirche
Kirchspiel
Kirmes
kirre
Kirsche
Kismet
Kissen
Kiste

Kitsch
Kitt
Kittel
Kitz, Kitze
Kitzel
Klabautermann
klacken
Klacks
Kladde
klaffen
kläffen
Klafter
Klage
Klamauk
klamm
Klamm
Klammer
Klampfe
Klan, Clan
Klang
Klapf
Klappe
klappen
Klapper
Klaps
klar/klarer [denken ... § 34 E3(3)]; im
    Klaren [sein]*, § 57(1); ein Klarer
    (Schnaps), ins Klare kommen* § 57(1)
klar‿legen ... § 34(2.2)
Klarinette
Klasse (das ist Klasse(*))
Klassement
Klassik
Klatsch
klauben
Klaue
Klause
Klausel
Klausur
Klavichord
Klavier; Klavier spielen § 34 E3(5),
    § 55(4)
kleben [bleiben ...(*) § 34 E3(6)]
kleckern

Klecks

Klee

Kleid

Kleie

klein/kleiner [schreiben *(in kleiner Schrift schreiben; gering schätzen)* * ... *§ 34 E3(3)* ≠ kleinschreiben]; das klein Gedruckte*, auch das Kleingedruckte *§ 37(2);* der, die, das Kleine *§ 57(1); (in Eigennamen wie)* Pippin der Kleine *§ 60(1);* Klein Roland, Klein Erna *§ 60(1), § 60(5); (in Fügungen wie)* es ist mir ein Kleines, einen Kleinen sitzen haben, im Kleinen*, sich um ein Kleines [irren ...], bis ins Kleinste*, Große und Kleine *§ 57(1);* Groß und Klein* *§ 57(1), § 58 E2;* von klein auf *§ 58(3);* der kleine Mann *§ 63*

klein∪schreiben *(mit kleinem Anfangsbuchstaben schreiben) § 34(2.2)* ≠ klein schreiben* ...; ...mütig *§ 36(2)*

kleinlich [denken/denkend ... *§ 34 E3(3), § 36 E1(1.2)*)]

Kleinod

Kleister

Klematis

Klementine

Klemme

Klempner

Kleptomanie

Klerus

Klette

klettern

Kletze

klicken

Klient

Kliff

Klima

Klimakterium

klimatisieren

Klimax

klimmen klomm *oder* klimmte

klimpern

Klinge

klingen klang, geklungen

Klinik

Klinke

Klinker

klipp; klipp und klar

Klipp, Klips, *auch* Clip

Klipp∪schule ...

Klippe

Klips, Klipp, *auch* Clip

klirren

Klischee

Klistier

Klitoris *Pl.* - *oder* ...rides

klittern

Klivie, Clivia

Klo

Kloake

Kloben

klonen

klopfen; ein starkes Klopfen *§ 57(2)*

klöppeln

Klops

Klosett

Kloß

Kloster

Klotz

Klub, *auch* Club

Kluft

klug/klüger [reden ...(*) *§ 34 E3(3)*]

klugerweise *§ 39(1)*

Klumpen

Klüngel

Klus

knabbern

Knabe

Knack, Knacks

Knäckebrot

Knacks, Knack

Knall

knapp

Knappe

knarren

knattern

Knäuel

Knauf

knäulen
knausern
knautschen
Knebel
Knecht
kneifen kniff
Kneipe
kneipen *(kneifen)* ≠ kneippen
kneippen *(zu* Kneippkur) ≠ kneipen
Kneippkur
kneten
Knick
Knickerbocker
knickrig, knickerig
Knicks
Knie *Pl.* Knie *§ 19*
knie‿lang *§ 36(1)*
knien *§ 19*
Kniff
knipsen
Knirps
knirschen
knistern
knittern
knobeln
Knoblauch
Knöchel
Knochen
Knock-out* *§ 43, auch* Knockout
§ 37(2)
Knödel
Knolle, Knollen
Knopf
Knorpel
knorrig, knorzig
Knospe
knoten
Knöterich
Know-how *§ 43, § 55(3)*
knüllen
knüpfen
Knüppel
knurren
knuspern

Knute
knutschen
k.o. [schlagen]; K.-o.-Schlag *§ 44*
ko‿operativ ...
Ko‿autor ...
Koala
Koalition
Kobalt
Kobel, Koben
Kobold
Kobolz *(Kobolz schießen)*
Kobra *(Schlange)* ≠ Kopra
kochen
kochend [heiß ...(*) *§ 36 E1(3)*]
Köcher
Koda, *auch* Coda
Kode, *fachspr.* Code
Kodein, *auch* Codein
Köder
Kodex *Pl.* ...dizes, *auch* Codex *Pl.* ...dices
kodieren, *fachspr.* codieren
Kodifikation
kodifizieren
Kofel
Koffein, Coffein
Koffer
Kog *s.* Koog
Kogel
Kogge *(Schiff)* ≠ Kokke
Kognak, *aber* Cognac *(Wz)*
Kognition
kohärent
Kohärenz
Kohäsion
Kohl
Kohle
Kohlrabe, Kolkrabe
Kohlrabi
Kohorte
Koitus, *auch* Coitus
Koje
Kojote, *auch* Coyote
Kokain
Kokarde

koken
kokett
Kokke *(Bakterie)* ≠ Kogge
Kokon
Kokos
Kokotte
Koks
Kolatsche
Kolben
Kolchos, Kolchose
Kolibri
Kolik
Kolkrabe, Kohlrabe
kollabieren
Kollaboration
Kollaps
Kollege *(Mitarbeiter)* ≠ College
Kollegium
Kollektion
kollektiv
Koller
kollidieren
Kollier, *auch* Collier
Kollision
Kolloquium
Kolofonium* *s.* Kolophonium
Kolonie
Kolonnade
Kolonne
Kolophonium, *auch* Kolofonium
Koloradokäfer
Koloratur
Kolorit
Koloss*
Kolportage
Kolumne
Koma
Kombination
Kombine
Komet
Komfort
Komik
Komitee
Komma

Kommandant
Kommassierung
kommen kam
Kommentar
Kommers *(student. Trinkabend)*
    ≠ Kommerz
Kommerz *(Wirtschaft, Handel u.*
    Verkehr) ≠ Kommers
Kommilitone
Kommiss*
Kommissar, Kommissär
Kommission
kommod
Kommode
Kommune
Kommunikant
Kommunikation
Kommunikee* *s.* Kommuniqué
Kommunion
Kommuniqué, *auch* Kommunikee
Kommunismus
kommunizieren
Komödiant
Komödie
Kompagnon
kompakt
Kompanie
Komparation
Komparse
Kompass*
kompatibel
Kompendium
Kompensation
kompetent
Kompetenz
Komplement *(Ergänzung)*
    ≠ Kompliment
Komplet *(Abendgebet)*
Komplet *(Kleidung)*
komplett
komplex
Komplice *s.* Komplize
Komplikation

Kompliment *(höfliches Lob)*
	+ Komplement
Komplize, *auch* Komplice
komplizieren
Komplott
Komponente
Komposition
Kompost
Kompott
Kompresse
komprimieren
Kompromiss*
kompromittieren
Komtess*, Komtesse
kon‿notieren ...
Kon‿rektor ...
Kondensation
konditern
Kondition
Konditorei
Kondolenz
Kondom
Kondor
Kondukteur
Konfekt
Konfektion
Konferenz, *aber* Conférencier
konferieren
Konfession
Konfetti
Konfiguration
Konfirmand
Konfiserie, *auch* Confiserie
Konfiskation
konfiszieren
Konfitüre
Konflikt
konform
Konfrontation
konfus
konfuzianisch
Konglomerat
Kongregation
Kongress*

kongruent
Kongruenz
Konifere
König
königlich; [die] Königliche Hoheit *§ 64(1)*
konisch
Konjugation
Konjunktion
Konjunktiv
Konjunktur
konkav
Konklave
konkordant
Konkordanz
Konkordat
konkret
Konkurrent
Konkurrenz
Konkurs
können kann, gekonnt
Konnotation
Konquistador
Konsekration
konsekutiv
Konsens
konsequent
Konsequenz
konservativ
Konserve
konservieren
konsistent
Konsistenz
Konsistorium
Konsole
konsolidieren
Konsonant
Konsonanz
Konsortium
Konspekt
Konspiration
konstant
Konstanz
konstatieren
Konstellation

konsterniert

Konstitution

konstruieren

Konstruktion

Konsulat

Konsultation

Konsum

Konsument

Kontakt

Kontamination

Kontemplation

Konter

Konter∪admiral ...

Konterfei

kontern

Kontinent

Kontingent

Kontinuum

Konto

Kontor

kontra, *auch* contra

kontra∪signieren ...

Kontra∪indikation ...

Kontrahent

Kontrakt

Kontraktion

Kontrast

Kontribution

Kontrolle

kontrovers

Kontur

Konvent

Konvention

konvergent

Konvergenz

Konversation

Konverter

konvertieren

konvex

Konvikt

Konvoi

Konzentration

Konzeption

Konzern

Konzert

konzertant

Konzession

Konzil

Konzipient

konzipieren

konzis

Koog, *auch* Kog

Kooperator

Kopf [stehen* *§ 34 E3(5), § 55(4)*]

kopf∪rechnen *§ 33(1); ...*über *§ 39(1)*

Kopie, *aber* Copyright

Koppe

Koppel

koppeln

Kopra *(Mark der Kokosnuss)* ╪ Kobra

Kopulation

kor∪repetieren ...

Kor∪repetitor ...

Koralle

Koran

Korb

Kord *s.* Cord

Kordel

Kordon

Koreferat *(österr.),* Korreferat

koreferieren *(österr.),* korreferieren

kören

Koriander

Korinthe

Kork, Korken

Kormoran

Korn

Kornelkirsche

Kornett

Korona

Körper

Korporal

Korporation

Korps, *auch* Corps

korpulent

Korpulenz

Korpus

Korreferat, Koreferat *(österr.)*

korreferieren, koreferieren *(österr.)*
korrekt
Korrektur [lesen *§ 34 E3(5)*]
Korrelat
korrelativ
Korrespondent
Korrespondenz
Korridor
korrigieren
korrodieren
Korrosion
korrumpieren
Korruption
Korsar
Korselett
Korsett
Korso
Kortison, *fachspr.* Cortison
Korund
Korvette
Koryphäe
Kosak
koscher
kosen
Kosmetik
kosmo‿politisch ...
Kosmo‿biologie ...
Kosmonaut
Kosmopolit
Kosmos
Kost
kosten
Kostüm
Kot
Kotau
Kotelett
Koteletten
Köter
Kothurn
Kotter
Krabbe
krabbeln
Krach [schlagen *§ 34 E3(5)*, *§ 55(4)*]; mit
  Ach und Krach *§ 55(4)*, *§ 57(5)*

krachen
krächzen
Krad
kraft [seines Amtes *§ 56(4)*]
Kraft; außer/in Kraft setzen *§ 55(4)*
Kragen
Krähe
krähen
Krake
krakeelen
krakeln
Kral
Kralle
Kram
Krampe, Krampen
Krampf
krampf‿stillend *§ 36(1), aber* den
  Krampf stillend *§ 36 E1(4)*
Krampus
Kran
Kranich
krank [bleiben ... *§ 34 E3(3)*; sein *§ 35*]
krank‿lachen, ...schreiben ...(*) *§ 34(2.2)*
Kranz
Krapfen
krapprot
krass*
Krater
Krätze
kratzen
Kraul, *auch* Crawl
kraulen *(liebkosen)*
kraulen *(auf eine besondere Art
  schwimmen), auch* crawlen
kraus
Kraut
Krawall
Krawatte
Kraxe
kraxeln
Kreation
kreativ
Kreatur
Krebs

kredenzen
Kredit
Kredo, *auch* Credo
Kreide
kreieren
Kreis
kreischen
kreisen *(sich im Kreis bewegen)*
 ≠ kreißen
kreißen *(in Geburtswehen liegen)*
 ≠ kreisen
Kreißsaal
Krem, Kreme *s.* Creme
Krematorium
Kreme*, Krem *s.* Creme
Krempe
Krempel
Kremser
Kren
krepieren
Krepp(*), *auch* Crêpe *(Gewebe,*
 Eierkuchen)
Kresse
Krethi; Krethi und Plethi
kreuz; kreuz und quer *(vgl. aber* Kreuz)
Kreuz; über Kreuz, in die Kreuz und [in
 die] Quere [laufen] *§ 55(4)* *(vgl. aber*
 kreuz)
Kreuzer
Krevette, *auch* Crevette
kribbeln
Krickente, Kriekente
Kricket
Krida
kriechen kroch
Krieg
kriegen
Kriekente, Krickente
Krill
Kriminalität
kriminell
Kringel
Krippe
Krise, Krisis

Kristall
Kriterium
Kritik
kritisch [denken ... *§ 34 E3(3); sein § 35*]
kritteln
kritzeln
kroatisch, Kroatisch
 (*vgl.* deutsch, Deutsch)
Krocket
Krokant
Krokette
Krokodil
Krokus
Krone
Kropf
kross*
Krösus
Kröte
Krücke
Krug
Kruke
Krüll∪schnitt ...
Krume
krumm [nehmen, sitzen ...(*) *§ 34 E3(3)*]
krumm∪lachen ... *§ 34(2.2)*
krumpfen
Krupp
Kruppe
Krüppel
Kruste
Krux, Crux
Kruzifix
Krypta
kryptisch
krypto∪kristallin ...
Krypton
Kübel
Kubik∪meter ...
Kubus
Küche
Kuchen
kucken, gucken
Kücken *(österr.),* Küken
Kuckuck

Kufe
Kugel
Kuh
kühl
Kuhle
kühn
Küken, Kücken *(österr.)*
Kukuruz
kulant
Kulanz
Kuli
kulinarisch
Kulisse
Kulmination
Kult
Kultur
Kumarin
Kümmel
Kummer
kümmern
Kummet, Kumt
Kumpan
Kumpel
Kumt, Kummet
Kumulation
Kumulus
Kumys, Kumyss*
kund∪geben, ...tun *§ 34(2.1)*
künden
kündigen
Kundschaft
kundschaften
künftig
kungeln
Kunst
künstlich; die künstliche Intelligenz *§ 63*
kunterbunt
Kunz; Hinz und Kunz
Kupee *s.* Coupé
Kupfer
kupieren
Kupon, *auch* Coupon
Kuppe
Kuppel

kuppeln
Kur
Kür
Kurare
Kürass*
Kürassier
Kuratorium
Kurbel
Kürbis
Kurie
Kurier
kurieren
kurios
kurrent
Kurs
Kürschner
kursieren
kursiv
kursorisch
Kurtisane
Kurve
kurz/kürzer [arbeiten, treten ... *§ 34 E3(3)* ≠ kurzarbeiten]; den Kürzeren ziehen* *§ 57(1);* über kurz oder lang, binnen kurzem, vor kurzem, seit kurzem *§ 58(3)*
kurz∪arbeiten ... *§ 34(2.2)* ≠ kurz arbeiten
kuscheln
kuschen
Kusine, *auch* Cousine
Kuss*
Küste
Küster
Kustos *Pl.* ...toden
Kutsche
Kutte
Kutteln
Kutter
Kuvert
Kybernetik
Kyrie
Kyrieeleison
kyrillisch, zyrillisch

L

laben
labern
labil
Labor
Laborant
laborieren
Labskaus
Labyrinth
Lache
lachen; das Lachen § 57(2); zum Lachen [sein], § 55(4), § 57(2)
lächerlich; etwas Lächerliches, ins Lächerliche ziehen § 57(1)
Lachs
Lack
Lacke
Lackmus
Lacrimoso
Lade
laden lädt *oder* ladet, lud
Laden
lädieren
Lady
ladylike
Laffe
Lage
Lager
Lagune
lahm [legen, machen ...(*) § 34 E3(3)]
Laib *(Brot, Käse)* ≠ Leib
Laibchen *(Gebäck)* ≠ Leibchen
Laibung, *auch* Leibung *(Wölbfläche)*
Laich *(Eier von Wassertieren)* ≠ Leich
Laich‿kraut ...
Laie
Lakai
Lake
Laken
lakonisch
Lakritz, Lakritze

lallen
Lama
Lambada
Lambrusco
Lamé, *auch* Lamee
Lamee* *s.* Lamé
Lamelle
Lamento
Lametta
Lamm
Lampe
Lampion
lancieren
Land; [hier] zu Lande, *auch* hierzulande
land‿ab, ...auf, ...aus, ...ein § 39(1)
Landauer
Landrover *(Wz)* § 37(1)
lang [strecken/gestreckt ...(*) § 34 E3(3), § 36 E1(1.2)]; lange; des Langen und Breiten*, des Längeren* § 57(1); über kurz oder lang, seit langem, vor langem, seit längerem, vor längerem § 58(3)
lang‿wierig ... § 36(2)
langen
langsam [arbeiten ... § 34 E3(3)]
Languste
langweilen § 33(2)
Lanze
Lanzette
lapidar
Lapislazuli
Lappalie
Lappen
läppern
läppisch
Lapsus
Laptop
Lärche *(Baum)* ≠ Lerche
large
Largo

Lärm

Larve

lasch

Lasche

Laser

lassen lässt* ließ

lässig

Lasso

Last; zu Lasten, zulasten* *§ 55(4)*

Laster

lästern

Lastex

lästig [fallen ... *§ 34(3)*]

Lasur

lasziv

latent

Latenz

Laterne

Latex *Pl.* ...tizes

Latrine

Latsche

Latte

Lattich

Latz

lau; lauwarm *§ 36(4)*

Laub [tragen/tragend *§ 34 E3(5),*
    § 36 E1(1.2), § 55(4)]

Laube

Lauch

Lauer

laufen lief; zum Auf-und-davon-Laufen
    § 43, § 55(1), § 55(2), § 57(2); [Eis, Ge-
    fahr, Ski, Stelzen] laufen *§ 34 E3(5)*

laufend; auf dem Laufenden [sein ...*
    § 57(1)]

läufig

Lauge

Laune

Laus

Lausbub, Lausbube

lauschen

lauschig

laut; laut diesem Bericht *§ 56(4)*

laut/lauter [reden/redend ... *§ 34 E3(3),*
    § 36 E1(1.2)]

Laut

Laute

lauten

läuten

lauter

Lava

Lavendel

lavieren

Lawine

lax

Lay-out* *§ 43,* auch Layout *§ 37(2)*

Lazarett

Lazarus

Leader

leasen

Leasing

leben; das In-den-Tag-hinein-Leben
    § 43, § 55(1), § 55(2), § 57(2)

lebendig

lebens⌣gefährlich ... *§ 36(1)*

Leber

Lebkuchen

Lebzeiten; zu [ihren] Lebzeiten

lechzen

Lecithin *s.* Lezithin

leck [sein *§ 35*]

leckschlagen *§ 34(2.2)*

lecken

lecker

Leder

ledig

Lee

leer [trinken, stehen/stehend(*) ... *§ 34
    E3(3), § 36 E1(1.2)*]; das Leere, ins
    Leere [starren *§ 57(1)*]

leeren (*zu* leer) + lehren

Lefze

legal

Legasthenie

Legation

Legato

legen

Legende
leger
Leggings, Leggins
legieren
Legion
legislativ
legitim
Leguan
Lehen
Lehm
Lehne
lehren *(unterrichten)* ≠ leeren
Leib *(Körper);* gut bei Leibe sein, *aber*
  beileibe nicht *§ 55(4)* ≠ Laib
Leibchen *(Kleidungsstück)* ≠ Laibchen
leibt; wie [sie] leibt und lebt
Leibung *s.* Laibung
Leich *(mittelhochdeutsche Liedform)*
  ≠ Laich
Leiche
Leichnam
leicht/leichter [behindert, fallen, fertig,
  lernen ...(*) *§ 34 E3(3), § 36 E1(1.2)*
  ≠ leichtfertig]; es ist [k]ein Leichtes*,
  nichts Leichtes *§ 57(1)*
leicht‿fertig, ...füßig ... *§ 36(2)*
  ≠ leicht fertig
Leichtathletik
leid [sein *§ 35*]; das ist mir leid *§ 56(1)*
Leid [tun ...(*) *§ 34 E3(5), § 55(4)*]; zu
  Leide*, zuleide tun *§ 55(4)*
leiden litt
Leier
leiern
leihen lieh
Leim
Lein
Leine
Leinen
leis, leise
Leiste
leisten
Leisten
leiten

Leiter
Lektion
Lektüre
Lemma
Lemming
Lemur, Lemure
Lende
lenken
Lenz
Leopard
Leporello
Lepra
Lerche *(Vogel)* ≠ Lärche
lern‿begierig ... *§ 36(1)*
lernen
lesbisch
lesen liest, las
Lethargie
Letscho
Letter
Lettner
Letzt; zu guter Letzt *§ 55(4)*
letzte; der, die, das Letzte(*) *§ 57(1); (in*
  Eigennamen wie) das Letzte Gericht;
  (in Fügungen wie) letzter Hand, letzten
  Endes *§ 39 E2(2.1);* bis zum Letzten
  [gehen* ...], bis ins Letzte*, sein Letztes
  hergeben *§ 57(1);* der letzte Wille* *§ 63;*
  die Letzte Ölung
letztere; der, die, das Letztere*,
  Letzterer* *§ 57(1)*
letztmalig *§ 36(2)*
letztmals *§ 39(1)*
Leu
leuchten
leuchtend [rot ...(*) *§ 36 E1(3)*]
leugnen
Leukämie
Leumund
Leute
Leutnant
Level
Leviten
Levkoje

189

Lexikon

Lezithin, *fachspr.* Lecithin

Liaison

Liane

Libelle

liberal

Libero

Libido

Libretto

licht

Licht

Lid *(am Auge)* ≠ Lied

Lido

lieb/lieber [haben, tun ...(*) *§ 34 E3(3)*]

lieb⌣äugeln, ...kosen *§ 33(2)*

lieben [lernen* *§ 34 E3(6)*]

Lied *(Gesang)* ≠ Lid

Lieferant

liefern

liegen lag, gelegen

liegen [bleiben, lassen ...(*) *§ 34 E3(6)*]; *aber* das Liegenlassen *§ 34 E4, § 37(2)*

Lifestyle *§ 37(1)*

Lift

Liga

Ligatur

Lightshow* *§ 37(1)*

Liguster

liieren

Likör

lila

Lilie

Liliputaner

Limerick

Limes

Limetta, Limette

Limit

Limonade

Limousine

lind

Linde

Lindwurm

Lineal

Linguistik

Linie

linieren, liniieren

linke; linke [Hand ...], die Linke, auf der Linken *§ 57(1)*

links [abbiegen/abbiegend ... *§ 34 E3(2)*, *§ 36 E1(1.2)*]; nach links, gegen links, etwas mit links erledigen *§ 58(3)*

linksherum *§ 39(1)*

Linoleum

Linse

Lipgloss* *§ 37(1)*

Lipizzaner

Lippe

liquid, liquide

lispeln

List

Liste

Litanei

Liter

Literatur

Litfaßsäule

Lithium

Lithografie* *s.* Lithographie

Lithographie, *auch* Lithografie

Lithurgik *(Geologie)* ≠ Liturgik

Liturgie

Liturgik *(Theologie)* ≠ Lithurgik

Litze

live

Liveshow* *§ 37(1)*

Livree

Lizentiat *s.* Lizenziat

Lizenz

Lizenziat*, *auch* Lizentiat

Lob *(zu loben)*

Lob *(zu lobben)*

lob⌣hudeln, ...preisen ... *§ 33(1)*

lobben *(Tennis)*

Lobby

loben

Loch

Locke

locken

löcken (wider den Stachel löcken)

locker [sitzen ...; machen *(ungezwungen tun)* ⧺ lockermachen, ...lassen *(nicht festhalten)* ⧺ lockerlassen *§ 34 E3(3)*]

locker‿lassen *(nachgeben)* ... *§ 34(2.2)*
  ⧺ locker lassen

Loden

lodern

Löffel

Logarithmus

Logbuch

Loge

Loggia

logieren

Logik

Logis

Logopädie

Lohe

Lohn

Loipe

lokal

Lokomotive

Longdrink

Longseller

Look

Looping

Lorbeer

Lorchel

Lord

Lore

Lorgnon

los [sein *§ 35*]

Los

los‿binden, ...lassen ... *§ 34(1)*

löschen

lose [sein *§ 35*]; Loseblattausgabe

lösen

Löss*, Löß

Losung

Lot

löten

Lotion

Lotos, Lotus *(Seerose)*
  ⧺ Lotus *(Klee)*

Lotse

Lotterie

Lotto

Lotus *(Klee)* ⧺ Lotos, Lotus

Lounge

Lovestory* *§ 37(1)*

Löwe

loyal

Luchs *(Tier)* ⧺ Lux

Lücke

Luder

Luft

Lug; Lug und Trug

lugen

lügen log

Lügenbold

Luke

lukrativ

lukullisch

Lumberjack

Lümmel

Lump

Lumpazivagabundus

Lumpen

lunar

Lunch

Lunge; Lungen-Tbc *§ 40(2)*

lungern

Lunte

Lupe

lupfen, lüpfen

Lupine

Lurch

Lurex *(Wz)*

Lust

Luster, Lüster

lüstern

lustwandeln *§ 33(1)*

lutschen

Luv

Lux *(Lichteinheit)* ⧺ Luchs

luxuriös

Luxus

Luzerne

luzid

Luzifer
Lymphe
lynchen
Lyra

Lyrik
Lysol *(Wz)*
Lyzeum

Maar *(Krater)* ≠ Mahr

Maat *(Seemann)* ≠ Mahd

Macchia, Macchie

machen

Machete

Macho

Macht

Mädchen

Made

madig

Madonna

Madrigal

Maestro

Mafia, Maffia

Magd

Magen

mager

Maggi *(Wz)*

Magie

Magier

Magister

Magistrat

Magma

Magnat

Magnesium

Magnet

Magnetit

Magnifikat

Magnifizenz

Magnolie

Mahagoni

Mahd *(zu* mähen) ≠ Maat

mähen

Mahl *(Mahlzeit)* ≠ Mal

mahlen *(Korn mahlen)* ≠ malen

Mähne

mahnen

Mahonie

Mahr *(Gespenst)* ≠ Maar

Mähre *(altes Pferd)* ≠ Mär, Märe

Mai

Maid

Mailing

Mais

Majestät

Majonäse, *auch* Mayonnaise

Major

Majoran, Meiran

Majorität

makaber

Makel

makeln

mäkeln

Make-up *§ 43, § 55(3);*
   Make-up-frei *§ 44*

Makkaroni

Makler

Makramee

Makrele

makro∪kosmisch ...

Makro∪molekül ...

Makrone

Makulatur

mal

Mal; das achte Mal, zum achten
Mal[e](*) (*aber* achtmal, *bei besonderer
Betonung auch* acht Mal), dieses Mal(*)
(*aber* diesmal), dieses eine Mal (*aber*
einmal, *bei besonderer Betonung auch*
ein Mal), einige Mal[e](*), das erste
Mal(*) (*aber* erstmals), etliche
Mal[e](*), manches Mal(*) (*aber*
manchmal), mehrere Mal[e](*) (*aber*
mehrmals), viele Mal[e](*) (*aber* viel-
mal, vielmals), [viele] Dutzend
Mal[e](*), [einige] Millionen Mal[e](*),
zu verschiedenen Malen, von Mal zu
Mal *§ 39, § 39 E2(1), § 55(4)* ≠ Mahl

mal∪nehmen

Malachit

malad, malade

Malaise, *auch* Maläse

Malaria

Maläse* *s.* Malaise

malen *(Bilder malen)* ≠ mahlen

Malheur

maliziös

malmen

malträtieren

Malus

Malve

Malz

Mama

Mambo

Mammon

Mammut

Mamsell

man

Management

manch; manche, mancher, manches
§ 58(4)

manchmal § 39(1), *aber* manches Mal
§ 39 E2(1)

mancher⌣orten, ...orts § 39(1)

Manchester

Mandant

Mandarine

Mandat

Mandatar

Mandel

Mandoline

Manege

Mangan

Mangel

mangels § 56(3)

Mango

Mangold

Mangrove

Manie

Manier

manifest

Maniküre

Maniok

Manipulation

manipulieren

Manko

Mann

Manna

Mannequin

mannigfach

Manometer

Manöver

Mansarde

Manschette

Mantel

manuell

Manufaktur

Manuskript

Mappe

Mär, Märe *(Nachricht)* ≠ Mähre

Marabu

Marathon

Märchen

Marder

Märe, Mär *(Nachricht)* ≠ Mähre

Marelle *s.* Marille *und* Morelle

Margarine

Marge

Margerite

marginal

Marihuana

Marille, *auch* Marelle *(Aprikose)*
≠ Morelle

Marimba

Marinade

Marine

Marionette

maritim

Mark

markant

Marke

Marketing

markieren

Markise *(Sonnendach)*
≠ Marquise

Markt

Marmelade

Marmor

marodieren

Marone *Pl.* Maroni *(österr.),* Marroni *(schweiz.)*

Maroni *s.* Marone

Marotte

Marquise *(franz. Titel)* ≠ Markise

Marroni *s.* Marone

Marsch

Marschall

Marstall

Marter

Marterl

martialisch

Märtyrer

Martyrium

März

Marzipan

Masche

Maschine; Maschine schreiben* *(ich schreibe Maschine)* § 34 E3(5), § 55(4) *(vgl.* maschinschreiben)

maschinschreiben *(österr.)* § 33(1), § 56(2) (*vgl.* Maschine schreiben)

Masern

Maserung

Maske

Maskottchen, Maskotte

maskulin

Masochismus

Maß [halten, nehmen ...(*) *§ 34 E3(5),* *§ 55(4)* ≠ maßgebend ...]

maß∪gebend ... *§ 36(1);* ...regeln ... *§ 33(1)* ≠ Maß halten

Massage

Massaker

Masse

Massette

Masseur, Masseurin

Masseuse

Maßholder

mäßig

massiv

Maßlieb, Maßliebchen

Mast

Master

Masturbation

Masurka, *auch* Mazurka

Matador

Match

Matchwinner

Mate

Material

Materie

Mathematik

Matinee

Matjeshering

Matratze

Mätresse

Matriarchat

Matrikel

Matrix *Pl.* ...trizen, ...trizes, *auch* ...trices*

Matrize

Matrone

Matrose

Matsch

matt [setzen]

Matte

Matur, Matura

Maturand *(schweiz.),* **Maturant** *(österr.)*

Maturant *(österr.),* **Maturand** *(schweiz.)*

Mätzchen

Mauer

Maul

Maul∪beere, ...esel ...

maunzen

Maus

mauscheln

Mauser

Mausoleum

Maut

mauve

maxi

Maximum

Mayonnaise *s.* Majonäse

Mäzen

Mazurka *s.* Masurka

Mechanik

meckern

Medaille

Medaillon

Medikament

Meditation

mediterran

Medium

Medizin

Medusen‿blick ...

Meer

Meerrettich

meerwärts *§ 39(1)*

Meeting

Mega‿byte ...

Megafon(*) *s.* Megaphon

Megalith

Megaphon, *auch* Megafon

Mehl

Mehltau *(Pflanzenkrankheit)* ╪ Meltau

mehr *§ 58(5) (zu* viel)

mehr‿fach; das Mehrfache, um das
Mehrfache größer *§ 57(1);* ...mals, *aber*
mehrere Male *§ 39(1)*

meiden mied

Meile

Meiler

mein *(Personalpronomen) (zu* ich)

mein *(Possessivpronomen) § 58(1), § 58(4);*
Mein und Dein [nicht] unterscheiden*,
ein Streit über Mein und Dein* *§ 57(3);*
die Meinen, meinen* (die Meinigen,
meinigen*), das Meine, meine* (das
Meinige, meinige*) *§ 58 E3*

Meineid

meinen

meiner *(Personalpronomen) (zu* ich)

meinerseits *§ 39(1)*

meines‿gleichen, ...teils *§ 39(1)*

meinet‿halben, ...wegen; um ...willen
§ 39(1)

Meiran, Majoran

Meise

Meißel

meist; am meisten *§ 58(2), § 58(5);* das
meiste, die meisten *§ 58(5) (zu* viel)

meist‿bietend ... *§ 36(2)*

meistenteils *§ 39(1)*

Meister

Melancholie

Melange

Melde

melden

melieren

Melioration

Melisse

melken gemolken *oder* gemelkt

Melodie

Melone

Meltau *(Blattlaushonig)* ╪ Mehltau

Melusine

Membran, Membrane

Memento

Memme

Memoiren

Memory

Menagerie

mendeln

Menetekel

Menge

mengen

Menhir

Meniskus

Mennige

Mensa

Mensch

menschenmöglich; das/alles
Menschenmögliche [tun ...*] *§ 57(1)*

Menstruation

Mensur

mental

Menthol

Mentor

Menü

Menuett

Mergel

Meridian

Meringe, Meringel, Meringue

Merino[wolle]

Meriten

merkantil

merken
Merkur
Merlin
Merz∪schaf ...
Mesalliance
Mesmer, Mesner, Messner
Mesmerismus
Mesner, Mesmer, Messner
Message
Messe
messen misst*, maß
Messer
Messias
Messing
Messner*, Mesmer, Mesner
Mestize
Met
meta∪sprachlich ...
Meta∪kritik ...
Metall [verarbeiten/verarbeitend(*)]
  § 34 E3(5), § 36 E1(1.2)
metallic
Metapher
Metastase
Meteor
Meter
meter∪hoch ... § 36(1)
Methan
Methode
Methusalem
Methyl
Metier
Metrik
Metro
Metropole
Mette
Metzger
Meuchelmord
Meute
meutern
Mezzanin
Mezzosopran
miauen
mich (zu ich)

mickerig, mickrig
midi
Midlifecrisis* § 37(1), auch
  Midlife-Crisis* § 45(2)
Mieder
Mief
Miene (Gesichtsausdruck) ≠ Mine
Miere
mies
Miesmuschel
Miete
Mignonfassung
Migräne
Mikado
mikro∪elektronisch ...
Mikro∪film ...
Mikrobe
Mikrofon, auch Mikrophon
Mikrophon s. Mikrofon
Mikroskop
mikroskopisch [klein] § 36 E1(2)
Milan; der Rote Milan § 64(2)
Milbe
Milch
mild, milde
Milieu; milieubedingt § 36(1)
militant
Military
Miliz
Mille
Milli∪gramm ...
Milliarde § 55(5)
Million § 55(5)
Milz
Mimik
Mimikry
Mimose
Minarett
minder; mehr oder minder
minder∪bemittelt ... § 36(5)
mindest[e]; das Mindeste* § 57(1), min-
  deste § 58(5); [nicht] im Mindesten*
  § 57(1), mindesten § 58(5)
Mine (Sprengkörper usw.) ≠ Miene

Mineral
Minestra, Minestrone
mini
Miniatur
Minimalart* § 37(1), auch Minimal Art*
  § 37 E1
Minimum
Minister
Ministrant
Minne
Minorität
Minotaur, Minotaurus
Minuend
minus
Minute
minutiös, auch minuziös
minuziös s. minutiös
Minze
mir (zu ich)
Mirabelle
Mirakel
Misanthrop
mischen
Mischmasch
miserabel
Misere
Mispel
Miss
miss⌣achten ..., ...fallen ...*
Missal, Missale
missen
Missetat
misshellig*
Mission
misslich*
Missmut*
Mist
Mistel
Mistral
mit
mit⌣bringen ... § 34(1)
miteinander [gehen ... § 34 E3(2)]
Mitgift

mithilfe*, auch mit Hilfe § 39 E3(3),
  § 55(4)
mithin
mitsamt
Mittag § 4(8) usw. (vgl. Abend usw.)
mittags (vgl. abends)
Mitte [Januar, nächsten Jahres ...]; in der
  Mitte [des Raumes ...] § 55(4) (vgl. inmitten, mitten)
mitteilen
Mittel
mittels § 56(3)
mitten [im Raum ...] (vgl. inmitten,
  Mitte)
Mitternacht usw. (vgl. Abend usw.); um
  Mitternacht; heute Mitternacht § 55(6)
mitternachts usw. (vgl. abends usw.)
mittlere
mittlerweile
Mittwoch usw. (vgl. Dienstag usw.)
Mittwochabend usw.
  (vgl. Dienstagabend usw.)
mittwochs usw.
  (vgl. dienstags usw.)
Mixedpickles*, Mixpickles § 37(1),
  auch Mixed Pickles § 37 E1
mixen
Mixpickles, Mixedpickles, auch Mixed
  Pickles
Mixtur
Mnemonik, Mnemotechnik
Mob (Pöbel) ≠ Mopp
Möbel
mobil
Mobiliar
Mocca s. Mokka
modal
Modder
Mode
Model (Fotomodell)
Model (Backform usw.)
Model, Modul (Verhältniszahl)
Modell
Modem
Moder

moderat

modern

Modernjazz* *§ 37(1), auch* Modern Jazz
§ 37 E1

Modifikation

modifizieren

Modul, Model *(Verhältniszahl)*

Modul *(Schaltungseinheit)*

Modulation

Modus

mogeln

mögen mag, mochte

möglich; das Mögliche*, alles Mögliche* *(alles, was möglich ist; allerlei),*
Mögliches und Unmögliches verlangen,
sein Möglichstes tun* § 57(1)

Mohair *s.* Mohär

Mohär, *auch* Mohair

Mohn

Mohr *(dunkelhäutiger Afrikaner)* ≠ *Moor*

Möhre

Mohrrübe

mokant

Mokassin

Mokka, *(österr. auch)* Mocca

Molch

Mole, Molo

Molekül

Molke

Moll (a-Moll *usw.,* aber A-Dur *usw.*)

Moll, Molton *(Gewebe)*

mollig

Molluske

Molo, Mole

Moloch

Molton, Moll *(Gewebe)*

Moment

Monarchie

Monat

monatelang, *aber* mehrere Monate lang
§ 36(1), § 36 E1(4)

Mönch

Mond

mondän

monetär

Monier⌣zange ...

monieren

Monismus

Monitor

Monitum

mono⌣syllabisch ...

Mono⌣kultur ...

monogam

Monografie(*) *s.* Monographie

Monogramm

Monographie, *auch* Monografie

Monokel

Monolith

Monolog

Monophthong

Monopol

monoton

Monotype *(Wz)*

Monster

Monstranz

Monsun

Montag *usw.* (*vgl.* Dienstag *usw.*)

Montagabend *usw.* (*vgl.* Dienstagabend
usw.)

Montage

montags *usw.* (*vgl.* dienstags *usw.*)

montan, montanistisch

Montur

Monument

Moonboots § 37(1)

Moor *(Sumpf)* ≠ *Mohr*

Moos

Moped

Mopp* *(Staubbesen)* ≠ *Mob*

Mops

Moral

Moräne

Morast

Moratorium

morbid

Morchel

Mord

199

Morelle, *auch* Marelle *(Kirsche)*
 ≠ Marille
morgen *usw.* (*vgl.* gestern *usw.*)
Morgen *usw.* (*vgl.* Abend *usw.*)
morgendlich
morgens *usw.* (*vgl.* abends *usw.*)
Moritat
Morphium
morsch
morsen
Mörser
Mortadella
Mörtel
Mosaik
Moschee
Moschus
Moskito
Most
Mostrich
Motel
Motette
Motiv
Motocross*, *auch* Moto-Cross *§ 43*
Motodrom
Motor
Motte
Motto
Mountainbike *§ 37(1)*
Möwe
Mücke
müde
Müesli *(schweiz.)*, Müsli
Muff
Muffe
Muffel *(Schmelztiegel usw.)*
Muffel, Mufflon *(Wildschaf)*
Mühe
muhen
Mühle
Mulatte
Mulde
Muli
Mull
Müll

Müller
mulmig
multi∪kulturell ...
Multi∪millionär ...
Multiplechoiceverfahren* *§ 37(1), auch*
 Multiple-Choice-Verfahren* *§ 45(2)*
Multiplikand
multiplizieren
Mumie
Mumm
Mummel
mümmeln
Mummenschanz
Mumps
Mund
münden
mündig [sein, sprechen ...(*) *§ 34 E3(3)*]
Mungo
Muni
Munition
munkeln
Münster
munter
Münze
Muräne
mürb, mürbe
murmeln
murren
Mus
Muschel
Muse
Musette
Museum
Musical
Musik
musik∪verständig ...
Musikant
Musikus *Pl.* ...sizi
Muskat
Muskateller
Muskel
Muskete
muskulös
Müsli, Müesli *(schweiz.)*

Muße
Musselin
müssen muss*; das Muss § 57(2)
müßig [gehen § 34 E3(3)(*); sein § 35]
Mustang
Muster
Mut; zu Mute*, zumute [sein] § 39 E3(1),
§ 55(4)
Mutation
mutmaßen § 33(1)

Mutter
Mütze
Myriade
Myrre* s. Myrrhe
Myrrhe, auch Myrre
Myrte
Mysterium
Mystik
Mythos

Nabe
Nabel
nach; nach wie vor § 39 E2(2.1)
nach⌣sehen, ...ahmen ... § 34(1)
Nachbar
nachdem
nacheinander [kommen ... § 34 E3(2)]
Nachen
nachfolgend; das Nachfolgende(*), Nachfolgendes(*), im Nachfolgenden(*) § 57(1)
nachgewiesenermaßen § 39(1)
nachhause*, auch nach Hause (vgl. Haus)
nachhinein; im Nachhinein* § 57(5)
nachlässig
Nachmittag usw. (vgl. Abend usw.)
nachmittags usw. (vgl. abends usw.)
Nachricht
nächst; der, die, das Nächste(*), als Nächstes*, liebe deinen Nächsten, der Nächste, bitte!* § 57(1)
nächst⌣beste ... § 36(2)
Nacht usw. (vgl. Abend usw.)
nächtens
Nachtigall
nachts usw. (vgl. abends usw.)
nachtwandeln § 33(1)
Nackedei
Nacken
nackt
Nackt⌣schnecke ...
Nadel
Nagel
nagen
Na-haltig § 40(2)
nahe/näher [bringen, legen ...(*) § 34 E3(3)]; von nah [und fern], von nahem § 58(3); [sich] des Näheren [entsinnen ...], des Näheren [erläutern]* § 57(1)
nahebei

nähen
nähren
Nahrung
Naht
naiv
Name, Namen
namens § 56(3)
namentlich
nämlich; der, die, das Nämliche* § 57(1)
Nano⌣farad ...
Napalm (Wz)
Napf
Naphtha
napoleonfreundlich, auch Napoleon-freundlich § 55(2), aber Fidel-Castro-freundlich § 50
Nappa[leder]
Narbe
Narde
Narkose
Narkotikum
Narr
narrativ
Narwal
Narziss*
Narzisse
Narzisst*
nasal
naschen
Nase
Nasenstüber
naseweis
nass*
nasskalt* § 36(4)
Nation
Natrium
Natron
Natter
Natur
Nauen

Nautik

Nautilus

Navel[orange]

Navigation

Neandertaler

Nebel

neben

nebenan

nebenbei, nebstbei

nebeneinander [legen, liegen(*)
  § 34 E3(2)]

nebenstehend § 36(1); der, die, das Ne-
  benstehende, Nebenstehendes(*), im
  Nebenstehenden* § 57(1)

nebst

nebstbei, nebenbei

nebulos, nebulös

Necessaire, auch Nessessär

n-Eck § 40(1)

Neck, Nöck

necken

Neffe

negativ

Neger

Negligé s. Negligee

Negligee*, auch Negligé

Negrospiritual* § 37(1)

nehmen nimmt, nahm, genommen

Nehrung

Neid

Neidnagel, Niednagel

neigen

nein; das Nein § 57(5), ein Nein aussprechen, Nein sagen*, auch nein sagen;
  [mit] Nein stimmen § 55(4), § 57(5)

Nekrolog

Nektar

Nelke

nennen nannte

neo∪tropisch ...

Neo∪faschismus ...

Neon

Neozoikum

Nepp

Nerfling

Nerv

Nerz

Nessel

Nessessär* s. Necessaire

Nest

nesteln

Nestor

nett

netto

Netz

netzen

neu [eröffnet ...(*) § 36 E1(1.2)]; Neues,
  das Neue, aufs Neue* § 57(1); auf neu
  [trimmen ...], von neuem, seit neuestem
  § 58(3); (in Eigennamen wie) die Neue
  Welt § 60(2.1), § 60(5); das Neue Testament § 60(3.3); (in Fügungen wie) die
  neue Armut, die neuen Bundesländer,
  das neue Jahr, die neue Linke § 63

neu∪griechisch ...

neuerdings § 39(1)

neugeboren

Neugier, Neugierde

neun usw. (vgl. acht usw.)

neuntel usw. (vgl. achtel usw.)

neunzig usw. (vgl. achtzig usw.)

Neuralgie

Neuro∪chirurgie

Neurose

neurotisch

neutral

Neutron

Newage* § 37(1), auch New Age § 37 E1

Newcomer § 37(1)

New Deal

Newlook* § 37(1), auch New Look
  § 37 E1

News

Nexus

nibbeln

nicht [öffentlich, auch nichtöffentlich ...
  § 36 E2]

Nicht∪raucher... § 37(1)

Nichte

nichts [sagen/sagend ...(*) *§ 34 E3(2)*]; das Nichts, vor dem Nichts stehen *§ 57(3)*

nichtsdesto⌣minder, ...weniger *§ 39(1)*

Nickel

nicken

Nicki

Nicotin *s.* Nikotin

nie

nieder; die Hohen und die Niederen *§ 57(1),* Hoch und Nieder* *§ 57(1), § 58 E2*

nieder⌣gehen ... *§ 34(1)*

niederländisch, Niederländisch (*vgl.* deutsch, Deutsch)

Niedertracht

niedlich

Niednagel, Neidnagel

niedrig [gesinnt ...(*) *§ 36 E1(2)*]; die Hohen und die Niedrigen *§ 57(1),* Hoch und Niedrig* *§ 57(1), § 58 E2*

niemand [ander(e)s] *§ 58(4);* ein Niemand *§ 57(3)*

Niere

nieseln

niesen

Nieß⌣brauch ...

Nieswurz

Niete

Nightclub *§ 37(1)*

Nihilismus

Nikotin, *fachspr.* Nicotin

Nimbus

Nimrod

Nippel

nippen

Nippes, Nippsachen

nirgends

nirgend[s]⌣wo ...

Nirosta *(Wz)*

Nische

Nisse

nisten

Nitrid *(Metall-Stickstoff-Verbindung)* ≠ Nitrit

Nitrit *(Salz der salpetrigen Säure)* ≠ Nitrid

Nitroglyzerin

nitschewo

Niveau

Nixe

nobel

Nobelpreis

noch

Nöck, Neck

Nocken

Nockerl

Nocturne, Notturno

Nofuturegeneration*, **No-Future-Generation*** *§ 43*

Noisette

Nomade

Nomen

nominal

Nominativ

nominell

Nonchalance

nonchalant

None

Nonne

Nonplusultra

Nonsens

nonstop [fliegen ... *§ 34 E3(2)*]; Nonstopflug *§ 37(1), auch* Non-Stop-Flug *§ 45(2)*

Noppe

Norden

nörgeln

Norm

normal

Norne

norwegisch, Norwegisch (*vgl.* deutsch, Deutsch)

No-Spiel

Nostalgie

Not [leiden/leidend*, lindern *§ 34 E3(5), § 36 E1(1.2), § 55(4);* tun *(es tut Not)** *§ 34 E3(5), § 55(4);* sein*, werden* *§ 55(4)*]; zur Not, in Nöten [sein] *§ 55(4) (vgl.* vonnöten) not⌣landen *§ 33(1)*

Notar

Notation

Notdurft

Note

notieren

nötig; das Nötigste *§ 57(1);* es fehlte ihnen am Nötigsten *§ 57(1), § 58 E1;* das ist am nötigsten *§ 58(2)*

Notiz

notorisch

Notturno, Nocturne

Nougat *s.* Nugat

Nova

Novelle

November

Novize

Novum

n-te [Potenz ...] *§ 41*

Nu; im Nu *§ 55(4)*

Nuance

Nubuk[leder]

nüchtern

Nuckel

Nudel

Nudist

Nugat, *auch* Nougat

Nugget

nuklear

null; gleich null sein *§ 58(6);* die [Ziffer] Null *§ 57(4);* durch null teilen, eins zu null, null Komma fünf, in null Komma nichts*, auf null stehen*, unter null sinken* *§ 58(6)*

Numerale

Numero

Numismatik

Nummer

nummerieren*

nun

nunmehr

Nuntius

nur

Nurse

nuscheln

Nuss*

Nüster

Nut, Nute

Nutria

Nutte

nutz, nütze; [zu nichts] nutz/nütze [sein *§ 35*]

Nutz, Nutzen; zu Nutz und Frommen, zu Nutze*, zunutze machen, von Nutzen [sein] *§ 55(4)*

nutzen, nützen

nutznießen *§ 33(1)*

Nylon *(Wz)*

Nymphe

Nymphomanie

O

o [wie schön, weh ...]

Oase

ob

Obacht [geben *§ 34 E3(5), § 55(4)*]

Obdach

Obduktion

obduzieren

O-Beine *§ 40(1), § 55(1);* o-beinig*,
O-beinig *§ 40(1)*

Obelisk

oben [stehen/stehend ...(*) *§ 34 E3(2),
§ 36 E1(1.2) (der oben stehende Abschnitt*)*]; das oben Stehende*, *auch*
das Obenstehende, oben Stehendes*,
auch Obenstehendes*, im oben Stehenden*, *auch* im Obenstehenden*

oben‿an ...

Ober

obere

Obers

obgleich

Obhut

Objekt

objektiv

Oblate

obliegen lag ob *oder* oblag, obgelegen
oder obgelegen

obligat

Obmann

Oboe

Obolus

obschon

Observation

obskur

obsolet

Obsorge

Obst

obstinat

obszön

obwohl

Ochs, Ochse

Öchsle[grad]

ocker

öd, öde

Ode

öde, öd

oder

Odium

Odyssee

Œuvre

Ofen

off

offen [bleiben, halten ...(*) *§ 34 E3(3)*]

offensiv

öffentlich

offerieren

Offert, Offerte

Office

offiziell

Offizier

öffnen

Offset[druck]

o-förmig*, O-förmig

oft; öfter, öfters, des Öft[e]ren* *§ 57(1)*

oh; ihr [freudiges] Oh *§ 57(5)*

Ohm

ohne; ohne dass *§ 39 E2(2.2)*

ohneeinander [auskommen ...
§ 34 E3(2)]

ohneweiters *(österr.)*

Ohnmacht

Ohr; zu Ohren kommen *§ 55(4)*

Öhr

Ohrfeige

Okapi

Okarina

okay

okkasionell

okkult

Okkupant

Ökologie

Ökonomie

Oktanzahl

Oktav *(Buchformat)*

Oktav, Oktave *(Intervall)*

Oktober

oktroyieren

Okular

Ökumene

Okzident

Öl

Oldie

Oldtimer

Oleander

Oligarchie

oliv *usw. (vgl.* blau *usw.)*

Olive

olympisch; *(in Eigennamen wie)* die Olympischen Spiele *§ 60(4.1); (in Fügungen wie)* das olympische Feuer *§ 63*

Oma

Ombudsfrau, Ombudsmann

Omelett, Omelette

Omen

ominös

Omnibus

Onanie

Ondit

Ondulation

Onestep

Onkel

Onyx

Opa

Opal

Op-Art *§ 45*

Openair*, *auch* Open Air*; Openairfestival* *§ 37(1), auch* Open-Air-Festival* *§ 45(2)*

Openenddiskussion* *§ 43, § 55(3), auch* Open-End-Diskussion* *§ 45(2)*

Oper

Operation

Operette

Opfer

Opium

Opossum

Opponent

opponieren

opportun

Opposition

Optik

Optimismus

Optimum

Option

opulent

Opus

Orakel

oral

orange *(Farbe) usw. (vgl.* blau *usw.)*

Orange *(Apfelsine)*

Orangeade

Orangeat

Orang-Utan

Oratorium

Orbit

Orchester

Orchidee

Orden

ordentlich

Order, Ordre

Ordinalzahl

ordinär

Ordination

ordnen

Ordonanz* *s.* Ordonnanz

Ordonnanz, *auch* Ordonanz

Ordre, Order

Oregano, Origano

Organ

Organisation

Organist

Orgasmus

Orgel

Orgie

Orient

orientieren

Origano, Oregano

original

originell

Orkan

Orkus

Ornament

Ornat

Ornithologie

Ort

ortho‿chromatisch ...

Ortho‿genese ...

orthodox

Orthografie(*) *s.* Orthographie

Orthographie, *auch* Orthografie

Orthopädie

orts‿kundig ... *§ 36(1)*

Öse

Osmium

Osmose

osmotisch

Osten

ostentativ

Ostern

Östrogen

Otter

Out‿fit, ...law, ...put, ...sider ... *§ 37(1)*

outen

Ouvertüre

oval

Ovation

Overall

Overheadprojektor *§ 37(1)*

Overkill

Oxer

Oxid, *auch* Oxyd

Oxidation, *auch* Oxydation

Oxyd *s.* Oxid

Oxydation *s.* Oxidation

Ozean; der Stille Ozean *§ 60(2.4)*

Ozelot

Ozon

P

paar; ein paar *(einige),*
diese paar [Mark ...] *§ 56(5)*
Paar; ein Paar [Schuhe ...] *§ 55(5),*
aber Pärchen *§ 9 E2*
Pacemaker
Pacht
Pack
Packagetour
packen
Packen, Pack
Pädagogik
Paddel
Paddy
Page
Pagode
Paillette
Paket
Pakt
Paladin
Palais
paläo‿grafisch ...
Paläo‿botanik ...
Paläozoikum
Palast
Palatschinke
Palaver
Palazzo
Paletot
Palette
Palisade
Palisander
Palme
Pampa
Pampelmuse
Pamphlet
pan‿afrikanisch ...
Pan‿amerikanismus ...
Panade
panaschieren
Panda

Paneel
Panflöte, Pansflöte
Panier
panieren
Panik
Panne
Panoptikum
Panorama
panschen, pantschen
Pansen
Pansflöte, Panflöte
Pantalons
Panter* *s.* Panther
Pantheismus
Panther, *auch* Panter
Pantine
Pantoffel
Pantolette
Pantomime
pantschen, panschen
Panty
Panzer
Papa
Papagallo
Papagei
Paper
Paperback
Papeterie
Papier
Papp‿maschee*, *auch* ...maché;
...plakat ... *§ 45(4)*
Pappe
Pappel
päppeln
Pappenstiel
Paprika
Papst
Papyrus
para‿militärisch ...
Para‿psychologie ...

Parabel

Parabol‿antenne ...

Parade

Paradeiser

Paradentose *s.* Parodontose

Paradies

Paradigma

paradox

Paraffin

Paragraf(*) *s.* Paragraph

Paragraph, *auch* Paragraf

parallel [laufen/laufend(*) *§ 34 E3(2),
    § 36 E1(1.2)*]

Paralyse

paralytisch

Parameter

Paranuss*

Parasit

Parasol

parat

Pärchen (*zu* Paar) *§ 9 E2*

Parcours

Pardon

Parfait

Parforce‿jagd ...

Parfum, Parfüm

Paria

parieren

Parität

Park

Parka

Park-and-ride-System *§ 43*

parken

Parkett

Parlament

Pärlein (*zu* Paar) *§ 9 E2*

Parmesan

Parodie

Parodontose, *auch* Paradentose

Parole

Paroli

Part

Parte

Partei

parterre

Partie

partiell

Partikel

Partisan

Partitur

Partizip

Partizipation

Partner

partout

Party

Parzelle

Pascha

paschen

Paspel

Pass*

passabel

Passage

Passagier

Passant

Passat

Passe

passé *s.* passee

passee*, *auch* passé [sein]

passen

Passepartout

passieren

Passion

passiv

Paste

Pastell

Pastete

pasteurisieren

Pastille

Pastmilch

Pastor

Patchwork

Pate

patent

Patent

Pater

Paternoster

Pathologie

Pathos

Patience

Patient

Patina

Patio

Patisserie

Patissier

Patriarch

Patriot

Patrizier

Patron

Patrone

Patrouille

Patschuli

patt

Patte

patzen

Pauke

pausbackig, pausbäckig

pauschal

Pause

pausen

Pavane

Pavian

Pavillon

Pawlatsche

Pazifismus

Pech

Pedal

pedant, pedantisch

Pedant *(kleinlicher Mensch)* ✣ Pendant

pedantisch, pedant

Pediküre

Peepshow* *§ 37(1)*

Peer

Pegasus

Pegel

peilen

Pein

peinlich

Peitsche

Pekinese

pekuniär

Pelargonie

Pelerine

Pelikan

Pelle

Pellet

Pelz

pelzen

Pendant *(Gegenstück)* ✣ Pedant

Pendel

pendent

penetrant

Penetranz

penibel

Penicillin *s.* Penizillin

Penis

Penizillin, *fachspr.* Penicillin

Pennäler

Pension

Pensum

Penthaus, Penthouse

Pep, *aber* peppig

Peperone, Peperoni, Pfefferoni

Pepita

peppig, *aber* Pep

per

Percussion, Perkussion

Perestroika

perfekt

perfid, perfide

Perforation

Performance

Pergament

Pergola

Periode

peripher

Perkussion, Percussion

Perle

Perlmutt[er]

Perlon *(Wz)*

perlustrieren

permanent

Permanenz

Perpendikel

perplex

Perser

Persianer

Persiflage

Persipan

Person

Personalityshow* *§ 37(1)*

Perspektive

Perücke

pervers

pervertieren

Perzeption

Pessar

Pessimismus

Pest

Pestizid

Petersilie

Petit

Petition

Petrol[eum]

Petschaft

Petticoat

Petting

Petunie

petzen

Pfad

Pfahl

Pfand

Pfanne

Pfarrer

Pfau

pfauchen, fauchen

Pfeffer

Pfefferminz

Pfefferoni, Peperone, Peperoni

pfeifen pfiff

Pfeil

Pfeiler

Pfennig

Pferch

Pferd

Pfiff

Pfifferling

pfiffig

Pfingsten

Pfirsich

Pflanze

Pflaster

Pflaume

Pflege

Pflicht

pflicht‿vergessen ... *§ 36(1)*

Pflock

pflücken

Pflug

Pforte

Pfosten

Pfote

Pfriem

Pfropf

Pfründe

Pfuhl

Pfund

Pfusch

Pfütze

Phalanx *Pl.* ...langen

Phallus

Phänomen

Phantasie *s.* Fantasie

phantastisch *s.* fantastisch

Phantom

Pharisäer

Pharmaindustrie

pharmazeutisch

Phase

Phenol

Philatelie

Philharmonie

Philister

Phillumenie

Philodendron

Philologie

Philosophie

Phiole

Phlegma

Phlox

Phobie

Phon, *auch* Fon

phono‿grafisch ..., *auch* fono‿...

Phono‿technik ..., *auch* Fono‿...

Phosphor

photo‿elektrisch ... *s.* foto‿...
Photo‿synthese ... *s.* Foto‿...
photogen *s.* fotogen
Photographie *s.* Fotografie
Photometrie *s.* Fotometrie
Phrase
pH-Wert *§ 40(2), § 55(1)*
Physik
physio‿therapeutisch ...
Physio‿therapie ...
Physiognomie
physisch
Piano
Piccolo, Pikkolo
Pick *(Klebstoff)*
Picke
Pickel
Pickelhering
picken
Pickerl
Picknick
picobello
piek‿fein ... *§ 36(2), § 36(5)*
Piep
Pieps
Pier
Pieta, Pietà
Pietät
Pigment
Pik *(Bergspitze; Spielkartenfarbe; heimlicher Groll)*
pikant
Pike
piken, piksen
Pikett
pikiert
Pikkolo, Piccolo
piksen, piken
Piktogramm
Pilger
Pille
Pilot
Pils *(Bier)*
Pilz *(Gewächs)*

Piment
Pimpf
pingelig
Pingpong
Pinguin
Pinie
pink
Pinne
Pinnwand
Pinscher
Pinsel
Pin-up-Girl *§ 43*
Pinzette
Pionier
Pipe
Pipeline
Pipette
Pips
Piranha, Piraya
Pirat
Piraya, Piranha
Piroge *(indian. Einbaum)*
Pirogge *(Pastetenart)*
Pirol
Pirouette
Pirsch
Pissoir
Pistazie
Piste
Pistole
Pitaval
Pitchpine
pittoresk
Piz
Pizza
Pizzeria
Pizzikato
Placebo
Plache, Blache, Blahe
placken
Plädoyer
Plafond
Plage
Plagiat

213

Plaid
Plakat
Plakette
plan
Plan
Plane
Planet
Planke
plänkeln
Plankton
planschen, plantschen
Plantage
plantschen, planschen
plappern
plärren
Plasma
Plastik
Plastilin[a]
Platane
Plateau
Platin
Platitude* *s.* Plattitüde
platonisch
plätschern
platt [drücken ... *§ 34 E3(3)*]
platt∪nasig ... *§ 36(2)*
plätten
Plattitüde*, *auch* Platitude
Plattler
Platz [finden, machen ... *§ 34 E3(5),*
   § 55(4)]
platzen
platzieren*
plaudern
plauschen
plausibel
Play-back* *§ 43, auch* Playback *§ 37(2)*
Playboy *§ 37(1)*
Play-off; Play-off-Runde *§ 43, § 55(3)*
Plazenta
Plazet
Plebejer
Plebiszit
Plebs

Pleinair
pleite [sein *§ 35,* werden *§ 56(1)*]
Pleite [gehen, machen ...(*) *§ 34 E3(5),*
   § 55(4)]
Plenar∪saal ...
Plenum
Plethi; Krethi und Plethi
Pleuel
Plexiglas *(Wz)*
Plissee
Plombe
Plot
Plotter
Plötze
plötzlich
Pluder∪hose ...
pludern
Plumeau
plump
Plumpsack
Plumpudding
Plunder
plündern
Plural
plus
Plüsch
plustern
Plutonium
Pneu, Pneumatik
Po, Popo
Pöbel
Poch
pochen
pochieren
Pocke
Pocketkamera *§ 37(1)*
Podest
Podex
Podium
Poesie
Poetik
Pogrom
Point
Pointe

Pokal

Pökel

Poker

Pokerface *§ 37(1)*

Pol

Polaroid‿kamera *(Wz) § 37(1)*

Polder

Polemik

Polenta

Police, Polizze *(österr.)*

Polier

Poliklinik

Politik

Politur

Polizei

Polizze *(österr.)*, Police

Polka

Pollen

Poller

polnisch, Polnisch
   (vgl. deutsch, Deutsch)

Polo

Polonaise *s.* Polonäse

Polonäse, *auch* Polonaise

Polster

poltern

poly‿technisch ...

Poly‿grafie ...

Polyamid *(Wz)*

Polyester

polyfon(*) *s.* polyphon

polygam

polyglott

Polyp

polyphon, *auch* polyfon

pölzen

Pomade

Pomeranze

Pommes frites

Pomp

Pönale

Poncho

Pontifex *Pl.* ...fizes, *auch* ...fices*

Pontifikat

Ponton

Pony

Pool

Pop, *aber* poppig, Popper

Popanz

Pop-Art *§ 45*

Popcorn *§ 37(1)*

Popel

Popelin, Popeline

Popo, Po

Popper, *aber* Pop

poppig, *aber* Pop

populär

Pore

Pörkel, Pörkelt, Pörkölt

Pornografie(*), *auch* Pornographie

Pornographie, *s.* Pornografie

porös

Porphyr

Porree

Porridge

Portable

Portal

Portemonnaie *s.* Portmonee

Porter

Portier

Portiere

Portion

Portmonee*, *auch* Portemonnaie

Porto

Porträt

portugiesisch, Portugiesisch
   (vgl. deutsch, Deutsch)

Portwein

Porzellan

Posament

Posaune

Pose

Position

positiv

Posse

possessiv

Post

post‿lagernd ...

Post∪moderne ...
post∪operativ ...
Postament
Posten [stehen § 34 E3(5), § 55(4)
Poster
posthum, postum
Postille
Postskript, Postskriptum
Postulat
postum, posthum
Pot *(Marihuana)* ≠ Pott
potent
Potentat
Potential *s.* Potenzial
potentiell *s.* potenziell
Potenz
Potenzial*, *auch* Potential
potenziell*, *auch* potentiell
Potpourri
Pott *(Topf)* ≠ Pot
Poulard, Poularde
Poulet
Power
Powerplay
Powidl
Prä
prä∪disponieren ...
Prä∪historiker ...
Präambel
Pracht
pracken
prädestiniert
Prädikat
Präfation
Präfekt
präferentiell *s.* präferenziell
Präferenz
präferenziell*, *auch* präferentiell
Präfix
prägen
Pragmatik
prägnant
Prägnanz
prahlen

Prahm
präjudizieren
Praktikant
praktizieren
Prälat
Praline, Pralinee
prall
prallen
Präludium
Prämie
Prämisse
prangen
Pranger
Pranke
Präparat
Präposition
präpotent
Prärie
Präsens *(Gegenwart) Pl.* ...sentia *oder*
...senzien ≠ Präsenz
präsent [haben]
Präsent
Präsentant
Präsenz *(Anwesenheit)* ≠ Präsens
Präser[vativ]
Präses
Präsident
prasseln
prassen
prätentiös
Präteritum
Prau
Prävention
Praxis
Präzedenz∪fall ...
präzis, präzise
Predigt
Preis *(vgl.* preisgeben)
Preiselbeere
preisen pries
preisgeben *(ich gebe preis)* § 34(3),
§ 56(2)
prekär
prellen

Prélude
Premier
Premiere
Presbyter
preschen
Presse
pressen
pressieren
Prestige
Presto
pretiös* *s.* preziös
Pretiosen *s.* Preziosen
preziös, *auch* pretiös
Preziosen, *auch* Pretiosen
Prickel
Priel
Priem
Priester
Prim, Prime
prima
Primaballerina
Primadonna
Primar‿arzt ...
primär
Primas
Primat
Prime, Prim
Primel
primitiv
Primiz
Primzahl
Printe
Printer
Prinz
Prinzip
Prior
Priorität
Prise
Prisma
Pritsche
privat; von privat
Privileg
pro [Kopf ... *§ 55(4)*]
pro‿amerikanisch ...

Pro‿rektor ...
Proband
probat
Probe [fahren ...] *§ 55(4)*
probeweise *§ 39(1)*
probieren; das Probieren *§ 57(2)*
Problem
Procedere, *auch* Prozedere
Producer
Produktion
Produzent
profan
professionell
Professor
Profi
Profil
Profit
profund
Prognose
prognostizieren
Programm
Progression
Prohibition
Projekt
Projektion
projizieren
Proklamation
Pro-Kopf-Verbrauch *§ 44, § 55(1),*
   § 55(2)
Prokura
Proletariat
Prolog
Promenade
Promille
prominent
Prominenz
Promiskuität
Promoter
Promotion (*zu* promovieren)
Promotion *(Förderung)*
Promoter
Promovend (*zu* promovieren)
promovieren
prompt

217

Pronomen
prononciert
Propaganda
Propan
Propeller
proper
Prophet
prophezeien
prophylaktisch
Prophylaxe
Proportion
proportional
Proporz
Propst
Prosa
prosit, prost
Prosodie
Prospekt
Prosperität
prost, prosit
Prostata *Pl.* ...tae
Prostitution
Protagonist
Protegé
protegieren
Protein
Protektion
Protest
Protestantismus
Prothese
prothetisch
Protokoll
Protokollant
Proton
Prototyp
Protz
Proviant
Provinz
provinziell
Provision
provisorisch
provokant
provozieren
Prozedere *s.* Procedere

Prozedur
Prozent
Prozess*
Prozession
prüde
prüfen
Prügel
Prunk
prusten
Psalm
Psalter
pseudo‿wissenschaftlich ...
Pseudo‿krupp ...
Pseudonym
Psyche
Psychiatrie
psycho‿therapeutisch ...
Psycho‿thriller ... *§ 37(1)*
Pub *(Gastwirtschaft)* ≠ Pup
Pubertät
Publicity
Publicrelations* *§ 37(1), auch* Public
    Relations *§ 37 E1*
publik [machen ... *§ 34 E3(2)*]
Publikation
Publikum
publizieren
Puck
Pudding
Pudel
Puder
Pulk
Pulli
Pullman‿wagen ...
Pullover
Pullunder
Puls
Pult
Pulver
Puma
Pump
Pumpe
Pumpernickel
Pumphose

Pumps
Punchingball § 37(1)
Punk
Punkt [acht Uhr(*)] § 55(4)
punktieren
pünktlich
Punsch
Pup, Pups, Pupser (Blähung) ≠ Pub
Pupille
Puppe
Pups, Pupser, Pup (Blähung) ≠ Pub
pur
Püree
Purgatorium
Purismus
Puritanismus
Purpur
purzeln
puschen* s. pushen

pushen, auch puschen
pusseln (herumbasteln)
Pustel
pusten
Puszta
Pute
Putsch
Putte
Putz
putzen; das Putzen,
  das Fensterputzen § 57(2)
puzzeln (zu Puzzle)
Puzzle
Pyjama
Pyramide
pyro‿technisch ...
Pyro‿manie ...
Pyrrhussieg
Python

Quacksalber
Quaddel
Quadrat
Quadriga
Quadrille
quadrofon(*) *s.* quadrophon
quadrophon, *auch* quadrofon
Quai, Kai
quaken
Qual
Qualität
Qualle
Qualm
Quäntchen*
Quantität
Quantum
Quappe
Quarantäne
Quargel
Quark
Quart, Quarte
Quartal
Quartär
Quarte, Quart
Quartett
Quartier
Quarz
quasi
Quaste
Quästor
Quatsch
Quecke
Quecksilber

quellen quellte *(einweichen)*
quellen quillt, quoll *(schwellen)*
Quendel
quer [gehen, stehen ...(*) *§ 34 E3(2)]*;
    kreuz und quer
Quer‿verbindung ...
Quere; in die Quere [kommen], in die
    Kreuz und [in die] Quere [laufen]
    § 55(4)
Querelen
querfeldein *§ 39(1)* [laufen ... *§ 34 E3(2)]*
Querulant
quetschen
Queue
quicklebendig *§ 36(5)*
Quickstepp* *§ 37(1)*
quieken, quieksen
quietschen
Quint, Quinte
Quintessenz
Quintett
Quirl
Quisling
Quisquilien
quitt
Quitte
quittieren
Quiz, *aber* quizzen
quizzen, *aber* Quiz
Quodlibet
Quorum
Quote
Quotient

R

Rabatt

Rabatte

Rabbi[ner]

Rabe

rabiat

Rache

Rachen

rächen (*zu* Rache) ⧧ rechen

Rachitis *Pl.* ...tiden

Rack *(Regal)* ⧧ Reck

Racke, Rake

rackern

Racket, Rakett

Raclette

Rad [fahren*/fahrend*, schlagen*
    § 34 E3(5), § 36 E1(1.2), § 55(4) ⧧ Rat]

Radar

radebrechen § 33

Rädelsführer

radial

radieren

Radieschen

radikal

Radio

radio⌣aktiv ...

Radio⌣chemie ...

Radium

Radius

Radon

raffen

Raffinerie

Raffinesse

raffiniert

Raft

Rage

ragen

Raglan

Ragout

Ragtime

Rah, Rahe

Rahm

Rahmen

Rahne, Rande

Rain

Rake, Racke

räkeln, rekeln

Rakete

Rakett, Racket

Ralle

Rallye

Ramadan

Rambo

rammen

Rampe

ramponieren

Ramsch

Ranch

Rand; zu Rande, zurande kommen*
    § 39 E3(1), § 55(4)

randalieren

Rande, Rahne

Rang

rangeln

Ranger

rangieren

rank

Rank

Ranke

Ränke [schmieden] ⧧ Renke

Ranunkel

Ranzen

ranzig

Rap, Rapping

rapid, rapide

Rappe

rappeln

Rappen

Rapping, Rap

Rapport

Raps

Rapünzchen

rar

rasant

Rasanz

rasch

rascheln

rasen

Rasen

Räson

räsonieren

Raspel

räß

Rasse

Rassel

Rast

Raste

Raster

Rasur

Rat [suchen/suchend ...(*) § 34 E3(5),
§ 36 E1(1.2), § 55(4)]; die Rat Suchen-
den* § 57(1), auch die Ratsuchenden; zu
Rate, zurate [ziehen](*) § 55(4) ≠ Rad

Ratatouille

raten riet

Ratifikation

ratifizieren

Ration

rational

rationell

rätoromanisch, Rätoromanisch
(vgl. deutsch, Deutsch)

Rätsche

ratschen

ratschlagen

Rätsel

Ratte

rattern

rau*

Raub

Rauch

Räude

Raufbold

Raufe

raufen

rauhaarig*; die Rauhaarige Alpenrose*
§ 64(2)

Rauheit

Raum

raunen

Raupe

Rausch

rauschen

räuspern

Raute

Ravioli

Rayon (Bereich, Bezirk) ≠ Reyon

Razzia

Re (Gegensatz Kontra) ≠ Reh

Reader

Reagens Pl. ...genzien, Reagenz Pl. -ien

reagieren

Reaktion

Reaktor

real

Realitäten

Rebe

Rebell

Rebhuhn

Rechaud

rechen (harken) ≠ rächen

Rechenschaft

Recherche

rechnen

recht [tun; sein § 35]; das Rechte [tun
...], zum Rechten sehen § 57(1); sich
recht verhalten

Recht [behalten, erhalten, haben, sprechen ...(*)]; mit Recht, zu Recht § 55(4)
(vgl. zurecht)

recht⌣fertigen, ...schreiben § 34(2.2)

rechtens* [sein § 35]; etwas rechtens
machen, für rechtens halten* § 56(3)

rechte; die rechte Hand, die Rechte, auf
der Rechten, zur Rechten § 57(1)

rechts [abbiegen/abbiegend ... § 34 E3(2),
§ 36 E1(1.2)]; nach rechts, gegen rechts

rechts⌣verfahren ... § 36(1)

Reck (Turngerät) ≠ Rack

Recke
recken
Recorder *s.* Rekorder
Recycling
Redaktion
Rede [stehen] (*zu* reden); Red[e] und
  Antwort stehen § 55(4) ≠ Reede
reden
redigieren
redlich
Redoute
redselig § 36(2)
Reduktion
redundant
Redundanz
reduzieren
Reede (*Ankerplatz*) ≠ Rede
reell
Refektorium
Referat
Referendum
Referent (*Berichterstatter*) ≠ Reverend
Referenz (*Empfehlung*) ≠ Reverenz
reflektieren
Reflex
Reflexion
reflexiv
Reform
Refrain
Refugium
refundieren
Regal
Regatta
Regel
regen
Regen
Regeneration
Regent
Reggae
Regie
regieren; der Regierende Bürgermeister
  § 64(1)
Regime
Regiment

Region
Register
Reglement
regnen
Regress*
regulär
regulieren
Reh (*Tier*) ≠ Re
Rehabilitand
Rehabilitation
reiben rieb
reich [schmücken/geschmückt ...(*) § 34
  E3(3), § 36 E1(1.2)]; die Reichen, Arme
  und Reiche § 57(1); Arm und Reich(*)
  § 57(1), § 58 E2
Reich
reichen
reif
Reif
Reifen
Reigen
Reihe
Reiher
reihum
Reim
rein [halten; golden, seiden ...(*) § 34
  E3(3), *auch* reingolden, reinseiden § 36
  E2]; das Reine, ins Reine kommen*, ins
  Reine schreiben*, [mit jemandem] im
  Reinen [sein]* § 57(1)
rein‿seiden ..., *auch* rein seiden § 36 E2
Reineclaude *s.* Reneklode
Reinette, Renette
Reis
reisen
Reißaus [nehmen] § 55(4)
reißen riss*
reiten ritt
reizen
Reizker
rekeln, räkeln
Reklamation
Reklame
rekommandieren

rekonvaleszent
Rekonvaleszenz
Rekord
Rekorder, *auch* Recorder
Rekrut
rektal
Rektion
Rektor
rekurrieren
Rekurs
Relais
Relation
relativ
relaxen
Release
relegieren
relevant
Relevanz
Relief
Religion
Relikt
Reling
Reliquie
Remake
Remigrant
Reminiszenz
remis
Remittende
Remoulade
rempeln
remunerieren
Ren
Renaissance
renaturieren
Rendant
Rendezvous, Rendez-vous *(schweiz.)*
Rendite
Renegat
Reneklode, *auch* Reineclaude, Ringlotte
Renette, Reinette
renitent
Renitenz
Renke, Renken *(Fisch)* ≠ Ränke
rennen rannte

Renommee
renovieren
rentabel
Rente
Reparation
Reparatur
Repertoire
Repetition
Replik
replizieren
Reportage
Repräsentant
Repräsentanz
repressiv
Reprint
Reprise
Reptil
Republik
Reputation
Requiem
requirieren
Requisit
Reseda, Resede
Reservat
Reserve
Reservoir
Residenz
Resignation
resistent
Resistenz
resolut
Resolution
Resonanz
resorbieren
Resorption
Respekt
Respiration
Ressentiment
Ressort
Ressourcen
Rest
Restaurant
Restauration
Restitution

Restriktion

Resultat

Resümee

retardieren

Retorte

retour

Retrospektive

retten

Rettich

Return

Retusche

Reue

Reuse

reüssieren

Revanche

Reverend *(Geistlicher)* ∔ Referent

Reverenz *(Ehrerbietung)* ∔ Referenz

Revers

reversibel

revidieren

Revier

Revirement

Revision

Revival

Revolte

Revolution

Revoluzzer

Revolver

Revue

Reyon *(Kunstseide)* ∔ Rayon

Rezensent

rezent

Rezept

Rezeption

Rezession

Rezipient

reziprok

Rezitativ

Rhabarber

Rhapsodie

Rhesus∪faktor ...

Rhetorik

Rheuma

Rhinozeros

Rhododendron

Rhombus

Rhönrad

rhythmisch

Rhythmus

Ribisel

richten

richtig [machen, stellen, gehen/ gehend ...(*) *(eine richtig gehende Uhr)* § 34 E3(3), § 36 E1(1.2) ∔ richtiggehend]; der, die, das [einzig] Richtige [sein(*) § 35, tun ... § 57(1)]; das Richtigste sein* § 57(1)

richtiggehend *(eine richtiggehende Verschwörung)* ∔ richtig gehend

Richtung [Hannover, Osten ...]

Ricke

riechen roch

Ried *(Schilf)*

Ried, Riede *(Weinberg)*

Riefe

Riege

Riemen

Riese

rieseln

riesig [groß ... § 36 E1(2)]

Riesling

Riff

riffeln

rigid, rigide

rigoros

Rikscha

Rille

Rind

Rinde

Ring

ringen rang, gerungen

Ringlotte *s.* Reneklode

rings [um den Brunnen § 56(3)]

rings∪um, ...umher

rinnen rann, geronnen

Rippe

Rips

Risiko

riskant
Risotto
Rispe
Riss*
Rist
Ritschert
Ritter
Ritual
Ritus
Ritz, Ritze
Rivale
Rizinus
Roastbeef
Robbe
Robe
Robinie
Robinsonade
Roboter
robust
Rochade
röcheln
Rochen
rochieren
Rock
Rock and Roll, Rock 'n' Roll;
    Rock-and-Roll-Musiker,
    Rock-'n'-Roll-Musiker *§ 43*
Rocker
Rodel
rodeln
roden
Rodeo
Rogen
Roggen
roh; im Rohen [fertig] sein*; aus dem
    Rohen arbeiten* *§ 57(1)*
roh⌣seiden ...
Rohheit*
Rohr
röhren
Rokoko
Rolle
Rollo
Romadur

Roman
Romancier
Romand
Romantik
Romanze
Römer
Rommé *s.* Rommee
Rommee*, *auch* Rommé; Rummy
Rondeau *(Gedichtform)* ╪ Rondo
Rondell
Rondo *(Tanzlied)* ╪ Rondeau
röntgen
Rooming-in *§ 43;* Rooming-in-System
    § 44
Roquefort
rosa
rosarot *§ 36(4)*
Rose
rosé
Rosé
Rosette
rosig [weiß* *§ 36 E1(2)*]
Rosine
Rosmarin
Ross*
Rost
rosten
rösten
röstfrisch *§ 36(1)*
Rösti
rot *usw.* (*vgl.* blau *usw.*); rot [glühen/glü-
    hend(*) ... *§ 34 E3(3), § 36 E1(1.2)*]; *(in
    Eigennamen wie)* das Rote Meer
    § 60(2.4); die Rote Armee *§ 60(4.2);* die
    Rote Fahne *(Zeitungstitel) § 60(4.4);* der
    Rote Planet *(Mars) § 60(5);* Rote
    Be[e]te; der Rote Milan *§ 64(2); (in Fü-
    gungen wie)* die roten Blutkörperchen,
    die rote Fahne [der Arbeiterbewegung],
    der rote Faden, die rote Grütze, der
    rote Hahn *(Feuer),* keinen roten Heller
    besitzen, die rote Liste [der vom Aus-
    sterben bedrohten Arten]
Rotation
rotblau *§ 36(4)*

Rötel

Röteln

Rotte

Rotz

Rouge

Roulade

Roulett, Roulette

Roundtable* § 37(1), auch Round Table* § 37 E1; Roundtablekonferenz* § 37(1), auch Round-Table-Konferenz* § 45(2)

Route

Routine

Routinier

Rowdy

royal

rubbeln

Rübe, aber Rüebli

Rubin

Rubrik

rubrizieren

ruchbar

ruchlos

rück∪fragen ... § 34(1)

rucken

rücken

Rücken

rückenschwimmen § 33(1)

Rückgrat

Rucksack

rückwärts § 39(1) [fallen ...(*) § 34 E3(2)]

rüde

Rüde

Rudel

Ruder

Rudiment

Rüebli, aber Rübe

rufen rief; das/lautes Rufen § 57(2)

Rüffel

Rugby

Rüge

Rugel

Ruhe

ruhen [lassen(*) § 34 E3(6)]

ruhig [bleiben, stellen ...(*) § 34 E3(3)]

Ruhm

Ruhr

rühren

Ruin

Ruine

Ruländer

rülpsen

Rum

rumänisch, Rumänisch
   (vgl. deutsch, Deutsch)

Rumba

Rummel

Rummy, Rommee, auch Rommé

rumoren

rumpeln

Rumpf

rümpfen

Rumpsteak

Run

rund [sein § 35]

rund∪heraus, ...umher ...

runderneuern § 33(2)

Rundfunk

Rune

Runkel[rübe]

Runse

Runzel

Rüpel

rupfen

ruppig

Rüsche

Rushhour* § 37(1)

Ruß

Rüssel

russisch, Russisch
   (vgl. deutsch, Deutsch)

rüsten

Rüster

rustikal

Rute

Rutsch

rütteln

S

'␣s (es) *§ 54(6), § 97*
Saal *Pl.* Säle *§ 9 E2*
Saat
Sabbat
Säbel
Sabotage
Saccharin *s.* Sacharin
Sacharin, *fachspr.* Saccharin
Sache
Sachertorte
sacht
Sack
Sadismus
säen
Safari
Safe
Safersex* *§ 37(1), auch* Safer Sex *§ 37 E1*
Saffian
Safran
Saft
Sage
Säge
sagen
Sago
Sahne
Saibling
Saison
Saisonier* *s.* Saisonnier
Saisonnier, *auch* Saisonier
Saite *(beim Musikinstrument)* ≠ Seite
Sake
Sakko
sakral
Sakrament
Sakrileg
sakrosankt
Sal∪band ...
Salamander
Salami
Salär

Salat
Salbe
Salbei
Sälchen *(zu* Saal) *§ 9 E2*
saldieren
Saldo
Salespromotion* *§ 37(1)*
Säli
Saline
Salm
Salmiak
Salmonellen
Salon
Saloon
salopp
Salpeter
Salsa
Salsiz
Salto
salü
Salut
Salweide
Salz
Samba
Samen
sämig
sammeln
Sammet *s.* Samt; in Sammet und in Seide
Samowar
Sample
Samstag *usw.* (*vgl.* Dienstag *usw.*)
Samstagabend *usw.*
␣␣(*vgl.* Dienstagabend *usw.*)
samstags *usw.* (*vgl.* dienstags *usw.*)
samt
Samt, *auch* Sammet; in Samt und Seide
sämtlich; sämtliche, sämtliches *§ 58(4)*
Samurai
Sanatorium
Sanctus, *aber* Sankt *(in Namen)*

Sand

Sandale

Sandel‿baum ...

Sandler

Sandwich

sanft

Sänfte

Sanftmut

sanguinisch

sanieren

Sanität

Sankt, St. (*in Namen, z. B.* Sankt
   Bernhard, St. Bernhard), *aber* Sanctus

Sanktion

Sanktuarium

Sansculotte

Saphir

Sarabande

Sardelle

Sardine

Sarg

Sari

Sarkasmus

Sarkophag

Sarong

Satan[as]

Satellit

Satin

Satire

Satisfaktion

satt [essen ... *§ 34 E3(3)*]

Sattel

saturiert

Satyr

Satz

Satzung

Sau

sauber [halten, schreiben ...(*)
   § 34 E3(3)]

Sauce *s.* Soße

Sauciere

sauer

sauertöpfisch

saufen soff

saugen sog *oder* saugte

Säule

Saum

säumen

saumselig *§ 36(2)*

Sauna

Saurier

Saus; in Saus und Braus [leben] *§ 55(4)*

sausen

Savanne

Saxofon(*) *s.* Saxophon

Saxophon, *auch* Saxofon

S-Bahn *§ 40(1), § 55(2);* S-Bahn-Zug
   § 44, § 55(1), § 55(2)

Sbrinz

Scampi

scannen

Schabe *(Werkzeug)*

Schabe, Schwabe *(Insekt)*

Schabernack

Schablone

Schabracke

Schach

Schächer

schachern

Schacht

Schachtel

schade [sein *§ 35*]; es ist schade

Schädel

Schaden [nehmen]; zu Schaden kommen
   § 34 E3(5), § 55(4)

schadlos [halten ... *§ 34 E3(3)*]

Schaf

Schaff

schaffen schaffte *(vollbringen)*

schaffen schuf *(hervorbringen)*

Schaffner

Schafott

Schaft

Schah

schäkern

schal

Schal

Schale

Schalk
schallen schallte *oder* scholl
Schalmei
Schalotte
schalten
Schaluppe
Scham
Schamanismus
Schamotte
Schampus
Schande [machen ...]; zu Schanden*,
  zuschanden machen/werden § 55(4)
Schank
Schank‿wirtschaft ...,
  Schänk‿wirtschaft ...,
  Schenk‿wirtschaft ...
Schänke*, Schenke
Schanker
Schanze
Schar
Scharade
Schäre *(Küstenklippe)* ≠ Schere
scharf
Scharlach
Scharlatan
Scharm *s.* Charme
scharmant *s.* charmant
Scharmützel
Scharnier
Schärpe
scharren
Scharte
Scharteke
Schaschlik
Schatten
Schatulle
Schatz
schätzen [lernen(*) § 34 E3(6)]
Schau
Schauder
Schauer
Schaufel
Schaukel
Schaum

Scheck, Cheque *(schweiz.), auch* Check
Schecke
scheckig [braun ...* § 36 E1(2)]
scheel [blicken/blickend ...(*) § 34 E3(3),
  § 36 E1(1.2)]
scheffeln
Scheibe
Scheich
Scheide
scheiden schied
Schein
scheinen schien
Scheit
Scheitel
scheitern
Schelf
Schellack
Schelle
Schellfisch
Schelm
schelten schilt, schalt, gescholten
Schema
Schemel
Schenk‿wirtschaft ..., Schank‿wirt-
  schaft ..., Schänk‿wirtschaft ...*
Schenke, Schänke
Schenkel
schenken
scheppern
Scherbe
Schere *(Schneidwerkzeug)* ≠ Schäre
scheren schor *oder* scherte *(abschneiden)*
scheren scherte
  (sich kümmern, weggehen)
Scherflein
Scherge
Scherz
scheu [sein § 35, werden ... § 34 E3(3)]
scheuchen
scheuern
Scheune
Scheurebe
Scheusal
scheußlich

Schi *s.* Ski

Schicht

schick, *auch* chic *(nur unflektiert)*

schicken

Schickeria

Schickimicki

Schicksal

schieben schob

Schieds∪gericht ...

schief [gehen, sitzen ...(*) *§ 34 E3(3)*]

schief∪lachen ... *§ 34(2.2)*

Schiefer

schielen

Schienbein

Schiene

schier

Schierling

schießen schoss*

Schiff

Schiismus

Schikane

Schikoree* *s.* Chicorée

Schild

schildern

Schilf

schillern

Schilling

schilpen, tschilpen

Schimäre, *auch* Chimäre

Schimmel

Schimmer

Schimpanse

schimpfen

Schindel

schinden schund *oder* schindete

Schindluder [treiben]

Schinken

Schippe

Schirm

Schirokko

Schisma

schizophren

schlabbern

Schlacht

schlachten

Schlacke

schlackern

Schläfe

schlafen *schlief*

schlaff

schlafwandeln *§ 33(1)*

Schlag [acht Uhr]* *§ 55(4)*

Schlägel(*) *(Schlagwerkzeug)*

  ╪ Schlegel

schlagen schlug; [Alarm, Rad ...]

  schlagen(*)

schlägern

schlaksig

Schlamassel

Schlamm; *Schlammmasse* * *§ 45(4)*

Schlange [stehen *§ 34 E3(5)*, *§ 55(4)*]

schlank [machen *§ 34 E3(3)*]

schlapp [machen *§ 34 E3(3)*

  ╪ schlappmachen]

Schlappe

schlappmachen *§ 34(2.2)*

  ╪ schlapp machen

Schlaraffen∪land

schlau

Schlauberger

Schlauch

Schläue

schlauerweise *§ 39(1)*

Schlaufe

Schlaumeier

Schlawiner

schlecht/schlechter [gehen, gelaunt

  ...(*) *§ 34 E3(3)*]

schlechterdings *§ 39(1)*, *§ 56(3)*

schlecken

Schlegel *([Reh]keule)* ╪ Schlägel

Schlehe

Schlei, Schleie

Schleiche

schleichen schlich

Schleie, Schlei

Schleier

Schleife

schleifen schliff *(schärfen)*

schleifen schleifte
(über den Boden ziehen)

Schleim

schlemmen

Schlempe

schlendern

Schlenker

schlenzen

schleppen

schletzen

schleudern

schleunig

Schleuse

Schlich

schlicht

schlichten

Schlick

Schlier

Schliere

schließen schloss*

schließlich

Schliff

schlimm; zum Schlimmsten kommen, es
ist das Schlimmste,·dass ...*, auf das/
aufs Schlimmste [gefasst sein] *§ 57(1);*
auf das/aufs schlimmste, Schlimmste
[zugerichtet werden](*) *§ 58 E1*

schlimmstenfalls *§ 39(1)*

Schlingel

schlingen schlang, geschlungen

schlingern

Schlips

Schlitten [fahren *§ 34 E3(5), § 55(4)*]

schlittern

Schlittschuh [laufen *§ 34 E3(5), § 55(4)*]

Schlitz

schlohweiß

Schloss*

Schloße

Schlot

Schlotte

schlottern

Schlucht

schluchzen

Schluck

schludern

Schlummer

Schlumpf

Schlund

Schlupf⌣wespe ...

schlupfen, schlüpfen

schlurfen

schlürfen

Schluss*

Schlüssel

schlussfolgern* *§ 33(1)*

Schmach

schmachten

schmächtig

Schmäh

schmähen

schmal

Schmalz

schmälzen *(zu* Schmalz) ≠ schmelzen

Schmankerl

Schmant

schmarotzen

Schmarren

schmatzen

schmauchen

Schmaus

schmecken

schmeicheln

schmeißen schmiss*

schmelzen schmilzt, schmolz *(flüssig
werden)* ≠ schmälzen

schmelzen schmilzt *oder* schmelzt,
schmolz *oder* schmelzte *(flüssig machen)* ≠ schmälzen

Schmer

Schmerling

Schmerz

schmerz⌣stillend ..., ...empfindlich
§ 36(1), aber den Schmerz stillend
§ 36 E1(4)

Schmetterling

schmettern

Schmied
schmiegen
schmieren
Schminke
Schmirgel
Schmiss*
schmökern
Schmolle
schmollen
schmoren
Schmuck
Schmuddel
Schmuggel
schmunzeln
schmusen
Schmutz
schmutzig [grau* ... § 36 E1(2)]
Schnabel
Schnake
Schnalle
schnappen
Schnäpper, Schnepper
Schnaps
schnarchen
schnarren
schnattern
schnaufen
Schnauz
Schnauze
schnäuzen*
Schnecke
Schnee
Schneewittchen
Schneid
schneiden schnitt
schneien
Schneise
schnell [laufen § 34 E3(3)]; am schnell-
    sten § 58(2); der schnelle Brüter § 63
Schnell∪läufer* ... § 45(4)
Schnelle; auf die Schnelle § 55(4)
Schnepfe
Schnepper, Schnäpper
schnetzeln

schniefen
schniegeln
Schnippchen
schnippeln, schnipseln
schnippen, schnipsen
schnippisch
Schnitt
Schnitz
Schnitzel
schnitzen
schnöd, schnöde
schnodderig, schnoddrig
schnöde, schnöd
schnofeln
Schnorchel
Schnörkel
Schnösel
schnuckelig, schnucklig
schnuddelig, schnuddlig
schnüffeln
Schnulze
schnupfen
schnuppern
Schnur
Schnürl∪samt ...
Schnurr∪bart ...
Schnurre
schnurren
Schnürsenkel
schnurstracks
Schober
Schock
schofel, schofelig, schoflig
Schöffe
schoflig, schofel, schofelig
Schokolade
Scholastiker
Scholle
Schöllkraut
schon
schön/schöner [färben, reden, schreiben
    ... § 34 E3(3) ≠ schön∪färben, ...reden,
    ...schreiben]

schönⱴfärben, ...reden, ...schreiben ...
§ 34(2.2) ⧺ schön schreiben

schonen

Schoner

Schopf

schöpfen

Schoppen

Schöps

Schorf

Schörl

Schorle[morle]

Schornstein

Schose s. Chose

Schoß *(Mutterleib)*

Schoss* *(junger Trieb)*

Schote

Schott

Schotte

Schotten

Schottenⱴrock ...

Schotter

schraffen, schraffieren

schräg [laufen/laufend ...(*) § 34 E3(3)]

Schragen

Schramme

Schrank

Schranke, Schranken

schränken

Schrapnell

schrappen

Schrat, Schratt

Schraube

Schrebergarten

schrecken schreckte

schrecklich [nervös § 36 E1(2)]; auf das/
aufs Schrecklichste [gefasst sein]
§ 57(1); auf das/aufs schrecklichste,
Schrecklichste [zugerichtet werden](*)
§ 58 E1

Schredder

schreiben schrieb

schreibgewandt § 36(1)

schreien schrie, geschrien § 19

Schreiner

schreiten schritt

Schrieb

Schrift

schrill

Schrimp*, Shrimp

Schritt

schroff

schröpfen

Schrot

Schrothkur

Schrott

schrubben *(reinigen)* ⧺ schruppen

Schrulle

schrumpeln

schrumpfen

Schrund, Schrunde

schruppen *(hobeln)* ⧺ schrubben

Schub

Schübling, Schüblig

Schubs, Schups

schüchtern

Schuft

schuften

Schuh

Schuko *(Wz)*, Schukoⱴstecker ... § 37(1)

schuld [sein § 35, § 56(1)]

Schuld [geben, haben, tragen ...(*) § 34
E3(5), § 55(4)]; zu Schulden*, zuschulden kommen lassen § 39 E3(1)

schuldig [sprechen § 34 E3(3)]

Schule

Schulp

Schulter

Schultheiß

schummeln

schummerig

Schund

schunkeln

Schupfen, Schuppen

Schupo

Schuppe

Schuppen, Schupfen

Schups, Schubs

Schur

schüren
schürfen
schurigeln
Schurke
Schurz
schürzen
Schuss*
Schüssel
Schuster
Schute
Schutt
schütteln
schütten
schütter
Schutz
Schütze
schutzimpfen § 33(1)
schwabbeln, schwabbern,
  aber schwappen
Schwabe, Schabe (Insekt) ≠ Schabe
schwach/schwächer [bevölkert ...(*)
  § 36 E1(4)]
Schwade, Schwaden
  (Reihe abgemähten Grases)
Schwaden (Dunstwolke)
Schwadron
schwadronieren
schwafeln
Schwager
Schwaige
Schwalbe
Schwall
Schwamm
Schwammerl
Schwan
schwanen
Schwang; im Schwange sein
schwanger
Schwank
schwanken
Schwanz
schwänzen
Schwapp, Schwaps

schwappen, aber schwabbeln,
  schwabbern
Schwaps, Schwapp
schwären
Schwarm
Schwarte
schwarz usw. (vgl. blau usw.) [sehen ...];
  ins Schwarze treffen § 57(1); aus
  Schwarz Weiß machen* § 57(1), § 58
  E2; schwarz auf weiß § 58(3); (in Eigennamen wie) das Schwarze Meer
  § 60(2.4); die Schwarze Hand (serbi-
  scher Geheimbund) § 60(4.2); die
  Schwarze Witwe, der Schwarze Holunder, die Schwarze Johannisbeere
  § 64(2); der Schwarze Freitag (Tag des
  Börsensturzes in den 1920er Jahren)
  § 64(4); (in Fügungen wie) das schwarze
  Brett*, das schwarze Gold, das schwarze Schaf, ein schwarzer Freitag, ein
  schwarzer Tag, ein schwarzes Geschäft,
  die schwarze Magie, die schwarze Messe, die schwarze Liste, die schwarze
  Kunst*, der schwarze Mann (Schorn-
  steinfeger), der schwarze Markt, der
  schwarze Peter*, der schwarze Tee, der
  schwarze Tod* (Beulenpest), die schwarzen Pocken § 63
schwarz⌣arbeiten ... § 34(2.2)
schwatzen, schwätzen
schweben
schwedisch, Schwedisch
  (vgl. deutsch, Deutsch)
Schwefel
Schweif
schweifen
schweigen schwieg; das Schweigen
  § 57(2)
Schwein
Schweiß
schweißen
Schweizergarde § 37(3)
schwelen
schwelgen
Schwelle

schwellen schwellte *(größer, stärker machen)*

schwellen schwillt, schwoll *(größer, stärker werden)*

Schwemme

Schwengel

schwenken

schwer/schwerer [behindert, fallen, nehmen ...(*) *§ 34 E3(3), § 36 E1(1.2)* ≠ schwerst∪behindert]

schwer∪mütig ... *§ 36(2)*

Schwerenöter

Schwermut

schwerst∪behindert ... *§ 36(2)* ≠ schwer/schwerer behindert

Schwert

Schwester

Schwieger∪eltern ...

Schwiele

schwierig

Schwimm∪meister* ... *§ 45(4)*

schwimmen schwamm, geschwommen

Schwindel

schwinden schwand, geschwunden

Schwindsucht

schwindsüchtig *§ 36(2)*

schwingen schwang, geschwungen

schwirren

schwitzen

schwören schwor

schwul

schwül

Schwulst

Schwund

Schwung

Schwur

Sciencefiction*

Scilla, Szilla

Score, *auch* Skore

Scotch

Scrabble

Seal

Sealskin *§ 37(1)*

Séance

sechs *usw.* *(vgl.* acht *usw.)*

sechstel *usw.* *(vgl.* achtel *usw.)*

sechzig *usw.* *(vgl.* achtzig *usw.)*

Secondhandshop *§ 37(1)*

Sediment

See; Seeelefant*, *auch* See-Elefant *§ 45(4)*

Seele

Segel

segelfliegen *§ 33(1)*

Segen

Segment

segnen

sehen sieht, sah

Sehne

sehnen

sehr

sei *(zu* sein)

seicht

seid *(zu* sein) ≠ seit

Seide

Seidel

Seidelbast

Seife

seihen

Seil

seil∪tanzen ... *§ 33 E2*

seimig

sein [lassen(*) *§ 34 E3(6)*] ist, war, gewesen

sein, seiner ... *(Personalpronomen)* *§ 58(4)* *(zu* er)

sein *(Possessivpronomen) § 58(1);* die Seinen, seinen* (die Seinigen, seinigen*), [jedem] das Seine, seine* (das Seinige, seinige*) *§ 58 E3*

seinerseits *§ 39(1)*

seinerzeit *§ 39(1), § 55(4)*

seinesgleichen *§ 39(1)*

seinet∪halben, ...wegen, ...willen *§ 39(1)*

Seismograf(*) *s.* Seismograph

Seismograph, *auch* Seismograf

seit [gestern] ≠ seid

seitdem

Seite *(etwa im Buch);* auf/von [der] Seite, auf/von Seiten*, aufseiten/vonseiten* *§ 39 E3(3);* zur Seite *§ 55(4)* ≠ Saite

seitens *§ 56(3)*

seitenschwimmen *§ 33 E2, § 37(2);* das Seitenschwimmen *§ 37(1)*

seitwärts *§ 39(1)* [treten ... *§ 34 E3(2)*]

sekkant

sekkieren

Sekret

Sekretariat

Sekt

Sekte

Sektion

Sektor

Sekund, Sekunde *(Intervall)*

Sekundant

sekundär

Sekunde *(Zeitmaß)*

Sekunde, Sekund *(Intervall)*

sekundenlang *§ 36(1)*

Sekurit *(Wz)*

selbst [backen/gebacken ...(*) *§ 34 E3(2), § 36 E1(1.2)*]

selbst⌣bewusst, ...sicher ... *§ 36(1)*

selbständig, selbstständig

selbstständig*, selbständig

Selbstsucht *§ 37(1)*

selchen

Selektion

Selfmademan *§ 37(1)*

selig [preisen ...* *§ 34 E3(3),* machen; sein *§ 35*]

Sellerie

selten

Selters

Semantik

Semester

semi⌣lunar ...

Semi⌣finale ...

Seminar

Semmel

Senat

senden sandte *oder* sendete, gesandt *oder* gesendet

Senf

sengen

senil

Senior

Senke

senken

senkrecht [stehen ... *§ 34 E3(3)*]

Senn, Senne

Sensal

Sensation

Sense

sensibel

sensitiv

Sensor

Sentenz

Sentiment

sentimental

separat

Separee* *s.* Séparée

Séparée, *auch* Separee

separieren

Sepsis

September-Oktober-Heft *§ 44, auch* September/Oktober-Heft *§ 106(1)*

Septett

Septim, Septime

septisch

sequentiell *s.* sequenziell

Sequenz

sequenziell*, *auch* sequentiell

Serafim, Seraph[im]

Serail

Seraph[im], Serafim

serbeln

serbisch, Serbisch (*vgl.* deutsch, Deutsch)

Serenade

Sergeant

Serie

seriös

Sermon

Serpentine

Serum

Servela *s.* Cervelat

Servelatwurst *s.* Zervelatwurst

Service *(Kundendienst)*

Service *(Tafelgeschirr)*

servieren

Serviette

servil

Servo⌣lenkung ...

servus

Sesam

Sessel

sesshaft*

Session

Set

Setter

setzen

Seuche

seufzen

Sex

Sexappeal* *§ 37(1)*

Sext, Sexte

Sextant

Sextett

sexual, sexuell

sexy

Sezession

sezieren

s-förmig*, S-förmig *§ 40(1)*

sforzando

s-Genitiv *§ 40(1), § 55(1), § 55(2)*

Shag⌣pfeife

Shake

Shakehands *§ 37(1)*

Shampoo

Shanty

Sheriff

Sherry, Jerez

Shetland⌣wolle

Shirt

Shootingstar* *§ 37(1)*

Shop

Shopping; Shoppingcenter* *§ 37(1)*

Shorts

Shortstory* *§ 37(1), auch* Short Story* *§ 37 E1*

Show

Show⌣man, ...master ... *§ 37(1)*

Show-down* *§ 43, auch* Showdown *§ 37(2)*

Shrimp, Schrimp

Shuffleboard *§ 37(1)*

sibyllinisch

sich *§ 66*

Sichel

sicher/sicherer [gehen, stellen ... *§ 34 E3(3); sein § 35, § 57(1)*]; auf Nummer Sicher, sicher* [gehen]; das Sicherste* [sein], im Sichern* [sein] ⧺ sicher⌣gehen, ...stellen

sicher⌣gehen *(Gewissheit haben)*, ...stellen *(sichern, feststellen; in polizeilichen Gewahrsam nehmen) § 34(2.2)* ⧺ sicher gehen, stellen

Sicht

sickern

Sideboard *§ 37(1)*

sie *(Personalpronomen)*

Sie *(höfliche Anrede) § 65 (vgl.* Ihnen, Ihrer)

Sieb

sieben *(zu* Sieb)

sieben *usw. (vgl.* acht *usw.);* die sieben Schwaben*, die sieben Todsünden, die sieben Weltwunder* *§ 63*

siebentel *usw. (vgl.* achtel *usw.)*

siebzig *usw. (vgl.* achtzig *usw.)*

siechen

sieden sott *oder* siedete

Siedlung

Sieg

Siegel *(Verschluss)* ⧺ Sigel, Sigle

siena

Siesta

siezen

Sigel, Sigle *(Kürzel)* ⧺ Siegel

Sightseeing *§ 37(2)*

Sigle, Sigel *(Kürzel)* ⧺ Siegel

Signal

Signatur
signifikant
Signifikanz
Sigrist
Silbe
Silber
Sild
Silhouette
Silicat *s.* Silikat
Silicon *s.* Silikon
Silikat, *fachspr.* Silicat
Silikon, *fachspr.* Silicon
Silo
Silur
Silvaner
Silvester
simpel
Simplizität
Sims
Simsalabim
Simse
Simulant
simultan
sind (*zu* sein)
Sinfonie, Symphonie
singen sang, gesungen
Single
Singular
sinken sank, gesunken
Sinn [haben, geben ...]; von Sinnen [sein]
    § 55(4)
sinnen sann, gesonnen *bzw.* gesinnt
Sinologie
Sinter
Sintflut, Sündflut
Sinus
Siphon
Sippe
Sirene
sirren
Sirup
Sisal
Sisyphusarbeit
Sitar

Sit-in *§ 43, § 55(3)*
Sitte
Sittich
Sittingroom *§ 37(1)*
Situation
situiert
sitzen saß, gesessen
sitzen [bleiben/geblieben ...(*) *§ 34
    E3(6), § 36 E1(1.2)*]; das Sitzenbleiben
    § 37(2)
Skala
Skalp
Skalpell
Skandal
skandieren
skartieren
Skat [spielen *§ 34 E3(5)*]
Skateboard *§ 37(1)*
Skelett
Skepsis
skeptisch
Sketch *s.* Sketsch
Sketsch, *auch* Sketch
Ski [laufen ... *§ 34 E3(5), § 55(4)*],
    auch Schi [laufen]
Skin[head] *§ 37(1)*
Skink
Skizze
Sklave
Sklerose
sklerotisch
Skonto
Skooter
Skorbut
Skore *s.* Score
Skorpion
Skript
Skrupel
skrupulös
Skulptur
Skunk
skurril
S-Kurve *§ 40(1), § 55(1), § 55(2)*; S-Kur-
    ven-reich *§ 44, aber* s-Laut *§ 40(1)*

239

Skyline
Slalom
Slang
Slapstick § 37(1)
s-Laut* § 40(1)
Slibowitz, Sliwowitz
Slip
Slipper
Sliwowitz, Slibowitz
Slogan
slowakisch, Slowakisch
  (vgl. deutsch, Deutsch)
slowenisch, Slowenisch
  (vgl. deutsch, Deutsch)
Slowfox § 37(1)
Slums
Smalltalk* § 37(1), auch Small Talk*
  § 37 E1
Smaragd
smart
Smash
Smog
smoken
Smoking
Snack
Snob
snobistisch
Snowboard § 37(1)
so [breit, fern, hoch, lang[e], oft,
  viel[e], weit ...; genannt(*) § 39 E2(2.4)
  ⧧ so∪bald, ...fern, ...lang[e], ...oft,
  ...viel[e], ...weit ...]
so∪fern, ...bald, ...lang[e], ...oft, ...viel,
  ...weit, ...wohl ... § 39(2) ⧧ so fern, so
  lang[e] ...
Socke
Sockel
Soda
sodass*, auch so dass(*) § 39 E3(2)
Sodbrennen
Sofa
Softdrink* § 37(1), auch Soft Drink
  § 37 E1
Softeis* § 37(1)
Softie

Softrock* § 37(1), auch Soft Rock
  § 37 E1
Software § 37(1)
Sog
sogar
Sohle (des Fußes, eines Tals) ⧧ Sole
Sohn
Soiree
Soja
solar, solarisch
solch; solche, solcher, solches; eine sol-
  che, ein solcher, ein solches § 58(4)
solcher∪art, ...maßen ... § 39(1)
Sold
Soldat
Sole (kochsalzhaltiges Wasser) ⧧ Sohle
solid, solide
solidarisch
solide, solid
Solist
Solitär
Soll; das Soll erfüllen § 57(2)
sollen
Söller
solo [tanzen]
Solo; ein Solo spielen
Solvens (lösendes Mittel) Pl. ...venzien
  oder ...ventia ⧧ Solvenz
solvent
Solvenz (Zahlungsfähigkeit) Pl. -en
  ⧧ Solvens
Sombrero
Sommer
sommers § 56(3)
Sonde
Sonder∪druck ...
Sonderheit; in Sonderheit*
  § 55(4)
sondern
Sonett
Sonnabend usw. (vgl. Dienstag usw.)
Sonnabendabend usw.
  (vgl. Dienstagabend usw.)
sonnabends usw. (vgl. dienstags usw.)

Sonne
sonnen‿arm ... § 36(1)
sonnenbaden § 33(1)
Sonntag usw. (vgl. Dienstag usw.)
Sonntagabend usw.
   (vgl. Dienstagabend usw.)
sonntags usw. (vgl. dienstags usw.)
Sonnyboy § 37(1)
sonor
sonst
sonstig; das Sonstige* § 57(1)
sooft § 39(2) ≠ so oft
Sopran
Sorbet, Sorbett
sorbisch, Sorbisch
   (vgl. deutsch, Deutsch)
Sorge [tragen § 34 E3(5), § 55(4)]
Sorte
Sortiment
Soße, fachspr. Sauce
Soubrette
Soufflé, auch Soufflee
Soufflee* s. Soufflé
soufflieren
Soul
Sound
Soundtrack § 37(1)
Souper
soupieren
Soutane, Sutane
Souterrain
Souvenir
souverän
soviel § 39(2) ≠ so viel
soweit § 39(2) ≠ so weit
sowieso § 39(1)
sowohl § 39(2); das Sowohl-als-auch*
   § 43, § 57 E4; sowohl ... als [auch] oder
   wie [auch] ... ≠ so wohl
sozial
sozusagen § 39(1)
Spacelab
Spaceshuttle
Spachtel

Spagat
Spagetti* s. Spaghetti
Spaghetti, auch Spagetti
spähen
Spalier
spalten
Span
Spange
Spaniel
spanisch, Spanisch
   (vgl. deutsch, Deutsch)
Spann
spannen
Spant
sparen
Spargel
sparren
Sparring
spartanisch
Sparte
Spaß
spastisch
Spat
spät [geboren § 36 E1(1.2)], bis später,
   von früh bis spät § 58(3)
spät‿lateinisch ...
spätabends
Spatel
Spaten
Spatz
Spätzle, Spätzli
spazieren [gehen ...* § 34 E3(6)]
Specht
Speck
Spedition
Speech
Speed
Speedway; Speedwayrennen § 37(1),
   auch Speedway-Rennen* § 45(2)
Speer
Speiche
Speichel
Speicher
speien spie, gespien § 19

241

Speise
Spektakel
spektakulär
Spektrum
Spekulant
Spekulatius
Spelunke
Spelze
Spende
Spenzer
Sperber
Sperenzchen, Sperenzien
Sperling
Sperma
Sperre
Spesen
spezialisieren
speziell; im Speziellen* § 57(1)
Sphäre
Sphinx
Spickel
spicken
Spider
Spiegel
Spiel
spielen; [Karten, Klavier ...] spielen
   § 34 E3(5), § 55(4)
Spierling
Spieß
spießig
Spike
Spinat
Spind
Spindel
Spinett
Spinne
spinnen spann, gesponnen
spintisieren
Spionage
Spirale
Spiritismus
Spiritual
Spirituosen
Spiritus

Spital
spitz [reden, zulaufen ... § 34 E3(3)]
Spitz
spitz⌣bekommen, ...findig ... § 34(2.2)
Spitze; das ist Spitze
spitzeln
Spleen
spleißen spliss* oder spleißte
Splint
Splitt
splitten
Splitter
splitter[faser]nackt
Splitting
Spoiler
spondieren
sponsern
Sponsion
Sponsor
Sponsoring
spontan
sporadisch
Spore
Sporn
spornstreichs
Sport
Sportswear
Spot (kurzer Werbetext) ≠ Spott
Spotlight
Spott (Hohn) ≠ Spot
spottbillig § 36(1), § 36(5)
Sprache
Spray
sprechen [lernen § 34 E3(6)] spricht,
   sprach, gesprochen
spreizen
Sprengel
sprengen
sprenkeln
Sprichwort
sprießen sprießte (stützen)
sprießen spross* (hervorwachsen)
Spriet
springen sprang, gesprungen

Sprinkler
Sprint
Sprit
spritzen
spröd, spröde
Spross*
Sprosse
Sprotte
Spruch
Sprudel
sprühen
Sprung
Spucke
Spuk
Spule
spülen
Spund, Spunten
Spur
spüren
Spurt
sputen
Sputnik
Squaredance* *§ 37(1)*
Squash
Squaw
Staat
Stab
Stabelle
stabil
Stachel
Stadel
Stadion
Stadium
Stadt
Stafette
Staffage
Staffel
Staffelei
staffeln
Stagflation
Stagnation
Stahl
staken
Staket

Stakete
Stakkato
staksen
Stalagmit
Stalaktit
Stall
Stamm
stammeln
stammverwandt
Stamperl
stampfen
Stand; in Stand*, instand [setzen], im Stande, imstande [sein], außer Stand*, außerstand [setzen], außer Stande*, außerstande [sein], zu Stande*, zustande [bringen, kommen] *§ 39 E3(1)*
Standard
Standarte
Stand-by *§ 43*
Ständel[wurz]* *s.* Stendel[wurz]
Stander
standhalten *§ 34(3) (ich halte stand)* *§ 56(2)*
ständig
Standingovations* *§ 37(1), auch* Standing Ovations* *§ 37 E1*
Stange
Stängel*
Stanitzel
stänkern
Stanniol
Stanze
Stapel
stapfen
Star
stark/stärker [besiedelt ...(*) *§ 36 E1(4)*]
Starlet, Starlett
starr
Start
Statement
Statik
Station
Statist

Statistik
Stativ
statt [deren, dessen, seiner; dass § 39
  E2(2.2) + stattdessen]; an [Eides ...]
  statt*, *aber* anstatt
statt∪finden *(es findet statt)*, ...geben *(ich
  gebe statt)*, ...haben *(es hat statt)* § 34(3),
  § 56(2)
stattdessen* § 39(1) + statt dessen
  (*wie* statt deren)
Stätte
statthaft
stattlich
Statue
Statuette
statuieren
Statur
Status
Status quo
Statut
Stau
Staub [saugen/gesaugt § 34 E3(5),
  § 55(4), *auch* staubsaugen § 33(1); das
  Staubsaugen, der Staubsauger § 57(2)
stauchen
Staude
stauen
Stauffer∪fett ...
staunen
Staupe
Steak
Stearin
stechen sticht, stach, gestochen
stecken § 34 E3(6) stak *oder* steckte;
  stecken [bleiben...*]
Stecken
Steg
Stegreif
stehen stand
stehen [bleiben ...(*) § 34 E3(6)]
stehlen stiehlt, stahl, gestohlen
steif [halten, schlagen ...(*) § 34 E3(3)]
steif∪beinig ... § 36(2)
steigen stieg

steigern
steil; am steilsten § 58(2)
Stein
Steinmetz
Steiß
Stelldichein § 37(2)
Stelle; an Stelle, anstelle § 55(4)
  (*vgl.* anstelle)
stellen
Stelze; Stelzen laufen § 34 E3(5), § 55(4)
stemmen
Stempel
Stendel[wurz], *auch* Ständel[wurz]
Steno∪block ...
Stenografie(*), *auch* Stenographie
Stenographie *s.* Stenografie
Stepp*
Stepp∪decke ...
Steppe
steppen
sterben stirbt, starb, gestorben
stereo∪metrisch ...
Stereo∪anlage ...
Stereofonie(*) *s.* Stereophonie
Stereophonie, *auch* Stereofonie
stereotyp
steril
Stern
Sternschnuppe
Sterz
stetig
stets
Steuer
steuern
Steven
Steward
Stewardess*
Stich
stichhaltig
Stichling
sticken
stickig
Stickstoff
stieben stob

Stief∪eltern ...
Stiefel
Stiege
Stieglitz
Stiel *(des Besens)* ≠ Stil
Stier
stieren
stieselig, stieslig, stießelig, stießlig
Stift
stiften [gehen* *§ 34 E3(6)*]
Stigma
Stil *(Ausdrucksform, z.B. in der Kunst)* ≠ Stiel, *aber* stylen
Stilett
still/stiller [bleiben, halten, liegen, stehen, sitzen(*) ... *§ 34 E3(3)*; sein *§ 35* ≠ still∪halten, ...legen, ...liegen ...]; im Stillen(*) *§ 57(1)*; der Stille Ozean *§ 60(2.4)*
still∪halten, ...legen *(außer Betrieb setzen)*, ...liegen, ...stehen *(außer Betrieb sein)*, ...sitzen *§ 34(2.2)* ≠ still/stiller bleiben, halten, liegen, stehen, sitzen
Still∪leben* ... *§ 45(4)*
stillen
stillgestanden
Stimme
stimmen
Stimulans *(Reizmittel) Pl.* ...lantia *oder* ...lanzien ≠ Stimulans
Stimulanz *(Anreiz) Pl.* -en ≠ Stimulans
stinken stank, gestunken
Stint
Stipendium
Stipp∪visite ...
stippen
Stirn
stöbern
stochern
Stock
stock∪dunkel ... *§ 36(5)*
Stock∪ente ...
Stockcar* *§ 37(1)*
stöckeln
Stöckelschuh

stocken; das Stocken; ins Stocken [geraten, kommen] *§ 55(4)*, *§ 57(2)*
stocken
stockig
Stoff; Stofffetzen*, *auch* Stoff-Fetzen *§ 45(4)*
stöhnen
stoisch
Stola
Stolle, Stollen *(Weihnachtsgebäck)*
Stollen *(unterirdischer Gang usw.)*
stolpern
stolz
Stomatologie
stop *(auf Verkehrsschildern), aber* stopp
Stop-and-go-Verkehr *§ 44, § 55(1)*
stopfen
stopp *(zu* stoppen*), aber* stop
Stopp *(zu* stoppen*)(*), auch beim Tennis*
Stoppel
stoppen
Stöpsel
Stör
Storch
Store *(Fenstervorhang)*
Store *(Laden)*
stören
Störenfried
stornieren
Storno
störrisch
Story
stoßen stieß
stottern
stracks
Strafe
straff
strafversetzen *§ 33(1)*
Strahl
strählen
strahlend [hell ... *§ 36 E1(3)*]
Strähne
stramm

strammᵕstehen ... § 34(2.2)
strampeln
Strand
Strang
Strapaze
Straps
straßᵕab, ...auf § 39(1)
Straße
Strategie
Stratosphäre
sträuben
Strauch
straucheln
Strauß
Strebe
streben
Strecke
strecken
Streetwork § 37(1)
Streich
streicheln
streichen strich
Streif, Streifen
streifen
Streik
streitᵕlustig ... § 36(1)
streiten stritt
streitig [machen § 34 E3(3)]
streng [nehmen/genommen ...*
    § 34 E3(3), § 36 E1(1.2); sein § 35]
strenggläubig § 36(5)
Stress*
Stretch
streuen
streunen
Streusel
Strich
Strick
stricken
Striegel
Strieme, Striemen
Striezel
strikt, strikte
stringent

Stringenz
Strip, aber strippen
Strippe
strippen, aber Strip
Striptease
strittig
Strizzi
Stroboskop
Stroh
Strolch
Strom
stromᵕab, ...auf, ...abwärts, ...aufwärts
    [fahren ... § 39(1), aber den Strom auf-
    wärts] § 39 E2(1)
Strontium
Strophe
strotzen
strubbelig, strubblig
Strudel
Struktur
Strumpf
Strunk
struppig
Strychnin
Stube
Stuck
Stück
Stuckateur*
Student
Studie
studieren; das Studieren § 57(2),
    § 57 E3; Studierende § 57(1)
Studio
Stufe
Stuhl
Stulpe
stülpen
stumm
Stummel
Stumpen
Stümper
stumpf
Stunde

stundenlang § 36(1), aber eine Stunde
  lang § 36 E1(4)
Stunt[man] § 37(1)
stupend
stupid, stupide
Stupp
Stups
stur
Sturm [laufen, läuten ... § 34 E3(5),
  § 55(4)]
Sturz
Stute
stutzen
Stutzen
stützen
stylen, aber Stil
Styropor (Wz)
Suada, Suade
sub∪arktisch ...
Sub∪kategorie ...
subaltern
Subjekt
sublim
Subordination
Subskribent
Subskription
Substandard
substantiell s. substanziell
Substantiv
Substanz
substanziell*, auch substantiell
Substitut
Substrat
subsumieren
Subsumtion
subtil
Subtrahend
Subtraktion
Suburb
Subvention
Subversion
suchen
Sucht
Sud

Süd
sudeln
Süden
süffig
Süffisance s. Süffisanz
süffisant
Süffisanz, auch Süffisance
Suffix
suggerieren
Suggestion
Suhle
Sühne
Suitcase § 37(1)
Suite
Suizid
Sujet
Sukkade
sukzessiv, sukzessive
Sulfat
Sulfid (Salz der Schwefelwasserstoffsäure)
  ≠ Sulfit
Sulfit (Salz der schwefligen Säure)
  ≠ Sulfid
Sulfonamid
Sulky
Sultan
Sultanine
Sulz, Sülze
Summand
Summe
summen
Sumpf
Sund
Sünde
Sündflut, Sintflut
super
super∪leicht ... § 36(5)
Super∪markt ...
superb, süperb
Super-G § 40
Superlativ
Suppe
Suppengrün § 37(2)
Supplement

supra‿national ...
Supra‿leiter ...
Supremat
Sur‿fleisch ...
Sure
surfen
Surfing
Surrealismus
surren
Surrogat
suspekt
suspendieren
Suspension
süß
süßsauer *§ 36(4)*
Sutane, Soutane
Sweater
Sweatshirt *§ 37(1)*
Swimmingpool *§ 37(1)*
Swing
Symbiose
symbiotisch
Symbol
Symmetrie

Sympathie
Sympathisant
Symphonie, Sinfonie
Symposion, Symposium
Symptom
Synagoge
synchron
Syndikat
Syndrom
Synkope
Synode
synonym
syntaktisch
Syntax
Synthese
Synthesizer
Synthetics
synthetisch
Syphilis
System
Szene
Szepter *(österr.),* Zepter
Szilla, Scilla

T

Tab
Tabak
Tabasco *(Wz)*
Tabelle
Tabernakel
Tablar
Tableau
Tablett
Tablette
tabu
Tabula rasa [machen]* *§ 55(3), § 55(4)*
Tabulator
Taburett
tachinieren
Tachometer
Tackling
Tadel
Tafel
täfeln
Taft
Tag; eines Tages; bei Tage, unter Tage; zu Tage*, zutage [fördern, treten ...] *§ 55(4)*
tag‿aus, ...ein *§ 39(1)*
tagelang *§ 36(1), aber* mehrere Tage lang *§ 39 E2(1)*
Tagliatelle
tags [darauf *§ 56(3)*]
tagsüber *§ 39(1)*
Taifun
Taiga
Taille
Takt
Taktik
Tal
Talar
Talent
Taler
Talg *(Fett)* ⧧ Talk
Talisman

Talk *(Mineral)* ⧧ Talg
Talk *(Unterhaltung)*, Talk‿master, ...show* *§ 37(1)*
Talkum
Talmi
Talmud
Talon
Tamariske
Tambour *(Trommler)*
Tambur, Tamburin *(Stickrahmen)*
Tamburin *(Schellentrommel)*
Tampon
Tamtam
Tand
tändeln
Tandem
Tandler
Tang *(Algen)* ⧧ Tank
Tanga
Tangente
tangential
Tango
Tank *(Behälter)* ⧧ Tang
Tanne
Tante
Tantieme
Tanz
tanzen; [Walzer, Tango ...] tanzen *§ 34 E3(5), § 55(4)*
Tapedeck
Tapete
tapezieren
Tapfe, Tapfen
tapfer
Tapir
Tapisserie
tappen
Tara
Tarantel
Tarantella

tarieren

Tarif

tarnen

Tarock

Tartan *(Decke, Umhang)*

Tartan *(Kunststoffbelag) (Wz)*

Tasche

Tasse

Taste

tasten

Tat

Tatar

tätowieren

tätscheln

tatschen

Tatze

Tau

taub

Taube

Taubnessel

taubstumm *§ 36(4)*

tauchen

tauen

Taufe

taugen

Taumel

tauschen

täuschen

tausend, Tausend *usw.*
  (*vgl.* hundert, Hundert *usw.*)

Tautologie

Taverne

Taxe *(Preis, Gebühr)*

Taxe, Taxi *(Fahrzeug)*

taxieren

Tb-krank, Tbc-krank *§ 40(2)*

T-Bone-Steak* *§ 44, § 55(1), § 55(2),*
  § 55(3)

Teach-in *§ 43*

Teak

Team

Team∪work ... *§ 37(1)*

Tearoom* *§ 37(1)*

Technik

technisch; der Technische Direktor
  § 64(1)

Teddy

Tedeum

Tee

Teen

Teenager

Teenie, Teeny

Teer

Teflon *(Wz)*

Teich

Teig

Teil; des Teils

teil∪haben *(ich habe teil);* ...nehmen
  (ich nehme teil) § 34(3), § 56(2)

teils *§ 56(3)*

Teilzeit; [in] Teilzeit [arbeiten], Teilzeit
  arbeiten *(ich arbeite [in] Teilzeit) § 34*
  E3(5), § 55(4)

Teint

Tektonik

tele∪kopieren ...

Tele∪fax ...

Telefon

telefonieren

telegen

Telegrafie, *auch* Telegraphie

Telegramm

Telegraphie *s.* Telegrafie

Teleologie

Telepathie

Teleskop

Television

Telex

Teller

Tellur

Tempel

Tempera∪farbe ...

Temperament

Temperatur

Tempo

temorär

Tempus

Tendenz

tendenziell

Tender

tendieren *(zu etwas neigen)* ≠ tentieren

Tenne

Tennis

Tenor

Tensid

Tentakel

tentieren *(beabsichtigen)* ≠ tendieren

Teppich

Termin

Terminal

Termite

Terpentin

Terrain

Terrarium

Terrasse

Terrazzo

Terrier

Terrine

Territorium

Terror

Tertiär

Terz

Terzett

Test

Testament

Tetanus

Tete-a-tete*, Tête-à-tête

teuer

Teufel

Text

textil

T-förmig (*in der Form des Großbuchstabens* T) *§ 40*

Theater

Theatralik

Theismus

Theke

Thema

Theologie

Theorie

Therapie

thermal

thermo‿elektrisch ...

Thermo‿chemie ...

Thermometer

Thermostat

These

Thing, Ding
   (germanische Versammlung) ≠ Ding

Thora

Thorax

Thriller *(spannender Film oder Roman)*
   ≠ Triller

Thrombose

Thron

Thuja, Thuje

Thunfisch, *auch* Tunfisch

Thymian

Tiara

Tick

ticken

Ticket

Tiebreak*, *auch* Tie-Break

tief/tiefer [empfinden/empfunden,
   sitzen ... *§ 34 E3(3), § 36 E1(1.2)*
   ≠ tiefgefrieren]

tief‿ernst *§ 36(5);* ...gefrieren *§ 33(2)*
   ≠ tief/tiefer empfinden

Tiegel

Tier

Tiffanylampe

Tiger

Tilde

tilgen

Timbre

timen

Time-out *§ 43*

Timesharing* *§ 37(2)*

Tinktur

Tinnef

Tinte

Tipp*

Tippel

tippeln

tippen

Tipp-Ex *(Wz)*

tipptopp
Tirade
Tiramisu
tirilieren
Tisch; zu Tisch, bei Tisch *§ 55(4)*
Titan
Titel
titulieren
Toast
toben
Tochter
Tod, *aber* tot
tod∪ernst, ...krank ... *§ 36(5),*
    aber tot∪schlagen
Toeloop* *§ 45(2)*
Töff
Toffee
Tofu
Toga
Tohuwabohu
Toilette
Tokaier, *auch* Tokajer
tolerant
Toleranz
toll
Tolle
Tollpatsch*
Tölpel
Tomahawk
Tomate
Tombola
Ton
tönen
Tonic[water]
Tonika
Tonikum
Tonnage
Tonne
Top *(Kleidungstück)* ≠ Topp
Topas
Topf
Topfen
topfit
topless

Topografie(*) *s.* Topographie
Topographie, *auch* Topografie
Topos
Topp *(Mastspitze)* ≠ Top
topsecret *§ 36(5)*
Topspin
Topstar
Toque
Tor
Torero
Torf
torkeln
Tornado
Tornister
Torpedo
Torso
Torte
Tortelett, Tortelette
Tortellini
Tortilla
Tortur
tosen
tot [sein *§ 35*], *aber* Tod
tot∪schlagen ... *§ 34(2.2), aber* tod∪ernst
total
Totem
toten∪blass ...
Toto
Touch
touchieren
Toupet
Tour
Touristik
Tournee
Towarischtsch
Tower
toxisch
Trab [laufen ... *§ 34 E3(5), § 55(4)*]
    ≠ Trap
Trabant
Tracht
trachten
trächtig
Tradition

Trafik

Trafikant

Trafo

träg, träge

tragen trug

Tragik

Tragödie

Trailer

Training

Trakt

Traktat

traktieren

Traktor

trällern

Tram

Traminer

Tramp

trampeln

Trampolin

Tramway

Tran

Trance

tranchieren *s.* transchieren

Träne

Trank

Tranquilizer

trans⌣atlantisch ...

Trans⌣aktion ...

transchieren, *auch* tranchieren

Transfer

Transistor

Transit

transitiv

Transmission

transparent

Transparenz

Transpiration

Transplantation

transponieren

Transport

Transvestit

transzendent

Transzendenz

Trap *(Geruchsverschluss)* ≠ Trab

Trapez

trappeln

Trapper

Trasse, Trassee *(schweiz.)*

Traube

trauen

Trauer

Traufe

träufeln

Traum

Trauma

traut

Travellerscheck *§ 37(1)*

travers

Trawler

Trax *(Wz)*

Treatment

Treber

Treck

Trecker

Trecking* *s.* Trekking

treffen trifft, traf, getroffen

treiben trieb

Trekking, *auch* Trecking

Tremolo

Trenchcoat

Trend

Trendsetter *§ 37(1)*

trennen

Trense

Treppe

Tresen

Tresor

Tresse

Trester

treten tritt, trat

treu [bleiben, ergeben ...(*) *§ 34 E3(3)*,
    § 36 E1(1.2)]

treu⌣herzig ... *§ 36(2)*

Triangel

Trias

Triathlon

Tribunal

Tribüne

Tribut

Trichine

Trichter

Trick

Tricktrack

Trieb

triefen

Trifokal‿brille ...

Trift *(Weide)*

Trift *s.* Drift

triftig

Triga

Trikolore

Trikot

Trikotage

Triller *(musikalische Verzierung)*
 ≠ Thriller

Trilliarde

Trillion

Trilogie

Trimester

Trimm-dich-Pfad *§ 44, § 55(1)*

trimmen

Trinität

trinken trank, getrunken, *aber* Drink

Trio

Trip

trippeln *(mit kleinen Schritten laufen)*
 ≠ drippeln

Tripper

Triptychon

trist

Triste

Tristesse

Tritt

Triumph

trivial

trocken [bleiben, schleudern *(in trocke-
nem Zustand schleudern)* ... *§ 34 E3(3)*];
auf dem Trock[e]nen sitzen(*), [seine
Schäfchen] im Trockenen haben/ins
Trockene bringen(*) *§ 57(1)* ≠ trocken-
schleudern

trocken‿schleudern *(durch Schleudern
trocknen)* ... *§ 33(2), § 34(2.2)*

trocknen

Troddel *(kleine Quaste)* ≠ Trottel

Trödel

trödeln

Trog

Troika

Troll

trollen

Trommel

Trompete

Tropen

Tropf

tropfen

tropfnass* *§ 36(1)*

Trophäe

Tropical

Troposphäre

Tross*

Trosse

Trost

Trott

Trottel *(Dummkopf)* ≠ Troddel

Trottinett

Trottoir

trotz *§ 56(4)* [des Regens/dem Regen ...]

Trotz; zum Trotz *§ 55(4)*

Troubadour

trüb[e]; im Trüben fischen(*) *§ 57(1)*

Trubel

Truck

trudeln

Trüffel

Trug; Lug und Trug

trügen trog

Truhe

Trümmer

Trumpf

Trunk

Trunkenbold

Trupp

Trust

Trut‿hahn ...

Tsatsiki *s.* Zaziki

Tschako

tschau, ciao

tschechisch, Tschechisch
   (*vgl.* deutsch, Deutsch)

tschilpen, schilpen

tschüs, *auch* tschüss*

Tsetse‿fliege ...

T-Shirt *§ 40(1), § 55(1), § 55(2), § 55(3)*

T-Träger *§ 40(1), § 55(1), § 55(2)*

Tuba

Tube

Tuberkel

Tuberkulose

Tubus

Tuch

Tuchent

tüchtig

Tücke

tuckern

Tuff

tüfteln

Tugend

Tugendbold

Tulpe

Tumba

tummeln

Tümmler

Tumor

Tümpel

Tumult

tun tat

Tünche

Tundra

Tunell *s.* Tunnel

Tuner

Tunfisch* *s.* Thunfisch

Tunika

Tunke

Tunnel, *(österr. auch)* Tunell

tupfen

Tür

Turban

Turbine

Turbo‿motor

turbulent

Turbulenz

Turf

türkis

Türkis

Turm

Turmalin

turnen

Turnier

Turnus

turteln

Tusch

Tusche

tuscheln

Tüte

tuten

Tutor

tutti

Tuttifrutti

Tweed

Twen

Twinset

Twist

Twostepp* *§ 37(1)*

Typ, Typus

Typhus

Typografie(*), *auch* Typographie

Typographie *s.* Typografie

Typus, Typ

Tyrann

U-Bahn *§ 40(1), § 55(2);* U-Bahn-Station
  § 44, § 55(1), § 55(2)
übel [gelaunt, nehmen, wollen ...(*)
  § 34 E3(3), § 36 E1(1.2); sein *§ 35*];
  mir ist übel
Übel; von/vom Übel [sein] *§ 55(4)*
üben
über
über‿setzen *(übersetzt),* ...fallen, ...legen,
  ...mitteln, ...zeugen ... *§ 33(3);*
  ...kochen, ...setzen *(setzt über),*
  ...strömen, ...wallen ... *§ 34(1)*
überall
überantworten
Überdruss*
überein‿stimmen ... *§ 34(1)*
übereinander [lachen, stellen ...(*)
  § 34 E3(2)]
überhand [nehmen* *§ 34 E3(2)*]
überhaupt
übermorgen *usw. (vgl.* gestern *usw.*)
Übermut
übers
Überschuss*
Überschwang
überschwänglich*
üblich
übrig [bleiben, lassen ...(*) *§ 34 E3(3);*
  sein *§ 35*]; die Übrigen*, das Übrige*,
  alles Übrige*, ein Übriges tun*, im
  Übrigen* *§ 57(1)*
Ufer
u-förmig*, U-förmig
Uhr *(Messgerät)* ≠ Ur
Uhu
Ukas
Ukelei
Ukulele
Ulan
ulken
Ulkus *Pl.* Ulzera

Ulme
Ulster
Ultima Ratio* *§ 55(3)*
ultra‿kurz ... *§ 36(5)*
Ultra‿schall ...
um
um‿fahren *(umfährt),* ...zingeln ...
  § 33(3); ...fahren *(fährt um),* ...lernen ...
  § 34(1)
Um‿bau, ...fahrung ...
Umber, Umbra
umeinander [laufen, sorgen ...(*)
  § 34 E3(2)]
umher
umher‿irren ... *§ 34(1)*
umhin
umhin‿kommen, ...können ... *§ 34(1)*
ums
umso *§ 39(1)* [mehr, weniger ... (*)]
umsonst
Umstand
umständehalber *§ 39(1), aber* der
  Umstände halber *§ 39 E2(1)*
umstehend; die Umstehenden; im
  Umstehenden* *§ 57(1)*
un‿treu ...
Un‿dank ...
unabdingbar
unbändig
unbedarft
unbeholfen
unbekannt; ein Unbekannter *§ 57(1);*
  [eine Anzeige] gegen unbekannt*, nach
  unbekannt verzogen
Unbilden
Unbill
und
Under‿coveragent, ...dog, ...ground,
  ...statement ... *§ 37(1)*
unendlich; das Unendliche, [bis] ins
  Unendliche [gehen ...] *§ 57(1)*

unentgeltlich

unentwegt

unermesslich*; das Unermessliche, [sich] ins Unermessliche* [verlieren ...] *§ 57(1)*

Unfall; unfallgeschädigt

Unflat

Unfug

ungarisch, Ungarisch (*vgl.* deutsch, Deutsch)

ungeachtet [dessen]

ungebärdig

ungefähr

ungeheuer; das Ungeheure, ins Ungeheure [steigern ...](*) *§ 57(1)*

Ungeheuer

ungemein

ungeschlacht

ungestüm

Ungetüm

ungewiss*; das Ungewisse, ins Ungewisse [fahren ...], im Ungewissen [bleiben, lassen...*] *§ 57(1)*

ungezählt; Ungezählte [kamen ...*] *§ 57(1)*

Ungeziefer

unglücklicherweise

Ungunst; zu Ungunsten*, zuungunsten *§ 39 E3(3), § 55(4)*

Unheil [verkünden/verkündend(*) *§ 34 E3(5);* bringen *§ 55(4)*]

unheildrohend *§ 36(1)*

unheimlich

Unhold

uni

Uniform

Unikum

Union

unisono

universal, universell

Universität

Universum

unken

unklar; im Unklaren* [bleiben, sein ...]

unleugbar

unmöglich; das Unmögliche, [Mögliches und] Unmögliches verlangen *§ 57(1)*

Unmut

UNO-Sicherheitsrat *§ 40(2)*

unpässlich*

Unrat

unrecht [bleiben, tun; sein *§ 35*]; sich unrecht aufführen

Unrecht [bekommen, bleiben, erhalten, haben, sein ...*, tun *§ 34 E3(2), § 55(4)*]

uns (*zu* wir)

unsäglich

unser (*Personalpronomen*) (*zu* wir)

unser (*Possessivpronomen*) *§ 58(1), § 58(4);* die Unseren, unseren* (die Unsrigen, unsrigen*) *§ 58(4);* das Unsere, unsere* (das Unsrige, unsrige*) *§ 58 E3*

unser⌣einer, ...eins; ...seits, uns[e]rerseits *§ 39(1)*

uns[e]res⌣gleichen, ...teils, unsersgleichen *§ 39(1)*

unser[e]t⌣halben, ...wegen, ...willen *§ 39(1)*

unstet

unten [stehen/stehend ...(*) *§ 34 E3(2), § 36 E1(1.2) (der unten stehende Abschnitt*)*]; das unten Stehende*, *auch* das Untenstehende, unten Stehendes*, *auch* Untenstehendes*, im unten Stehenden*, *auch* im Untenstehenden*

unter [Berücksichtigung ... *§ 39 E(2.3)*]

unter⌣stellen (*unterstellt*), ...fangen, ...halten, ...scheiden, ...schlagen, ...zeichnen ... *§ 33(3);* ...stellen (*stellt unter*), ...bringen ... *§ 34(1)*

Unter⌣arm

unterdessen *§ 39(1)*

untere

untereinander [schreiben, teilen ...(*) *§ 34 E3(2)*]

Untergebene

Unterricht

Unterschied

unterschwellig

Untertan
unterwegs *§ 39(1)*
unverfroren
unwirsch
unzählig; Unzählige [kamen ...]* *§ 57(1);*
  unzählige Mal[e] *§ 39 E2(1)*
Unze
Update
Upperclass *§ 37(1)*
üppig
Ur *(Auerochse)* ≠ Uhr
ur⌣alt ... *§ 36(5)*
Ur⌣adel ...
Uran; uranhaltig, Uran-238-haltig *§ 44,*
  § 55(2)
urban
urbar
urchig, urig
urgieren
Urheber
Uriasbrief

urig, urchig
Urin
Urkunde
Urlaub
Urne
Ursache
Ursprung
Urteil
urtümlich
Usance, Usanz *(schweiz.)*
User
usuell
usurpieren
Usus
Utensilien
utilitär
Utopie
UV-bestrahlt *§ 40(2)*
UV-Strahlen-gefährdet *§ 44, § 55(2),*
  aber strahlengefährdet

V

Vabanque spielen*, *auch* va banque
   spielen; Vabanquespiel
Vademekum
vag, vage
Vagabund
Vagant
vage, vag
Vagina
vakant
Vakanz
Vakuum
Valuta
Vamp
Vampir
Vandalismus, Wandalismus
Vanille
Variation
Varieté *s.* Varietee
Varietee*, *auch* Varieté
Vasall
Vase
Vaselin, Vaseline
Vater
Vegetarier
Vegetation
vegetieren
vehement
Vehemenz
Vehikel
Veilchen
Vektor
Velo
Velours
Velvet
Vendetta
Vene
venös
Ventil
Ventilation
ver‿ankern ...

Ver‿band ...
Veranda
verantworten
Verantwortung
veräußern
Verb
verbieten verbot
verbläuen*
verblichen
verblüffen
verbohrt
verborgen; das Verborgene,
   im Verborgenen* § 57(1)
Verbot
verbrämen
verbrechen verbricht, verbrach,
   verbrochen
Verbund
Verdacht [schöpfen ... § 34 E3(5),
   § 55(4)]
verdammen
verdattert
verdauen
Verderb; auf Gedeih und Verderb
   § 55(4)
verderben verdirbt, verdarb, verdorben
verderbt
verdienen
Verdikt
verdingen verdungen
verdrießen verdross*
Verdruss*
verdutzen
Verein
vereinzelt; Vereinzelte [kamen ...]*
   § 57(1)
vereiteln
verfahren verfuhr
verfassen
Verfassung
verflixt

verfügen
vergällen
vergattern
vergebens
vergehen verging, vergangen
vergelten vergilt, vergalt, vergolten
vergessen vergisst*, vergaß
vergeuden
Vergissmeinnicht* § 37(2), § 57 E1
vergnügen
verhalten verhielt
verhängen
Verhau
verheeren
verhehlen
verheißen verhieß
verhohlen
Verkehr
verklappen
verkommen verkam
Verlag
verlangen
Verlass*
Verlassenschaft
Verlaub
verlegen [sein]
verletzen
verleumden
verlieren verlor
Verlies
verloben
verloren [geben, gehen ...(*)] § 34 E3(4)
Verlust
vermählen
vermeintlich
vermessen [sein]
vermitteln
vermögen vermag, vermochte
vermummen
vermuten
vernehmen vernimmt, vernahm,
   vernommen
Vernissage
Vernunft

verpassen
verpönt
verquicken
verraten verriet
verrenken
verrotten
verrucht
verrückt
Vers
versagen
Versal
verschieden; Verschiedene* *(Unterschiedliche)* [kamen ...], Verschie-
   denste* [kamen ...], Verschiedenes(*),
   Verschiedenstes(*) § 57(1)
Verschlag
verschlagen [sein]
verschleißen verschliss*
verschmitzt
verschollen
verschossen
verschroben
verschwenden
versehentlich
versehrt
versessen
versiegen
versiert
Version
versöhnen
versonnen
versponnen
versprechen verspricht, versprach,
   versprochen
Verstand
verständlich [reden ... § 34 E3(3)]
verstauchen
Versteck [spielen § 34 E3(5), § 55(4)]
verstecken
verstehen verstand
verstockt
verstohlen
verteidigen
vertikal

Vertiko
vertrackt
Vertrag
vertragen vertrug
Vertrauen [erwecken/erweckend ...(*)
§ 34 E3(5), § 55(4)]
vertrauensbildend § 36(1)
vertuschen
verunglimpfen
verunstalten
Verve
verwahrlosen
verwaisen verwaiste (zu Waise)
∔ verweisen
verwalten
verwandt
verwegen
verweisen verwies (zu weisen)
∔ verwaisen
verwesen
verwinden verwand, verwunden
verwöhnen
verworren
verzeihen verzieh
verzetteln
verzichten
verzücken
Verzug
verzwickt
Vesper
Vestibül
Veston
Veteran
Veterinär
Veto
Vetter
Vexier⌣bild ...
v-förmig*, V-förmig
Vibrafon(*) s. Vibraphon
Vibraphon, auch Vibrafon
Vibration
Video
Videoclip
Videothek

vidieren
Vieh
viel [befahren, gelesen ... § 34 E3(3), § 36
E1(1.2)]; viele, die vielen, vieles, das
viele § 58(5) (vgl. mehr, meist)
viel⌣deutig ... § 36(2); ...fach; das
Vielfache, um ein Vielfaches [größer ...]
§ 57(1)
Vielfalt
vielleicht
vielmals § 39(1), aber viele Male
§ 39 E2(1)
vier usw. (vgl. acht usw.)
Vierachteltakt § 37(1)
viertel usw. (vgl. achtel usw.); die/eine
viertel Stunde, die/eine Viertelstunde;
in drei viertel Stunden § 56(6.1), in drei
Viertelstunden (vgl. Dreiviertelstunde);
um viertel acht* § 56(6.2); [ein/um]
Viertel vor acht § 56 E2
vierzig usw. (vgl. achtzig usw.)
Vignette
Vikar
Viktoria
Villa
Viola (Bratsche)
Viola, Viole (Veilchen)
violett
Violine
Viper
VIP-Lounge § 40(2), § 55(3)
viril
virtuell
virtuos
virulent
Virulenz
Virus
vis-a-vis*, vis-à-vis
Visavis
Visier
Vision
Visite
viskos, viskös
visuell
Visum

vital

Vitamin; vitaminhaltig § 36(2), *aber*
Vitamin-B-haltig, Vitamin-B-Mangel
§ 44

Vitrine

Vivace

Vivarium

Vize∪kanzler ...

Vlies

Vogel

Vogt

Vokabel

Vokabular

Vokal

Volant

Voliere

Volk *(Bevölkerung)* ≠ Folk

voll/voller [füllen, laden, laufen, pum-
pen, stopfen, tanken ... § 34 E3(3);
sein § 35]; ins Volle* [greifen ...],
aus dem Vollen* [schöpfen ...] § 57(1)
≠ voll∪bringen

voll∪bringen *(vollbringt)*, ...enden,
...strecken, ...ziehen ... § 33(2); ...klima-
tisiert § 36(5) ≠ voll laden

Voll∪bad ...

Völlegefühl

Volleyball

völlig

vollkommen

Vollmacht

vollständig

Vollzug

Volontär

Volt

Volte

Volumen

voluminös

von

voneinander [gehen, lernen ...(*)
§ 34 E3(2)]

vonnöten § 55(4) [sein § 35]

vonseiten*, *auch* von Seiten*, von [der]
Seite § 39 E3(3), § 55(4)

vonstatten [gehen § 34 E3(2)]

vor; vor allem § 39 E2(2.1)

vor∪sehen ... § 34(1); ...haben ... § 34 E2

vorab

voran

voran∪gehen ... § 34(1); vorangehend;
das Vorangehende, Vorangehendes, im
Vorangehenden* § 57(1)

vorauf

vorauf∪gehen ... § 34(1)

voraus; im Voraus*, zum Voraus*
§ 57(5)

voraus∪gehen ... § 34(1); vorausgehend,
das Vorausgehende, Vorausgehendes,
im Vorausgehenden* § 57(1)

vorbei [sein § 35]

vorbei∪fahren ... § 34(1)

vorbeugen

vordere

voreinander [fliehen ... § 34 E3(2)]

vorgestern *usw.* (*vgl.* gestern *usw.*)

vorher [sagen ... *(früher sagen)* § 34 E3(2)
≠ vorher∪sagen ...]

vorher∪sagen ... § 34(1)
≠ vorher sagen ...

vorhergehend; das Vorhergehende, im
Vorhergehenden* § 57(1)

vorhinein § 57(5); im Vorhinein*

vorige

Vorkehrung

vorläufig

vorlaut

vorlieb [nehmen* § 34 E3(2)]

Vormittag *usw.* (*vgl.* Abend)

vormittags (*vgl.* abends)

Vormund

vorn

vornehm

vornherein; von vorn[e]herein

vornüber

Vorrat

vors

Vorsatz

vorschießen schoss vor* § 34(1)

vorschlagen schlug vor *§ 34(1)*

Vorschuss*

Vorteil

vortrefflich

vorüber [sein *§ 35*]

vorüber⌣gehen ... *§ 34(1)*

Vorwand

vorwärts *§ 39(1)* [blicken/blickend ...(*)
   § 34 E3(2), § 36 E1(1.2)]

vorweg [sein *§ 35*]

vorweg⌣nehmen ... *§ 34(1)*

vorwiegend

vorzeiten *§ 39(1), aber* vor langen Zeiten

vorzu

Vorzug

votieren

Votiv⌣bild ...

Votum

Voucher

Voyeur

vulgär

Vulkan

W

Waage
waag[e]recht [stehen ... *§ 34 E3(3)*]
wabbelig, wabblig
Wabe
wabern
wach [bleiben ... *§ 34 E3(3); sein § 35*
＋ wach∪rufen, ...rütteln]
wach∪rufen, ...rütteln ... *§ 34(2.2)*
＋ wach [bleiben, sein]
Wache [halten ... *§ 34 E3(5), § 55(4)*]
Wacholder
wachsen wachste *(mit Wachs einreiben)*
wachsen wuchs *(größer werden)*
Wacht [halten ... *§ 34 E3(5)*]
Wachtel
wackeln
wacker
Wade
Waffe
Waffel
Wägelchen *(zu* Waage) *§ 9 E2*
Wägelchen *(zu* Wagen) *§ 9 E2*
wagen
Wagen
wägen wog/wägte
Waggon, *auch* Wagon
waghalsig
Wagon* *s.* Waggon
Wähe
Wahl *(zu* wählen) ＋ Wal
wählen
Wahn
wähnen
Wahnwitz
wahr [bleiben, machen, werden
§ 34 E3(3); sein § 35 ＋ wahrsagen]
＋ war
wahr∪nehmen *(bemerken),* ...sagen *(prophezeien) § 34(2.2)* ＋ [für] wahr [neh-
men]
wahren

währen
während [deren, dessen
＋ währenddessen]
währenddessen *§ 39(1)* ＋ während
dessen *(wie* während deren)
währschaft
Währung
Waid *(Pflanze), aber* Waid∪..., Weid∪...
Waise *(elternloses Kind)* ＋ Weise
Wal *(Meeressäugetier)* ＋ Wahl
Wald
Walhall, Walhalla
walken
Walkie-Talkie* *§ 43, § 55(1), § 55(3)*
Walkman *(Wz)*
Walküre
Wall
Wallach
wallen
wallfahren, wallfahrten *§ 33(1)*
Wallholz
Walm
Walnuss*
Walross*
Walstatt
walten
walzen
wälzen
Walzer [tanzen/tanzend *§ 34 E3(5),
§ 36 E1(1.2), § 55(4)*]
Wand
Wandalismus, Vandalismus
Wandel
wandeln
wandern
Wange
Wankelmut
wanken
wann
Wanne

Wanst

Wanze

Wappen

wappnen

war (*zu* sein) ≠ wahr

Waran

Ware

warm [halten, stellen ...(*) *§ 34 E3(3)*];
[auf] kalt und warm [reagieren] *§ 58(3); (in Fügungen wie)* die warme Miete *(Miete mit Heizung),* warme Würstchen *§ 63*

warm‿blütig ... *§ 36(2)*

warnen

Warte

warten

warum

Warze

was *§ 58(4)*

waschen wusch

Wasser [abweisen/abweisend ...(*) *§ 34 E3(5), § 36 E1(1.2)*]

waten

Waterproof *§ 37(2)*

Watsche

watscheln

Watt

Watte

Watten

weben webte *oder* wob

Wechsel

Wechte* *(Schneewehe)*

Weck, Wecke, Wecken, Weckerl, Weggen

Weck‿apparat *(Wz),* Weckglas *(Wz)*

wecken

Weckerl, Weck, Wecke, Wecken, Weggen

Wedel

weder; weder ... noch, das Weder-noch *§ 43, § 57 E4*

Weekend *§ 37(1)*

weg

Weg; zu Wege [bringen]*, zuwege [bringen] *§ 39 E3(1), § 55(4)*

weg‿werfen ... *§ 34(1)*

wegen; von ... wegen, von [Amts ...] wegen *§ 56(4)*

Weggen, Weck, Wecke, Wecken, Weckerl

weh [sein *§ 35;* werden, *aber* wehtun]

Wehe

wehen

wehklagen/wehklagend *§ 33(1), § 36(3)*

Wehmut

Wehr

wehren

wehtun *§ 56(2), aber* weh sein

Weib

Weibel

weich [klopfen/geklopft, machen ...(*) *§ 34 E3(3), § 36 E1(1.2)*]

Weiche

weichen weichte *(weich machen, werden)*

weichen wich *(Platz machen)*

Weichsel[kirsche]

weid‿wund ..., *auch* waid...

Weid‿mann *(Jäger)* ..., *auch* Waid...

Weide

weidlich

weigern

Weih, Weihe *(Vogel)*

Weihe *(zu* weihen)

weihen

Weiher

Weihnachten

weil

Weile

Weiler

Weimutskiefer, Weymouthskiefer

Wein

Weinbrand

weinen

weis‿machen *§ 34(2.1);* ...sagen *§ 33(2)*

weise

Weise *(Art)* ≠ Waise

Weisel

weisen wies

weiß *usw.* (*vgl.* blau *usw.*); [blühen/blühend(*) ... § 34 E3(3), § 36 E1(1.2)]; aus Schwarz Weiß machen* § 57(1), § 58(3); eine Weiße *(Berliner Biergetränk)* § 57(1); *(in Eigennamen wie)* das Weiße Haus *(in Washington)* § 60(3.2); der Weiße Nil § 60(2.4); der Weiße Sonntag § 64(3); *(in Fügungen wie)* die weiße Fahne [hissen], ein weißer Fleck auf der Landkarte, die weiße Kohle *(Elektrizität)*, der weiße Sport *(Tennis)*, der weiße Tod *(Lawinentod)*, eine weiße Weste haben § 63

weiß∪bluten § 34(2.2)

weit/weiter [gehen ... § 34 E3(3), § 36 E1(1.2) ≠ weitergehen]; das Weite suchen, [sich] ins Weite [verlieren], im/des Weiteren*, [ein] Weiteres, alles Weitere § 57(1); ohne weiteres § 58(3) *(österr.* ohneweiters § 55(4)); von weitem, bei weitem; bis auf weiteres § 58(3)

weit∪herzig, ...läufig ... § 36(2)

weiter *(weiterhin)* [bestehen ... § 34 E3(2)]

weiter∪gehen § 34(1) ≠ weiter gehen

weiters

Weizen

welch, welche, welcher, welches § 58(4)

Welf, Welpe

welk

Welle

Wellensittich

Welpe, Welf

Wels

welsch

Welt

Weltergewicht

wem

wen

wenden wandte *oder* wendete, gewandt *oder* gewendet

wenig [befahren, gelesen ...(*) § 36 E1(2)]; wenige, die wenigen, die wenigsten, ein wenig, weniges, das

wenige, das wenigste § 58(5), § 58 E4; am wenigsten § 58(2)

wenn

Wenzel

wer § 58(4)

werben wirbt, warb, geworben

werbewirksam § 36(1)

werden wird, wurde/ward, geworden

Werder

werfen wirft, warf, geworfen

Werft

Werg *(Flachsabfall)* ≠ Werk

Werk *(Arbeit)* ≠ Werg

werktags § 56(3), *aber* des/einen Werktags

Wermut

wert [sein § 35, § 55(4)]

Wert [legen auf § 55(4)]

wertschätzen § 33

Werwolf

wes, *aber* wessen

Wesen

wesentlich; das Wesentliche, im Wesentlichen(*) § 57(1)

weshalb

Wesir

Wespe

wessen, *aber* wes

West

Weste

Westen

Western

westfälisch; der westfälische Schinken § 63; der Westfälische Friede § 64(4)

Westover

weswegen

wett∪eifern, ...laufen, ...rennen § 33(1); ...machen § 34(3)

Wette

Wetter

wetterleuchten § 33(1)

wettern

Wetttauchen* § 45(4)

wetzen

Weymouthskiefer, Weimutskiefer

Whirlpool § 37(1)

Whiskey (irischer Whisky) ≠ Whisky

Whisky (Branntwein) ≠ Whiskey

Whist

Wichs

Wichse

Wicht

wichtig [nehmen § 34 E3(3); sein § 35]

Wicke

Wickel

Widder

wider (gegen); das Für und Wider § 57(5)
≠ wieder

wider‿hallen (hallt wider) ... § 34(1);
...sprechen (widerspricht) § 33(3);
...spenstig; ...wärtig § 36(2); ...einander
[stoßen, arbeiten ...(*) § 34 E3(1)]

widerlich

Widersacher

widmen

widrig

wie [hoch, oft, viel[e], weit § 39 E2(2.4)]

Wiedehopf

wieder (erneut, nochmals) ≠ wider [be-
kommen, holen ... § 34 E1] ≠ wieder-
bekommen, wiederholen

wieder‿bekommen (bekommt wieder)
(zurückbekommen) § 34(1); wiederholen
(wiederholt) § 33(3) ≠ wieder bekommen, wieder holen

Wiedersehen § 57(2); jemandem Auf
Wiedersehen sagen*, auch jemandem
auf Wiedersehen sagen

wiegen wiegte (das Kind schaukeln)

wiegen wog (das Gewicht feststellen)

wiehern

Wiese

Wiesel

wieso § 39(1)

Wigwam

wild; der Wilde Westen § 60(5)

Wildbret

Wildfang

Wille, Willen; des Willens; guten Willens, zu Willen sein § 55(4), aber
um ... willen

willen; um [der Kinder ...] willen § 56(4)

willens § 56(3)

willentlich

willfahren willfuhr

willkommen

Willkür

wimmeln

Wimmerl

wimmern

Wimpel

Wimper

Wind

Windel

winden wand, gewunden

Winkel

winken

winseln

Winter

winters § 56(3)

Winzer

winzig

Wipfel

Wippe

wir (Personalpronomen)

Wirbel

wirken

wirklich

wirr

Wirrwarr

Wirsing, Wirz

Wirt

Wirz, Wirsing

wischen

Wisent

Wismut

wispern

wissen weiß, wusste*

wissentlich

wittern

Witterung

Wittling

Witwe	woraus
Witz	Worcestersoße § 37(1)
Witzbold	worein
wo	worin
wo‿mit, ...nach, ...von, ...vor ...	Workaholic § 37(2)
woanders	Workshop § 37(1)
woandershin	Worldcup § 37(1)
wobei	Wort; zu Wort kommen § 55(4)
Woche	worüber
wöchentlich	worum
Wöchnerin	worunter
Wodka	wovon
wodurch	wovor
wofür	wozu
Woge	Wrack
wogegen	wringen wrang, gewrungen
woher	Wucher
woherum	Wuchs
wohin	Wucht
wohinauf	wühlen
wohinaus	Wulst
wohinein	wund [laufen, liegen(*) ... § 34 E3(3)]
wohingegen	Wunder; [was] Wunder[, wenn ...],
wohinter	Wunder [was]* (vgl. wundernehmen)
wohinunter	wundernehmen § 34(3); es nimmt
wohl (gut) [ergehen, tun ...(*) § 34 E3(3)]	wunder § 55(4), § 56(2)
wohl (wahrscheinlich) [bleiben ...]	wunders § 56(3)
wohl‿habend, ...weislich ... § 36(2)	Wunsch
wohnen	Wünschelrute
Woiwod, Woiwode	Würde
wölben	würdigen
Wolf	Wurf
Wolfram	Würfel
Wolke	würgen
Wolle	Wurm
wollen will	Wurst
Wollust	Würze
womit	Wurzel
womöglich	Wuschel‿haar ...
wonach	wuschelig
Wonne	Wust
woran	Wüste
worauf	Wut
woraufhin	

x-Achse *§ 40(1), § 55(1), § 55(2)*
Xanthippe
X-Beine *§ 40(1), § 55(1), § 55(2);*
  x-beinig, X-beinig* *§ 40(1)*
x-beliebig *§ 40(1)*
x-fach *§ 40(1)*

x-förmig*, X-förmig
X-Haken *§ 40(1), § 55(1), § 55(2)*
x-mal *§ 40(1)*
x-te; der x-te Besucher, das x-te Mal,
  zum x-ten Mal[e] *§ 41*

y-Achse *§ 40(1), § 55(1), § 55(2)*
Yacht, Jacht
Yak, Jak
Yankee
Yard
Y-Chromosom *§ 40(1)*
Yeti

Yippie
Yoga, Joga
Youngster
Yo-Yo, Jo-Jo
Ysop
Yucca
Yuppie

Z

Zacke, Zacken

zagen; mit Zittern und Zagen § 55(4),
§ 57(2); das Zagen § 57(2)

zäh

Zähheit*

Zahl

zählen

zahllos; Zahllose* § 57(1)

zahlreich; Zahlreiche* § 57(1)

zahm

Zahn

Zähre

Zaine, Zeine

Zampano

Zander

Zange

Zank

Zapf, Zapfen

Zäpfchen-R, Zäpfchen-r* § 55(1),
§ 55(2)

zapfen

zappeln

Zar

Zarge

zart/zarter [fühlend ...(*) § 36 E1(1.2)]

zart⌣blau; ...fühlend ... § 36(5)
+ zart fühlend

Zäsium, *fachspr.* Caesium, *auch* Cäsium

Zäsur

Zauber

zaudern

Zaum

Zaun

zausen

Zaziki, *auch* Tsatsiki

Zebra

Zeche

Zeck, Zecke

Zeder

Zeh, Zehe

zehn *usw.* (*vgl.* acht *usw.*)

zehntel *usw.* (*vgl.* achtel *usw.*)

zehren

Zeichen

zeichnen

zeigen

zeihen zieh

Zeile

Zeine, Zaine

Zeisig

zeit; zeitlebens § 39(1), § 55(4), *aber* zeit
seines Lebens § 39 E2(1), § 56(4)

Zeit; [eine] Zeit lang* § 39 E2(1); zur
Zeit, *aber* zurzeit § 39(1); zu Zeiten § 39
E2(2.3), zuzeiten § 55(4)

Zeitung

Zelle

Zellophan, *fachspr. und als (Wz)*
Cellophan

zellular, zellulär

Zelluloid, *fachspr.* Celluloid

Zellulose, *fachspr.* Cellulose

Zelot

Zelt

Zelten

Zement

Zen

Zenit

Zensur

Zentaur, Kentaur

Zenti⌣meter ...

Zentner

zentrifugal

zentripetal

Zentrum

Zephir, *auch* Zephyr

Zepter, Szepter *(österr.)*

zer⌣fleddern ...

Zer⌣fall ...

Zerberus, *auch* Cerberus

Zeremonie
zerknirscht
Zero
Zeroplastik, Keroplastik
zerren
zerrütten
zerschellen
Zertifikat
Zervelatwurst, *auch* Servelatwurst,
  (schweiz. auch) Cervelat, Servela
zetern
Zettel
Zeug
Zeuge
zeugen
Zibebe
Zichorie
Zicke
Zickzack
Zider, Cidre
Ziege
Ziegel
Ziegenpeter
Zieger *(österr.)*, Ziger *(schweiz.)*
ziehen zog
Ziel
ziemen
Ziemer
ziemlich
ziepen
Zier, Zierde
Zierrat*
Ziesel
Ziest
Ziffer; die Ziffer Null *§ 57(4)*
Zigarette
Zigarillo
Zigarre
Ziger *(schweiz.)*, Zieger *(österr.)*
Zigeuner
zigtausend[e], Zigtausend[e]*
  § 58 E5
Zikade
Zille

Zimbel
Zimmer
zimmern
zimperlich
Zimt
Zineraria, Zinerarie
Zink
Zinke
Zinn
Zinne
Zinnie
Zinnober
Zins
Zionismus
Zipfel
zirka, *auch* circa
Zirkel
zirkular, zirkulär
zirkum∪terrestrisch ...
Zirkum∪skription ...
Zirkus, *auch* Circus
zirpen
Zirrus[wolke]
zirzensisch
zischen
ziselieren
Zisterne
Zistrose
Zitadelle
Zitat
Zither
Zitrat, *fachspr.* Citrat
Zitrone
Zitrus∪frucht ...
zittern; mit Zittern und Zagen *§ 55(4),*
  § 57(2); das Zittern *§ 57(2)*
Zitze
zivil
Zobel
zockeln, zuckeln
Zofe
zögern
Zögling
Zölibat

Zoll
Zombie
Zone
Zoo; Zooorchester*, *auch*
   Zoo-Orchester *§ 45(4)*
Zoologie
Zoom
Zopf
Zorn
Zote
Zottel
zotteln
zu [hoch, oft, viel[e], weit *§ 39 E2(2.4)*];
   zu Ende, zu Fuß [gehen ...]; zu Hause
   [bleiben ...] *§ 39 E2(2.1)*; *(österr.,*
   schweiz. auch) zuhause*; das Zuhause
   § 57(5); zu Hilfe [kommen ...]; zu Lande; zu Wasser [und zu Lande]; hier zu
   Lande (*wegen* zu Lande) *§ 39 E2(2.1)*,
   auch hierzulande; zu Schaden [kom-
   men] *§ 39 E2(2.1)*; zu Zeiten [Goethes]
   § 39 E2(2.3), *§ 39 E2(3)*, *aber* zuzeiten
   § 39(1)
zu‿geben *(gibt zu)*, ...gestehen, ...muten,
   ...schießen, ...sehen ... *§ 34(1)*
zuallererst *§ 39(1)*
zuallerletzt *§ 39(1)*
zuallermeist *§ 39(1)*
Zubehör
Zuber
Zucht
züchten
züchtigen
zuckeln, zockeln
zucken
zücken
Zucker
Zuckerl
zueinander [finden, passen ...(*)
   § 34 E3(2)]
zuerst *§ 39(1)*
zufällig
zufolge *§ 39(3)*, *§ 55(4)*
zufrieden [lassen, stellen(*) *§ 34 E3(3)*;
   sein *§ 35*]

Zug
Zugabe
zugegebenermaßen *§ 39(1)*
Zügel
zugrunde, *auch* zu Grunde* [gehen,
   richten *§ 39 E3(1)*]
zugunsten, *auch* zu Gunsten*; zu
   [seinen ...] Gunsten *§ 39 E3(3)*,
   § 55(4)
zugute [halten, kommen, tun *§ 34 E3(2)*]
Zuhälter
zuhanden *§ 55(4)*
zuhauf *§ 39(1)*
zuhause *(österr., schweiz.)*, zu Hause
   [bleiben ... *§ 39 E(2.1)*]
zuhinterst *§ 39(1)*
zuhöchst *§ 39(1)*
zulasten*, *auch* zu Lasten *§ 39 E3(3)*,
   § 55(4)
zuleide, *auch* zu Leide [tun](*)
   § 39 E3(1), *§ 55(4)*
zuletzt *§ 39(1)*
zuliebe *§ 39(1)*, *§ 39(3)*
zumal *§ 39(1)*
zumeist *§ 39(1)*
zumindest *§ 39(1)*
zumute, *auch* zu Mute [sein]
   § 39 E3(1), *§ 55(4)*
zunächst *§ 39(1)*
zünden
Zunder
Zunft
Zunge; Zungen-R, Zungen-r* *§ 55(1)*,
   § 55(2)
zunichte [machen *§ 34 E3(2)*]
zunutze, *auch* zu Nutze [machen
   § 34 E3(2)]
zuoberst *§ 39(1)*
zupass*, zupasse [kommen *§ 34 E3(2)*,
   § 55(4)]
zupfen
zur [Zeit]
zurande, *auch* zu Rande [kommen(*)
   § 39 E3(1), *§ 55(4)*]

zurate, *auch* zu Rate [ziehen(*)
  § 39 E2(2.1), § 55(4)]
zurecht
zurecht⌣rücken ... *§ 34(1)*
zürnen
zurren
zurück [sein *§ 35;* gewesen *§ 36 E1(1.1)*]
zurück⌣fahren ... *§ 34(1)*
zurzeit *§ 39(1), aber* zur Zeit [Goethes]
  § 39 E(2.3)
zusammen *(gemeinsam)* [tragen ...
  § 34 E1; sein *§ 35*] ≠ zusammentragen
zusammen⌣tragen *(in eins)* ... *§ 34(1)*
  ≠ zusammen tragen
zuschanden, *auch* zu Schanden
  [machen; werden ...(*) *§ 39 E3(1),*
  § 55(4)]
zuschulden, *auch* zu Schulden [kommen
  lassen(*) *§ 39 E3(1), § 55(4)*]
Zuschuss*
zuseiten*, *auch* zu Seiten(*) *§ 39 E3(3)*
Zustand
zustande, *auch* zu Stande* [bringen,
  kommen *§ 39 E3(1)*]; das Zustandekommen *§ 57(2)*
zuständig
zustatten [kommen *§ 34 E3(2)*]
zutage, *auch* zu Tage [fördern,
  treten ...(*) *§ 39 E3(1), § 55(4)*]
zuteil [werden *§ 34 E3(2), § 55(4)*]
zutiefst *§ 39(1)*
zuträglich
zuungunsten, *auch* zu Ungunsten*
  § 39 E3(3), § 55(4)
zuunterst *§ 39(1)*
Zuversicht
zuvor *(vorher)* [sagen ... *§ 34 E3(2)*]
zuvor⌣kommen ... *§ 34(1)*
zuwege, *auch* zu Wege(*) [bringen
  § 39 E3(1), § 55(4)]
zuweilen *§ 39(1)*
zuwider [sein *§ 35*]
zuwider⌣handeln ... *§ 34(1)*
zuzeiten *§ 39(1), aber* zu Zeiten
  [Goethes] *§ 39 E2(2.3), § 55(4)*

zuzeln
zwacken
Zwang
zwängen
zwangs⌣räumen ... *§ 33(1)*
zwanzig *usw.* (*vgl.* achtzig *usw.*)
zwar
Zweck
Zwecke
zwecks *§ 56(3)*
zwei *usw.* (*vgl.* acht *usw.*)
zweifach (*vgl.* achtfach) *§ 36(2),*
  2fach
Zweifel
zweifelsohne *§ 39(1)*
Zweig
zweimal *§ 39(1)*
Zweipfünder, *auch* 2-Pfünder *§ 40(3)*
zweitletzte (*vgl.* letzte)
Zwerchfell
Zwerg
Zwetsche, Zwetschge, Zwetschke
Zwickel
zwicken
Zwie⌣licht ...
Zwieback
Zwiebel
Zwietracht
Zwilch, Zwillich
Zwilling
zwingen zwang, gezwungen
zwinkern
zwirbeln
Zwirn
zwischen
zwischen⌣finanzieren, ...landen
  § 34(1)
Zwist
zwitschern
Zwitter
zwölf *usw.* (*vgl.* acht *usw.*)
zwölftel *usw.* (*vgl.* achtel *usw.*)
Zyankali
Zyklame, Zyklamen

Zyklon   zynisch
Zyklop   Zypresse
Zyklus   zyrillisch, kyrillisch
Zylinder   Zyste

Teil III
Register

Die angegebenen Zahlen beziehen sich auf die Paragraphen des vorliegenden amtlichen Regelwerks.

Abkürzung: (Zusammensetzung mit Abkürzung) 40(2), 44; (Groß- und Kleinschreibung) 55(1), 60(5); (Punkt) 67 E3, 101–103

Ableitung: (von Eigennamen) 38, 48–49, 61–62, 97 E; (auf *-er*) 38, 41 E, 42, 49 E, 61; auch ↑Einwohnerbezeichnung

Adjektiv: (Getrennt- und Zusammenschreibung) 33(2), 34(2), 34 E3(1), 34 E3(3), 34 E4, 36, 37, 39 E2(2.4), 46 E2; (Groß- und Kleinschreibung) 56(1), 57(1), 58(1–3), 58 E2, 58(5), 60–64; (Komma) 71 E1, 77 E3

Adjektivgruppe: 76, 77(7), 78(3)

Adverb: (Getrennt- und Zusammenschreibung) 34(2), 34 E3(1–2), 36, 39(1), 39 E2(2.4); (Groß- und Kleinschreibung) 56(3), 57(5)

Anführungszeichen: 89–95

Anrede: 53(3), (Zeichensetzung) 68(3), 69 E2(2), 69 E3, 79(1); auch ↑Anredepronomen

Anredepronomen: 65–66

Apostroph: 54(6), 62, 96–97

Apposition: 77(2), 84(2), 86(2)

Aufzählung: 67 E3, 69 E1, 70 E1, 71–73, 80, 81(2), 98

Auslassung: 96–100

Auslassungspunkte: 54(6), 67 E3, 99–100

Auslautverhärtung: 23–24

Ausrufezeichen: 67 E2, 69, 85, 88, 91

Bindestrich: 40–52, 57(2); (zur Hervorhebung) 45(1), 51

Brief ↑Anrede

Bruchzahl: 37 E2, 56(6)

Buchstabe: (Laut-Buchstaben-Zuordnung) 1–32; (Wegfall von Buchstaben) 19, 26; (drei gleiche Buchstaben) 45(4); (Zusammensetzung mit Einzelbuchstaben) 40(1), 41, 44, 55(1–2)

Dehnungs-h: 8, 12(1); ↑auch Silbenfuge

Desubstantivierung: 56

Diphthong: 1(3), 16–18, 20

direkte Rede: (Groß- und Kleinschreibung) 54(2–3); (Zeichensetzung) 67 E3, 72 E1, 81(1), 89(1), 90–93, 95

Doppellaut ↑Diphthong

Doppelpunkt: 54(1), 81, 82

Doppel-s: 5(1), 25 E1–E3

Doppelschreibungen: 20(2), 32(2)

Eigenname: (Getrennt- und Zusammenschreibung) 37(3–4), 38; (Bindestrich) 46–52; (Groß- und Kleinschreibung) 59–62; (Zeichensetzung) 77 E2, 78(4), 96(1), 97 E

Einwohnerbezeichnung: 37(3); auch ↑Ableitung (auf *-er*)

Einzelbuchstabe ↑Buchstabe

Ergänzungsstrich: 98

Eszett (ß): 25

Farbbezeichnung: 57(1), 58(3), 58 E2

fester Begriff: 63

feste Wortverbindung: 39 E3, 55(4), 56 E2, 57(1), 58 E1, 58(3)

Fragezeichen: 70, 85, 88, 91

Fremdwort: (Laut-Buchstaben-Zuordnung) 3, 4(1–2), 4(4), 5(1), 5(3), 8 E3, 9, 11, 20–21, 30, 32; (Getrennt- und Zusammenschreibung) 37(1), 37 E1, 55 E1; (Bindestrich) 44, 45(2); (Groß- und Kleinschreibung) 55(3), 55 E2; (Trennung) 110, 112

Ganzsatz: (Großschreibung) 54; (Zeichensetzung) 67, 69–70, 83, 87, 88, 100, 103, 105

Gedankenstrich: 81(3), 82–85

Genitiv: (Eigennamen) 96(1), 96 E1–E2, 97 E

geographischer Eigenname ↑Eigenname, ↑Ableitung

Getrennt- und Zusammenschreibung: 33–39

Gliederungsangabe: 54(5)

Groß- und Kleinschreibung: 53–66

Grundzahl ↑Kardinalzahl

h ↑Dehnungs-h, ↑Silbenfuge

Hauptsatz: 80(1); auch ↑Ganzsatz, ↑Teilsatz

Notizen

Notizen

Notizen

Notizen

Notizen

Notizen